KB076595

사랑의 발견 3

사랑의 발견 3

발 행 | 2024년 06월 19일
저 자 | 김용수
펴낸이 | 한건희
펴낸곳 | 주식회사 부크크
출판사등록 | 2014.07.15.(제2014-16호)
주 소 | 서울특별시 금천구 가산디지털1로 119 SK트윈타워 A동 305호
전 화 | (02) 1670-8316
이메일 | info@bookk.co.kr

ISBN | 979-11-410-9033-3

www.bookk.co.kr

사랑의 발견 3

김용수 지음

이 책 쓰면서

-또 다른 '젊은 나' 꿈꾸며-

올해로 사회생활을 하다 퇴직한 후 글쓰기를 시작한 지 12년이 된다. 그간 겪었던 많은 변화와 어려움을 돌아보면서 나는 왜 이 길을 가고 있는가, 이 길에 어떤 의미가 있는가를 생각해 본다.

생태계는 조화로움을 통해 건강해진다. 어느 한 부분이 건강해진다는 것은 전체가 건강해지는 것임을 알아야 한다. 생태계는 독립적인 한 종만을 위해 존재하는 것이 아니다. 남녀간의 사랑도 마찬가지다. 여성이 강해진다고 해서 남성이 위축되는 것은 아니다. 조화를 통해 전체가 성장하는 것이다.

요즘 사랑에 뛰어든 청년들을 보면 젊은 날의 나를 보는 것 같다. 나는 이들에게 이런 얘기를 해주고 싶다. 지금껏 우리가 배워온 이분법적 사고에서 벗어나 다양한 색깔로 세상을 보아라. 나와 다른 사람과 사고가 존재하는 것이지, 그것이 틀림은 아니다.

'이제 더 이상 사랑은 없어. 사랑에 휩싸여 더 이상 죄를 짓지 않겠어. 지금까지의 죄악으로 충분해. 이제 나는 경건하게 살겠어. 다른 사람들처럼 서로의 삶을 존중하며 타인의 선을 넘지 않으면서 살겠어.'

파우스트가 고개를 들자 메피스토펠레스와 헬레나가 웃으면서 사라졌다. 파우스트의 두 눈에는 피기 흘렀다. 그러나 파우스트는 후회하지 않았다. 비록 지옥에 가는 한이 있더라도 이제부터는 사람답게 살 것이다. 그의 뺨 위로 피가 흘러내렸다. 그 피를 하얀 손이 나타나 부드럽게 닦아주었다. 그레첸의 영혼이었다.

"내 사랑! 아파하지 말아요. 당신도 구원 받았어요. 이제부터라도 당신의 삶을 경건함과 순수함으로 채우세요."

파우스트(Faust)의 충혈된 눈으로 빨려들 듯이 그레첸(Gretchen)이 들어갔다. 어느새 파우스트의 두 눈이 맑아지면서 출혈도 사라졌다. 파우스트는 마음 속에서 신선한 기운이 솟아오르는 것을 느꼈다. 그래, 이제 새로 출발하는 거다. 깨끗한 몸과 마음으로. 신의 경건함은 인간의 의지를 포기하는 데 있는 것이 아니다. 오히려 인간의 의지를 발휘해 신의 뜻을 따르는 게 신의 길을 가는 거다. 파우스트는 불끈 주먹을 쥐었다. 주먹에 순수한 힘이 솟아올랐다.[1]

항상 호기심을 가져라. 책을 통해 상상력을 키워라. 어제와 똑같이 생각하고 행동하면서 내일은 더 나아질 것이라고 생각해서는 안 된다. 오늘은 어제와 다르게 생각하고 행동하도록 노력하는 것, 그것이 중요하다.

부정하는 것보다 긍정하는 법을 배워라. 생각이 말이 되고 말이 행동이 된다. 스쳐 지나는 사람, 꽃, 날씨 하나에도 호기심과 경이로움을 멈추지 않는 것이 중요하다. 경이로움은 주변에 대한 사랑을 만든다. 미래는 예측할 수 없지만 그래도 만들어가는 것이다.[2]

글을 쓴다는 건 어떤 직업을 갖든 필수적으로 지녀야 할 기본소양이다. 글쓰기에 자신이 없다면 자신 의견을 설득력 있게 표현할 수 없다는 얘기다. 하물며 그것이 오랜 기간 교직 밥을 먹어 온 교사라면 두말할 나위 없다.

솔직히 글을 쓴다는 게 쉬운 일이 아니다. 어휘는 물론이고 맞춤법과 문맥에 이르기까지 늘 신경을 곤두세워야 한다. 더구나 신문의 사설이나 칼럼 등은 눈앞의 현안과 이슈에 대한 깊이와 통찰을 필요로 한다. 문장 하나를 쓰더라도 머릿속 창고에서 최적의 표현을 찾아내는 작업이 녹록지 않다. 그러니 글을 쓰는 과정서 늘 심리적 압박에 휘달리기 일쑤다. 잘 써지지 않을 땐 몇 줄의 진척도 없이 글은 천리 밖으로 달아나고 만다. 심지어 마감에 쫓겨 전전긍긍하는 꿈에 부대끼는 것도 숱하다. 또한 글을 쓸 땐 사람들에게 좋은 영향을 주고, 생각할 거리를 주자는 마음이었다. 현업서 뛸 때 나름 절제한다고 했지만 본의 아니게 비판의 칼을 휘둘렀을 수 있다. 당사자들에게 상처가 됐을 수 있기에 회한으로 다가온다.

100세 시대라는데 그저 반갑지만은 않다. 고희(古稀)를 넘어서 보니 항산(恒産)은 불안정해지고 고뇌는 깊어진다. 은퇴 시점을 종착역으로 받아들여야 할지, 이모작을 시작하는 출발점으로 잡을 것인지는 오롯이 나의 몫일 터다.[3)]

돌이켜 보면 20대 후반 패기 하나로 홀로 섰다. 나이 망팔(望八)인 지금은 마음을 나눌 내 편이 곳곳에 포진해 있지 않은가. 이쯤에서 만절(晩節)이라는 말을 반추해 본다. 나이 들어서도 절개를 잃지 않고 더욱 소중히 여긴다는 그 의미를 가슴속에 새긴다.

혼자 사는 건 외롭고 같이 사는 건 괴롭다고 한다. 그럼에도 우리는 그토록 뜨겁게 사랑하고 인간적인 정(情)을 핑계 삼아 오래 함께 살아가기를 원한다.

정년 후 오늘 십 년 동안 습작해 온 글을 끝으로 펜을 내려놓고 사랑 이야기를 썼다. 자유와 구속이 오가는 사랑을 발견하고, 길들이고 어둠이 되는 사랑에 대한 해답을 찾고자 한다.

오랫동안 초름한 저를 성원해준 가족과 친구, 동료 여러분 그리고 독자들께도 감사드립니다.

2024년 6월

海東 김용수 씀

차례

Ⅰ. 들어가는 글

근대 이후 개인은 미리 정해진 신분적 운명이나 전통 등으로부터 자유로워졌지만, 그 자유는 무한정의 불확실성과 선택지들 앞에 내던져질 자이기도 했다. 봉건제도로부터의 해방은 개인에게 성찰의 기회를 열어주었지만, 동시에 안전감의 토대인 확실성의 뿌리를 제거해버리는 결과를 빚었다.

현대인은 이러한 불확실성의 세계를 소속도, 전통도 다 떨쳐낸 오롯한 '나' 로서 항해해 나가야만 한다. 그럴 때 어딘가에 정박하고 싶은 마지막 희망, 그게 사랑이었다. 신분이나 계급, 직장이나 국적 같은 것이 비록 나를 결정하는 주요한 요소이긴 하지만, 내가 왜 나인지, 나의 정체성을 모두 설명할 수는 없는 법이다. 그러한 가운데 내 존재를 확인시켜 주는 최후의 보루가 바로 사랑인 것이다. 누군가가 나를 사랑한다면, 나는 분명히 존재하는 것이며, 비로소 가치 있는 존재가 되는 셈이니까.

그래서 현대사회는 사랑에 관해 이상한 신화를 갖게 된다. 반드시 사랑에 '성공' 해야 한다는 이상한 신화 말이다. 사랑에 실패하면 마치 내 가치와 정체성이 사라지는 것처럼. 심지어 사랑이 실패로 끝나더라도, 내가 진짜 짝을 못 만나서 이런 거지, 제대로 만나기만 하면 그 사랑이 나를 구원할 거라는 희망을 다시 품게 된다. 이처럼 오늘날의 사람들은 사랑의 문제를 대상의 문제로 가정하고 있다. 즉 사랑은 누구에게나 자유롭고 쉬운 일인데 비해, 사랑할 만하거나 사랑받을 만한 대상을 발견하기 어렵다는 태도를 보이는 것이다.[4]

알랭 드 보통(Alain de Botton)의 장편 소설『낭만적 연애와 그 후의 일상(The Course of Love)』은 낭만적인 연애를 넘어 일상이 된 사랑을 통찰한다.

사랑하고 이별하는 전작과 달리 영원을 약속한 그 후의 이야기로 에든버러의 평범한 커플 라비와 커스틴의 삶을 통해 수십 년에 걸쳐 사랑이 어떻게 지속되고 성공할 수 있는지 살핀다. 소설과 철학 에세이를 섞은 듯한 보통 특유의 감각이 빛난다.

우리의 낭만적인 삶은 슬프고 불완전하게 끝날 운명이다. 우리가 강력히 정반대 방향을 가리키는 두 가지 근본적인 욕망에 따라 움직이는 존재이기 때문이다. 더 곤란하게도 우리는 유토피아적으로 이 분율(分率, fraction)에 수긍하기를 거부하고, 대가 없이 어떻게든 일치점을 발견할 수 있으리라고 순진하게 소망한다.

섹스와 일상의 격차, 성적 취향을 결정하는 심리적 내력, 외도의 욕구와 본질적 문제, 포르노의 함정 등 섹스와 관련된 일상의 여러 주제를 자유롭게 넘나들며 섹스에 대한 욕망과 사랑에 대한 욕망이 평등한 지위를 가져야 한다.

커플이 절정의 순간에 이르며 즐기는 오르가슴은 단순히 육체적인 감각만은 아니다. 섹스를 통해 얻는 쾌감은 다른 사람에게서 자신의 존재를 발견하는 과정, 그리고 행복한 삶의 요소들을 인정하고 확실히 받아들이는 과정과도 밀접한 관련이 있다. 성적 흥분이란 자신의 가치와 존재의 의미를 함께 나눌 수 있는 또 다른 사람을 찾는 순간 느끼게 되는 감정이다.

하지만 인류사를 돌이켜 보면 결국 모든 것은 섹스 때문인 경우가 많다. 수천 년에 걸쳐 쓸데없는 당혹감과 죄책감에 시달리게 했던 그것은 연애와 사랑, 결혼과 불륜, 욕망과 무관심, 노이로제와 병적 공포 등의 이유가 된다.

Ⅱ. 사랑이 뭐길래

남녀 간의 사랑이란 무엇인가? 먼저 남녀 즉 왜 암수 구별이 생겼는지에 대해 알아야만 한다. 이에 대해 나는 윌리엄 해밍턴(William Hammington)의 기생충 가설로써 설명해보고자 한다.

기생충 가설에 의하면 성이 발생한 이유는 바로 기생충으로부터의 생존을 꾀하기 위함이다. 그럼 성과 기생충이 도대체 무슨 상관이 있는가?

한번 생각해보자.[5)]

두 그룹의 집단이 있다. 첫 번째 집단은 오직 무성생식만을 하는 집단이고, 두 번째 집단은 유성생식을 하는 집단이다.

먼저 무성생식만을 하는 집단은 빠르게 그 개체수를 늘려나가겠지만 유전적 다양성이 현저히 떨어져서 기생충이 유입되게 되면 거기에 대한 면역이 없어서 개체수가 급격히 감소하겠지만 유성생식을 하는 집단은 비록 그 증식속도가 전자에 비해 낮다고 하더라도 두 개체 간의 유전적 정보가 뒤섞이며 새로운 유전자를 가진 개체가 발생하며 기생충이 유입되더라도 유성생식을 통한 돌연변이를 통해 해당 기생충에 대항할 면역력을 얻으며 개체수 보존을 꾀할 수 있을 것이다.[6)]

이처럼 유성생식은 그 방법은 까다로워도 돌연변이를 통한 유전적 다양성을 꾀할 수 있기에 암수 그리고 남녀라는 성이 발생하게 된 것이다. 그럼 이제 사랑이란 무엇인지에 대해 알아보자.

먼저 사랑이란 어떻게 이루어지는가?

사랑은 인간이 매혹적인 이성을 보았을 때 시작된다. 매혹적인 이성을 본 인간의 뇌에서는 쾌락과 보상을 담당하는 강력한 신경전달물질인 도파민이 분비되어 전전두피질에 작용하게 되며 강한 쾌락과 만족을 느끼게 하고, 이 쾌락과 만족은 보상이 되며 인간으로 하여금 해당 이성에게 지속적으로 접근하도록 만든다.

그리하여 그 이성이 해당 인간의 구애를 받아들이고 연애가 시작되면 거울신경세포를 통해 서로 간의 행동과 감정을 뇌에서 모방을 하며 공감이 이루어지고 신체적 접촉이 일어나면 뇌에서는 옥시토신과 바소프레신을 분비시키며, 그들 간의 애착관계를 강화시키게 된다.

신경생리학적으로 사랑은 이처럼 초기에는 도파민과 보상경로가 중기에는 옥시토신과 바소프레신과 거울세포가 주요역할을 하며 사랑을 이어나가게 하는 것이다.

그럼 왜 사랑이 진화가 되었는가? 이는 바로 인간의 번식과 매우 밀접하게 관계가 되어 있다.

먼저 인간의 조상들이 왜 나무에서 땅으로 내려가게 되었는지에 대해 살펴보자

인간의 조상들이 살았던 아프리카는 3000만년 전부터 누비아 판과 소말리아 판이 점점 벌어지는 지각변동이 일어나며 동아프리카의 기후가 건조해지며 밀림이 소림으로 바뀌기 시작했고, 소림에서는 나무들이 듬성듬성 있었기 때문에 다른 나무로 이동하기 위해서는 이족보행을 해야만 했고 또한 나무가 부족해지며 강한 유인원들이 약한 유인원들을 쫓아내며 그렇게 쫓겨난 유인원들은 걸어다녀야만 했고 이들이 바로 오스트랄로피테쿠스이다.

오스트랄로피테쿠스 때 부터 어느 정도의 직립보행을 할 수가 있었고, 호모 에렉투스(Homo erectus) 시기에 이르러서는 거의 인간의 발의 구조와 비슷해졌으며, 이처럼 인간 조상들의 발이 점점

직립보행에 맞게 진화가 되는 동안 여자들의 산도는 좁아질 수밖에 없었고, 또 호모 에렉투스는 음식이나 고기를 불에 익혀 먹으며 소화흡수율을 크게 높였으며 그렇게 남게 된 다량의 에너지들은 뇌의 발달에 사용되어 그때부터 인간의 뇌가 폭발적으로 커지기 시작했다.

그러나 이는 곧 태아의 뇌도 커지는 결과를 가져오며 직립보행으로 인해 좁아진 산도와 육식과 요리를 통해 큰 뇌를 얻게 된 인간은 아기를 출산할 때 목숨을 걸어야 할 정도로 위험한 일이 되었으며, 그로 인해 다른 동물에 비해 아기를 조기에 출산시킬 수밖에 없었다.

그래서 다른 동물들은 태어나자 마자 바로 걷거나 어느 정도 어미가 덜 보조해줘도 생존이 가능한 수준을 갖추고 태어나지만 인간 아기는 위와 같은 이유로 어미의 보살핌이 무조건적으로 필요했고 그러나 인간 여자가 아기를 혼자서 돌보는 건 불가능에 가까웠기에 남자가 양육에 참여하기 시작하며 '사랑' 은 바로 남녀 간의 관계가 오래 지속하도록 만드는 주요한 기제로써 진화하게 된 것이다. 즉 사랑이란 장기적 배우자 관계에서 서로 간의 헌신을 위한 장치인 것이며, 이 장치는 신경생리적으로는 신경전달물질에 의해 구현된다.

부모의 모성애, 부성애란 무엇인가? 모성애, 부성애는 포유류의 등장에서부터 기인한다. 포유류는 항상 체온을 일정한 온도로 유지할 수 있는 내온성 동물로써, 파충류가 외부온도가 내려가면 활동이 둔화하는 데 반해 포유류는 밤이나 추운 지역에서도 거주할 수 있는 큰 장점을 지녔기에 온도가 낮아진 빙하기의 지구에서 포유류들은 파충류들의 활동이 감소한 틈을 타 생존에 유리한 이점을 취할 수 있었을 것이다.

그러나 포유류들은 이와 같은 일정한 온도를 유지하기 위해서는 파충류보다 무려 최대 10배가 되는 칼로리를 필요로 했고 이는 곧 포유류의 새끼에겐 부모의 보살핌 특히 어미의 보살핌이 필수요소일 수밖에 없었다.

이 과정에서 아주 오래된 신경전달물질인 옥시토신이 원래는 생물체에게 있어 신체의 물과 미네랄을 조절하는 것과 관련된 기능을 하였으나 포유류에게는 부모 특히 어미가 자신의 새끼들과 떨어질 경우 매우 큰 거부감을 들도록 하여 자식의 애착을 가지도록 만들었을 것이다.

또한 유전자 관점에서 모성애는 자신이 타고 있는 개체가 자신의 유전자 복사본을 가지고 있는 개체를 돌보도록 하는 매우 중요한 기능으로써, 모성애 발현에 관여하는 유전자가 그렇지 않은 유전자보다 훨씬 자연선택에 있어서 유리할 수밖에 없으므로 개체로 하여금 새끼에게 애착을 갖도록 하는 모성애를 발현시키는 유전자가 인간개체군 내에 공유됨에 따라 현재의 인간들 대부분은 자연스럽게 모성애를 가지게 되었을 것이다.

사랑이란 무엇인가에 대한 결론은 사랑이 발생한 원인은 바로 자연선택과 진화이며 사랑이 이루어지는 과정은 영혼이 아닌 뇌에서 도파민(Dopamine), 옥시토신(Oxytocin)[7)8)], 바소프레신(Vasopressin)과 보상경로((reward pathway), 거울신경(mirror neuron) 그 외 뇌의 여러 부위들이 유기적으로 연합하여 벌어지는 신경생리학적인 활동임을 알 수가 있다.[9)]

신형철 평론가는 “나로 하여금 좀 더 나은 인간이 되고 싶다는 생각을 하게 만드는 사람은 내가 ‘사랑하는’ 사람들이다.” 라고 말하고 있다.

1. 사랑이 무엇이냐, 답을 찾는 여정

사랑의 자전적 의미는 다른 사람을 애틋하게 그리워하고 열렬히 좋아하는 마음 또는 그런 관계나 사람을 아끼고 위하며 소중히 여기는 마음이나 그런 마음을 베푸는 일이다.

사랑만큼 정의하기 어려운 것도 드물다. 남자가 여자를, 여자가 남자를, 남자와 남자가, 또 여자와 여자가 사랑을 한다. 연인이 되면 서로 껴안고 입술을 맞대거나 몸을 섞기도 하는데 사람들은 그런 행위를 보고 또 사랑을 나눈다고 한다. 그런데 가만 보면 그것만 사랑이 아니다. 부모가 자식을, 자식이 부모를 아끼는 걸 보고도 사랑한다고들 한다.

누구는 아가페적 사랑과 에로스적 사랑을, 또 누구는 플라토닉 사랑과 에로스적 사랑을 구분한다. 그런데 그 구분에 따라 다시 들아가 봐도 사랑이 도대체 무엇인지는 정의하기 어렵다. 아가페와 에로스, 플라토닉과 에로스가 얽히고설키며 뒤섞이다 나눠지는 게 사랑이란 것이기 때문이다. 그러나 누군가 나를 사랑한다고 말할 때 그것이 내가 아는 사랑과는 꽤나 멀리 있을 가능성도 충분하다고 하겠다.

사랑이란 이처럼 복잡다단한 것이지만 사람들은 사랑에 식지 않는 애정과 관심을 보인다. 아무리 시시껄렁한 술자리라도 누군가 사랑을 말하면 확 불타오르곤 하는 것이다. 학창시절 관심가는 선생님에게 첫사랑의 기억을 묻는 것도, 예능과 드라마와 가요 중 사랑(여기서 음식을 불에 익혀서 소화흡수율을 높였다는 설명은 하버드대학교의 인류학자 리처드 랭엄의 '요리가설' 에서 참고했으며, 남녀 간의 사랑에 대한 설명은 전중환 교수의 "사랑은 왜 진화했는가?" 를 참고함)이 빠지는 작품을 찾아보기 어려운 것도 이 때문이다. 아무리 진화할지라도 끝끝내 완전히 극복하지 못할 것, 그것이 사랑이다.

엠마누엘 무레(Emmanuel Mouret)의「러브 어페어(Love Affair): 우리가 말하는 것, 우리가 하는 것」은 사랑에 대한 영화다.

1939년에 처음 만들어진 이래로 여러 번 개작된 할리우드의 고전 로맨스 영화이다. 이야기가 아름답고 감동적이라 뇌리에서 잊히지 않는 영화로 유명하다. 이후 로맨스 영화 장르 전체에 영향을 많이 줬다.

약혼자가 있는 두 남녀가 우연히 배에서 만나 사랑에 빠지고 6개월 뒤 다시 만나자고 약속하지만 여주인공이 다쳐서 나오지 못하고, 크리스마스에 재회해 남주인공이 여주인공의 사고를 뒤늦게 알게 된다는 내용이다. 당시로선 파격적인 내용이라 논란이 되기도 했다.

개작이 거듭되면서 주인공 남녀의 직업, 만나는 과정, 대사 등이 시대성을 반영해 조금씩 바뀌었다. 엠파이어 스테이트 빌딩를 약속 장소를 잡으면서 '하늘에서 가장 가까운 곳' 이라고 했던 대사가 1994년 영화에서는 '더 이상 가장 높은 곳은 아니지만, 못 찾을리 없으니까' 라는 대사로 바뀌어 소소한 재미를 준다.

러브 어페어 : 우리가 말하는 것, 우리가 하는 것(슈아픽처스)

여기서 사랑에 대한 영화라는 건 연인이 나와서 역경을 뚫고 결실을 맺는다는 흔해 빠진 멜로란 뜻이 아니다. 말 그대로 사랑이 무엇인지를 탐구하는 영화라는 뜻이다.

누군가 무례에게 "자네가 생각하는 사랑은 뭔가"를 물은 것처럼 감독은 러닝타임 내내 열성적으로 서로 다른 수많은 사랑의 단면을 펼쳐낸다. 그려지는 수많은 사랑 가운데 무엇이 진짜 사랑인지는 모르겠으나 세상을 사는 우리들은 그 모두를 사랑이라 부르지 않던가. 점차 혼란스러워져 참지 못하고 '그래서 도대체 사랑이 뭔데' 하고 묻고 싶을 때쯤 영화는 수긍할 수밖에 없는 답을 내린다.

사랑이란 무엇인가?

사랑은 감정과 행동의 복합적인 경험으로, 다양한 맥락에서 다양한 의미를 갖는다. 사랑은 일반적으로 다음과 같이 설명된다:

감정적 연결: 사랑은 두 개체 또는 그룹 간의 감정적인 연결을 나타내며, 이것은 다양한 형태로 나타날 수 있다. 이 감정적 연결은 관심, 애정, 동정, 헌신, 안정성, 안락함 등과 연관될 수 있다.

애정과 애착: 사랑은 종종 애정과 애착의 표현으로 나타난다. 애정은 감정적인 애착과 관심을 나타내며, 애착은 다른 사람에 대한

깊은 욕망과 연결을 포함한다.

행동: 사랑은 종종 행동을 동반하며, 이것은 다른 사람을 돌봄, 배려, 배려, 지원 및 서비스를 통해 표현될 수 있다.

다양한 형태: 사랑은 다양한 형태를 취할 수 있으며, 가족 사랑, 우정, 로맨틱 사랑, 동물에 대한 사랑 등 다양한 맥락에서 나타난다.

사랑은 인간관계와 사회의 중요한 부분이며, 우리의 삶을 더 풍요롭게 하고 상호작용을 향상시키는 역할을 한다. 이는 문학, 예술, 음악, 철학 등 다양한 분야에서 다뤄지고 있으며, 각자의 개인적 경험에 따라 다양한 의미와 깊이를 갖는다.[10)]

"심리학자 곽금주, 사랑을 묻고 사랑을 말하다!"

할수록 목마른 사랑에 대한 곽금주 교수의 심리학적 해법사랑에 빠지면 마냥 행복할 것이라고 말한다. 사랑하고 있는 동안에는 전혀 외롭지 않을 것이라 생각한다. 하지만 우리는 사랑할 때 가장 아프고, 사랑할 때 가장 외롭다. 도대체, 사랑이란 무엇일까? 장점은 단점이 되고, 사랑하던 이유는 미워하던 이유가 되는, 나를 이해하지 못하고 상대를 끌어안지 못해 천국과 지옥을 오가는 싸움 끝에서도 결국 곁에 있기를 원하는…… 사랑! 그래도 함께 있는 것이 더 아름답고 다행이라고 말하는, 사랑에 대한 모든 이야기!

"성숙한 사랑 원한다면, 지나치게 분석 말고 긍정적 착각을 해라" 사랑, 어렵다. 사랑에 아파하고 상처를 받아도 우리는 불나방처럼 또다시 사랑에 뛰어든다. 인류가 시작된 이래 사랑이 언제 화두이지 않았던 때가 있었던가. 이미 오래전부터 숱한 문학작품과 노래로 꾸준히 다뤄졌음에도 사랑은 영원불멸한 소재임에 틀림없다. 인류 공통의 숙제인 셈이다. 더구나 한국의 20~30대 젊은이들에게 사랑은 때론 사치로 여겨질 정도로 어려운 일이 되었다. 연애, 결혼, 출산을 포기할 수밖에 없어 탄생한 용어 '삼포세대'는 이런 세태를 잘 보여준다. 감정에 충실하고 사랑에 목매는 절절한 연애를 하기에도 사회구조적 장애물이 많다.

돈, 직업, 미모 등 각종 '조건'이 사랑을 앞서는 냉정한 사회다. 이렇게 어려운 사랑, 정답이 있을까? 혹은 사랑을 잘하기 위한 해법이 있을까?

경향신문 연중기획 알파레이디 북토크의 6월 강연 주제는 바로 사랑이었다. 지난달 26일 서울 정동 문화공간 '산 다미아노'에서 열린 이번 강연은 곽금주 서울대 교수(심리학)가 맡았다.

곽 교수는 최근 사랑을 둘러싼 인간의 심리를 잔잔하게 풀어낸 책 <도대체, 사랑>을 펴냈다. 이날 강연 주제도 책 제목과 같은 '도대체 사랑-사랑의 심리학'이었다. 사랑은 타인과의 교류에서 비롯하는 것이지만, 성숙한 사랑은 궁극적으로 인간에 대한 이해가 바탕이 되어야만 가능하다. 치기 어린 첫사랑이 대부분 엉망진창 상처 투성이로 끝나는 것은 상대 탓만이 아니다. 바로 사랑보다 '사람'에 대한 이해가 부족했던 나 자신에게도 이유가 있었음을 우리는 뒤늦게 깨닫곤 한다.

곽 교수는 사랑을 심리학적 관점으로 들여다봤다. 곽 교수는 강연 첫머리에 각종 심리 게임을 소개하며 인간의 숨겨진 심리를 설명했다. 그냥 보면 꽃 그림이지만 사실은 곳곳에 사람의 얼굴이 숨겨져 있고, 남녀의 모습인 것처럼 보이는 그림 사이사이에는 돌고래가 여러 마리 그려져 있다. 이러한 착시 현상은 사실을 인지하는 정도가 다르기 때문에 나타나는 것이다. "처음에는 꽃만 보이지만 사실을 알고 보면 사람 얼굴도 함께 보입니다. 망막에 상이 맺혀도 뇌가 모든 상을 처리하지는 않아요. 나에게 의미있고 자극적인 것만 처리합니다. 내가 인지하는 것은 사실 그동안 내가 경험한 것, 내게 의미 있는 것에 따라 달라지기 마련이지요." 사람마다 경험과 생각이 다르니 인지하는 것도 모두 다를 수밖에 없다. 그러니 사회적 경험이나 역할이 다른 남녀가 다른 시각을 갖는 것은 당연한 일일 것이다.

생리적인 요인도 있다. 곽 교수는 남녀의 가장 큰 차이 중 하나로 '공감 능력'을 예로 들었다. 곽 교수의 연구 가운데 엄마가 아이와 놀다가 다친 척하고 아파하는 표정을 지을 때 생후 24개월인 남자아이와 여자아이의 반응이 어떻게 달라지는지 관찰한 사례가 있다. 이때 대부분의 여자아이들은 엄마를 따라 울지만, 남자아이들은 신경 쓰지 않거나 모른 척하며 놀던 장난감에 열중한다. 이렇듯 여성에 비해 남성의 공감 능력이 현저히 떨어지는 현상은 사회화 이전부터 발견된다. 재미있는 것은 공감 능력이 가장 높을 때가 바로 "열정적 사랑에 빠졌을 때"라는 사실이다. 곽 교수는 "사랑에 빠진 사람의 뇌를 사진으로 찍어보면 타인에 대해 공감할 때 활성화되는 부위가 똑같이 활성화된다"고 설명했다. 하지만 남녀의 차이를 십분 인정해도, 다르다는 것은 늘 갈등을 불러일으킬 수밖에 없다. 곽 교수는 연애할 때 소위 '밀당(밀고 당기기)'이 생기는 이유를 "진화심리학적으로 설명할 수 있다"고 말한다. "원시사회 때 가장 중요한 것은 살아남는 것이고, 둘째가 아이를 낳아 종족을 유지하는 것입니다. 남자는 아이를 낳지 않으니 부인이 낳은 아이가 자신의 아이인지 끊임없이 의심하게 되죠. 그러다 보니 '많이 낳다 보면 내 아이가 맞겠지' 라는 생각을 갖게 되고, 다른 여성과 사랑에 빠지기도 쉽습니다. 하지만 여자는 자기 아이를 100% 확신할 수 있죠. 그러니 아이를 키우는 일이 가장 중요하고, 혹시 남자가 다른 여성에게 재화를 나눠주지 않았나 의심할 수밖에 없습니다. 애초부터 '밀당' 과 의심이 생길 수밖에 없는 겁니다." 남녀의 이런 차이는 이성의 유혹에 대응하는 방식에도 차이를 낳는다. 여자는 남자의 '거짓 헌신' 에 속을 가능성을 최소화하려는 경향이 있다. 남자가 아무리 여자에게 헌신적으로 대해도 여자는 그의 진심에 대해 끊임없이 의심한다. 하지만 남자는 그 반대다.

곽 교수가 소개한 한 연구에서는 남성이 얼마나 여성의 유혹에 약한지를 잘 보여준다. 아름다운 여성이 특별한 말 없이 남성을 여러 번 쳐다보기만 했는데도, 남성 중 100%가 5분 만에 '저 여성이 나를 유혹하고 있다' 고 답했다.

곽 교수는 요즘 대세인 '나쁜 남자' 가 인기있는 이유에 대해서도 설명했다. "생쥐 실험에서도 그 이유가 설명됩니다. 암컷과 함께 있던 수컷 쥐와 수컷끼리만 있던 수컷 쥐 가운데 암컷에게 더 인기있는 경우는 전자예요. 본능적으로 다른 암컷으로부터 검증받은 수컷을 더 선호한다는 겁니다. 또 다른 실험에서는 똑같은 남자의 얼굴에 한쪽엔 남자를 보고 웃는 여자가 함께 있고, 한쪽엔 무표정한 표정의 여자가 함께 있어요. 어느 경우가 더 매력적이라고 평가될까요? 바로 옆의 여자가 웃으며 바라보고 있는 남자입니다." 이렇듯 사랑에 관한 인간의 심리를 추측할 수 있는 연구와 실험은 아주 많다. 하지만 이렇게 공부로, 글로 배우는 사랑이 온전할 리가 없다. 알면 알수록 알쏭달쏭한 것이 사랑이다.

곽 교수는 "낭만적 사랑을 넘어 성숙한 사랑" 을 추구하라고 조언한다. 그는 책을 통해 "처음부터 맹렬하게 대시하는 남자는 요즘 찾아보기 힘들다. 나는 이런 세태가 바람직하다고 생각한다. 본래 연애의 시작은 크고 온전한 사랑일 수 없으니 말이다. 크고 온전한 사랑을 이루기 위해서는 함께 노력하며 오랜 시간을 지내는 일이 절대적으로 필요하다" 고 말한다. "거리에서 마주친, 자신들의 가슴을 불시에 두드리는 여인에게 다가가 차 한 잔 할 수 있냐고 청하는 남자들의 부재" 를 비판한 <야성의 사랑학>의 저자 목수정과는 정반대의 입장이다.

곽 교수는 성숙한 사랑을 위한 몇 가지 노하우를 제시했다. 우선 "지나치게 분석하지 말라" 는 것이다. "남자친구가 있는 여성을 두 집단으로 나눠 한쪽은 남성을 사랑하는 이유에 대해 A4 종이 네 장으로, 한쪽은 두세 줄로 써보라고 했어요. 그랬더니 깊이 생각해보지 않고 두세 줄로 쓴 집단이 더 만족도가 높았어요. 지나치게 분석하고 따지는 것이 행복한 사랑을 가져오는 것은 아닙니다." 다음은 부부나 오랜 연인을 위한 조언이다. "억지로라도 심장 박동수를 높이는 활동을 함께하라" 는 것이다. 열정이 있을 때 심장박동수가 높아지지만, 심장박동수를 인위적으로 높이는 경우에도 열정을 이어갈 수 있다는 설명이다. 또 곽 교수는 "긍정적 착각을 가지라" 고 말했다. "사랑하는 사람은 나의 환상대로 변화합니다. 그 사람을 멋지다고 생각하면 정말 멋져지는 거예요. 사랑을 위해서라면 약간의 착각을 가지는 것이 좋습니다. 흔히 말하는 '콩깍지' 가 바로 그것입니다. 사랑을 오래도록 이어갈 수 있는 방법입니다." [11)12)]

"사랑의 전환!"

오래전부터 사랑은 우리를 압도하고 의지로 다스릴 수 없으며 경험으로 통제할 수도 거부할 수도 없는 힘으로 묘사되어왔다. 현대에 일어난 사랑의 변화를 이해하는 가장 좋은 방법 가운데 하나는 선택이라는 범주로 사랑을 바라보는 일이다. 이는 사랑한다는 것은 곧 여러 사람 가운데 한 명을 사랑의 상대로 선택하는 바로 그 행동에서 자신의 개성을 분명히 드러내야 한다는 뜻에서만 하는 이야기가 아니다. 나아가 누군가를 사랑한다는 것은 곧 선택의 물음에 직면한다는 뜻이기도 하다. "정말 저 사람이 나에게 맞는 짝일까?" "이 사람이 진짜 내 짝이라은 걸 어떻게 알지?" "더 기다려보면 훨씬 나은 짝을 만날 수 있지 않을까?" 이런 물음들은 감정이라는 차원을 선택의 차원과 함께 묶어놓는다. 말하자면 '느끼다' 와 '고르다' 라는 서로 다른 행위가 하나의 행동으로 묶이는 셈이다. 현대인의 자아는 스스로 고르고 결정할 권리를 요구한다는 점을 통해 정의된다. 그런 의미에서 사랑은 현대에 선택이라는 범주가 갖는 사회적 기초가 무엇인지 중요한 통찰을 얻을 수 있데 도와준다. 즉 자율적 선택과 결정이 현대에서 차지하는 비중은 소비와 정치의 영역에서 가장 분명하게 드러난다.

선택은 현대문화의 전형적 특징이다. 선택은 적어도 경제와 정치의 무대에서 자유의 행사뿐 아니라 두 가지 능력을 육화한 것이다. 자유의 행사를 정당화 하는 이 두 가지 능력이란 바로 합리성과 자율이다[13]

"연애는 수많은 속임수와 겉만 화려한 사기 그리고 온갖 감언이설로 얼룩진 게임이다. 그러나 이런 사기와 기만 행각을 속속들이 밝혀내고 상대가 실제로 오랜 세월 동안 가장 가까운 친구로 지낼 수 있을지 확인하는 일은 필요하다." 에바 일루즈(Eva Illouz).

2. 썸과 연애, 어장과 물고기

근대의 시작과 맥을 같이한 연애는 시대를 거치며 다양한 형태로 변화해 왔다. 연애는 스스로 형태를 변화시키는 것을 넘어 독특한 관계 양식을 부산물로 만들어 내기에 이르렀다. 우리는 '의심과 확산의 경계 그 어딘가'를 '썸'이라고 부른다. 썸은 공식적인 연인 관계가 아니기 때문에 서로에 대한 감정적 충실의 의무와 약속에서 자유롭다. 그러나 상호 호감에 대한 암묵적 합의는 갖추고 있기에 둘은 형용하기 어려운 관계다. 두 사람 사이에 '미묘한 무언가(something)'가 있다고 표현 데서 유래한 썸은 신조어로 등장한 이후 젊은 세대에서 통용하는 하나의 문화적 현상이 되었다.[14)]

'러브 어페어(Love Affair)' 영화는 막심과 다프네가 서로 자신들의 연애 이야기를 나누며 진행된다. 막심은 오랫동안 짝사랑한 여자 때문에 속을 썩이는 중이다. 우리 표현으로 그녀는 어장관리의 달인이다. 프랑스식 첨단 어장에 막심의 마음이 남아나질 않는다. 막심의 친구가 그녀와 연애를 하고, 막심은 그들의 제안으로 그들의 집에 함께 들어가 살기까지 한다. 몸을 나누면서도 마음을 주지 않고, 마음을 주면서도 몸을 나누지 않는 기묘한 상황이 거듭 펼쳐지며 견디다 못해 집을 나와 사촌형을 보러 떠나온 길이다.

다프네의 이야기도 가관이다. 다큐멘타리 편집자인 다프네는 남몰래 감독을 짝사랑하지만 그는 자신이 소개해 준 친구와 사랑에 빠진다. 친구에겐 이미 애인이 있지만 사랑에 빠진 감독에겐 전혀 상관없는 일이다. 다프네가 낙담하고 있을 때 다가온 한 남자가 있으니, 그가 막심의 사촌형이다. 다프네의 이상형과는 거리가 멀지만 어찌어찌하다보니 몸은 물론 마음까지 주고 만다. 그가 유부남이란 사실에 부담 없이 맺은 관계지만 어느 순간 불륜 관계는 그의 부부 관계까지 깨뜨리기에 이른다.

엠마누엘 무레「러브 어페어(Love Affair): 우리가 말하는 것, 우리가 하는 것」은 여러 인물들의 복잡한 사랑이야기가 거듭되는 가운데 영화는 줄거리로는 전혀 설명되지 않는 이야기를 조금씩 깊이 진행해 나간다. 그로부터 때로는 욕망이고 때로는 책임이며 또 때로는 유혹과 외로움이기도 한 사랑의 여러 면모가 드러난다. 각자가 저마다의 방식으로 자기의 사랑을 실현하는 가운데 삶은 거침없이 흘러간다. 그리고 영화는 답을 내리지 않는 듯, 답을 내린다.[15)]

한편, 아이젠 버그(Eisenberg) 러브 어페어(Love Affair)는 감동적인 이야기와 사랑의 메시지를 담고 있는 작품입니다. 이 작품에서 우리는 다양한 캐릭터들의 사랑 이야기를 만나게 되는데, 이들의 이야기에 공감하며 생각해 보는 것들이 있습니다.

첫 번째로, 캐릭터들이 마주한 고난과 역경에서의 사랑의 힘을 볼 수 있습니다. 이들은 서로를 지지하고 힘을 빌려주며 어려움을 함께 극복해갑니다. 우리의 현실 세계에서도 사랑하는 이들 사이에서는 고난과 역경이 생길 수 있지만, 그 속에서 우리는 서로의 힘을 되찾고 더욱 굳건한 사랑으로 함께 성장할 수 있는 기회를 얻을 수 있습니다.

두 번째로, 캐릭터들은 서로의 소중함을 깨달으며 서로를 돌보고 지지해주는 모습을 보여줍니다. 그들은 서로를 위해 희생을 감수하며, 자신의 가치를 확인하고 사랑을 넘어서는 관계를 형성합니다. 이는 우리 모두가 배울 수 있는 교훈 중 하나입니다. 서로를 아끼고 존중하며, 상대방을 위해 힘을 내어주는 것은 진정한 사랑의 모습이라고 할 수 있습니다.

세 번째로, 이 작품은 다양한 형태의 사랑을 다룹니다. 여러 캐릭터들은 서로 다른 사랑의 스토리를 가지고 있으며, 이를 통해 우리는 사랑의 다양성을 경험할 수 있습니다. 우리의 현실 세계에서도 다양한 형태의 사랑이 존재하며, 그 모든 형태를 존중하고 이해하는 것은 서로를 향한 배려와 포용의 마음을 가질 수 있는 기회가 될 것입니다.

마지막으로, 이 작품은 사랑의 메시지를 담고 있습니다. 캐릭터들이 서로를 향한 사랑을 통해 우리에게 전하는 메시지는 바로 "사랑은 행복의 원천이다" 라는 것입니다. 작은 행동 하나하나가 큰 의미를 갖는 것처럼, 우리도 사랑을 통해 더 행복한 삶을 창조할 수 있습니다. 이를 통해 우리는 자신과 주변의 사람들을 위해 사랑과 배려를 표현하는 것이 얼마나 큰 가치를 지닌 일인지 깨달을 수 있습니다.

아이젠 버그 러브 어페어의 캐릭터들의 사랑 이야기는 우리에게 많은 생각을 주고, 다양한 감정을 불러일으킬 수 있습니다. 이와같은 이야기들을 공감하며 진지하게 생각해보는 것은 우리의 사랑을 더욱 성장시키고 발전시키는 계기가 될 것입니다.

가. 사랑의 표현

마치 무슨 <사랑의 물약>이라도 마신 것처럼 상대방이 무엇을 해도 예뻐보이고 어떤 행동을 해도 귀엽고 사랑스러워 보이는 소위, <콩깍지>는 실제로 존재한다.

인간은 태어나면서 부터 사랑할 수 있는 호르몬과 뇌의 메카니즘을 갖는다. 사랑과 관련된 호르몬과 뇌의 영역은 인간의 감정적인 영역뿐만 아니라 어떤 파트너에게 끌리고 선택할지의 의사결정에도 영향을 미친다.

우리는 한 사람에게 매혹당해 애인으로 선택하고, 정서적 유대감을 촉진하고 이를 바탕으로 신뢰를 쌓아가고 그래서 관계에 만족하는 것까지 우리는 호르몬이라는 사랑의 물약을 가지고 태어난다.

이처럼 우리가 사랑에 빠졌을 때 우리 몸안의 다양한 사랑의 물약들은 기쁨, 신뢰, 유대감을 만들고, 특별한 파트너를 선택하도록 큐피드의 역할을 하는 것이다.

어때요? 지금 곁에 있는 파트너를 보고 첫눈에 반했던 기억이 나시나요? 그때 당신은 어떤 감정을 느끼셨나요?

그저 그랬나요? 지금은요? 지금도 그저 그렇습니까? 아니면 이 사람이 왠지 내 운명의 상대 같고, 내 영혼의 반쪽인 것 같은 기분인가요?

단순히 나에게 다정하게 잘 해주는 그저 〈좋은 사람〉같아 보여서 그 사람을 좋아하게 된 것이 아니라 이전까지는 단 한번도 경험해 본적 없는 어떤〈스스로도 설명할 수 없는 강력한 끌림〉같은 것을 느끼고 있나요?

잘 됐네요. 그렇다면 이제는 가슴속에 품은 사랑의 마음을 표현해 보세요. 사랑은 표현할 때 진정한 사랑이 된다. 사랑하는 마음만큼 사랑을 표현하는 것도 중요하다.

우리의 삶에서 가장 중요한 부분을 차지하는 것이 사랑이다. 사랑은 곧 삶의 본질이라 해도 과언이 아니다. 그러나 사랑은 형체가 없다.

누가 사랑을 본적이 있는가? 누가 사랑을 만져 본적이 있는가?

사랑은 눈으로 볼 수도 없고, 손으로 만질 수도 없다. 냄새를 맡을 수도 없고, 사랑하는 사람에게 그 마음을 꺼내어 보여줄 수도 없다. 더구나 사랑을 예쁘게 포장해서 건네줄 수도 없는 노릇이다.

따라서 사랑은 <표현이라는 방식>으로 밖에는 성립될 수가 없다.

사랑은 사랑하는 마음을 표현할 때 수면 위로 드러나 세상을 변화시키는 놀라운 물약이 된다. 아무리 사랑하는 마음이 100이라 할지라도 표현이 0이면 아무런 의미가 없다. 강아지는 좋아하는 대상에게 꼬리를 살랑살랑 흔들며 눈을 맞춘다. 고래는 감미로운 노래를 부르면서 사랑을 나눈다. 원숭이는 털을 정리해 주면서 애정의 깊이를 더한다. 펭귄은 알을 품을 돌멩이를 갖다주면서 사랑의 마음을 전한다. 이처럼 동물들 조차 그들만의 방식으로 사랑을 표현한다.

우리들은 상대방에게 화가 나거나 실망을 했을 때 거침없이 분노를 표출한다. 그런데 사랑의 마음은 그렇지가 못하다.

대개의 경우 우리들은 <사랑은 마음이 중요하지, 그걸 꼭 표현해야 하나> <표현을 안 해도 알겠지> <표현에 익숙하지 않아서> 등등 이런저런 이유로 정작 중요한 사랑의 표현을 건너뛰거나 생략한다. 그러면 안 된다. 좋은 마음일수록 표현해야 한다. 표현하지 않는 사랑은 흙 속에 파묻혀 있는 씨앗과 같다.

물을 주고 햇빛을 비춰주는 행위가 수반되기 전에는 어떤 변화도 일어나지 않는다. 사람은 누군가가 자신을 사랑한다고 느낄 때 자신이 괜찮은 사람이라고 생각하고 자신감도 얻는다.

사랑은 마음을 활기차고 여유롭게 할 뿐만 아니라 생활에 에너지를 불어넣고 삶에 애착을 갖게 한다. 어떤 부담감이나 의무감으로 서로를 대하면 안 된다. 그건 결코 권할 만한 일이 못 된다. 부담감을 갖고 의무적으로 하는 일은 힘이 든다. 그러나 진심 어린 마음에서 나오는 사랑의 표현을 주고 받으면 큰 행복과 즐거움이 따라온다.

〈자가지각 이론〉이라는 것이 있다. 대개는 자신이 사랑을 느꼈을 때는 당연히 그에 따른 행동이 나오기도 하지만 사랑한다고 말을 하거나 그 사람을 위해 꽃을 준비하고 선물을 준비하는 행동을 함으로써 〈내가 정말 이 사람을 사랑하고 있구나〉라고 스스로 각인한다는 것이다.

따뜻한 말과 행동으로 사랑을 표현하면 상대방이 더욱 더 긍정적으로 보이고 애정도 깊어진다. 서로 사랑을 표현하는 커플이 그렇지 않은 커플보다 더 행복하고 결속력도 강하다.

사랑은 사랑답게 표현되어야 한다. 사랑하는 감정을 올바르게 표현하는 것은 사랑을 오래 유지할 수 있는 가장 확실하고 효과적인 방법이다. 물론 사랑은 언어로도 전달되겠지만 행동이 뒤따를 때 진정한 효과를 발휘한다.

행동이 수반되지 않는 말뿐인 사랑은 진심으로 와 닿지 않는다. 그 진심도 반감된다. 상대방의 감정을 이해하고 적극적으로 행동할 때 사랑은 더욱 단단해진다. 그래야 사랑의 만족감도 높고 사랑을 오래 이어갈 수가 있다. 물론 사랑의 표현법은 어떤 규정으로 정해져 있는 것이 없다.

서로가 사랑을 표현하는 방식도 다르고 또 반드시 일치하는 것도 아니다. 세간에 알려진 〈소와 사자의 사랑이야기〉가 있다.

소와 사자가 서로를 배우자로 맞았는데 소는 날마다 풀을 대접하고 사자는 소에게 사냥한 고기만을 대접하다가 결국 갈라지고 말았다는 이야기다. 우습지만 슬픈 이 이야기는 인간의 현실에서도 종종 벌어진다.

자신이 주고 싶은 대로 사랑을 표현했다가 고마워하거나 감동하기는 커녕 오히려 사랑을 파괴시키는 단초가 되기도 한다. 설령 다수가 공감하는 사랑의 표현법이라도 해도 어떤 이에게는 와닿지 않을 수도 있고 똑같은 표현이라고 해도 사람에 따라 받아들이는 정도가 다르다.

인간은 대개 자신이 받고 싶어 하는 방식으로 상대방에게 사랑을 표현하는 경향이 있다. 신이 소중히 아끼고 좋아하는 것을 주었지만 서로에게 상처만 남긴 소와 사자처럼 사랑하는 마음에 아무리 선의(善意)로 한 행동이라도 할지라도 상대방이 행복해 하지 않으면 결코 좋은 방법이 아니다.

상대방이 〈내가 사랑받고 있구나〉라고 느껴야 제대로 된 사랑의 표현이 된다. 〈사랑하니까 이러는 거야〉라는 식의 방식을 강요하거나, 상대방이 내 방식에 길들기를 바랄 것이 아니라 오직 상대방이 언제 행복해 하는 지에 관심을 가져야 한다.

내 기준을 뒤로 하고 상대방의 입장에서 생각하고 상대방이 좋아하는 방식으로 사랑을 전하는 일이 무엇보다 중요하다. 상대방에게 내가 원하는 방식대로 애정을 보여 달라고 요구하면서 상대방의 사랑 표현법을 무시하면 곤란하다. 받기 위해 주는 사랑은 그 의미가 퇴색된다.

사람마다 사랑에 대한 개념, 정의, 가치관과 표현방식은 다 다르다. 그건 각자의 사랑에 대한 경험치가 다르기 때문이다. 가령, 〈사랑한다〉는 말을 어려워하는 사람도 있고, 상대방을 세심하게 배려하는 일에 서툰 사람도 있다.

에리히 프롬은〈사랑은 감정이 아니라 행동이다〉라고 말했다. 나도 동의한다. 사랑은 표현과 행동에 의해서 피어나는 꽃과 같다. 아름다운 꽃밭처럼 사랑도 화사하게 피어나려면 정성껏 가꾸어야 한다. 노력없이 되는 일이 없듯 사랑도 마찬가지다. 애정을 표현하고 행동을 게을리하지 말아야 한다. 나의 사랑 표현법을 상대방이 거부한다면 그건 상대방에 대한 충분한 이해가 부족하다는 뜻이다.

나의 말이나 행동에 대해 상대방의 반응을 잘 살펴서 긍정적으로 받아들이는 쪽을 늘려가야 한다. 그래도 정말 모르겠다면 상대방에게 어떨 때 사랑받는 느낌이 드는지 솔직히 물어보는 게 좋다.

서로가 만족하는 사랑의 표현을 찾아가며 또 서로가 조율하려는 노력 역시 또 다른 사랑의 표현이다. 어차피 유한한 삶을 살 수밖에 없는 우리들의 인생이다.

인생은 길지 않다. 인생은 짧다. 사랑은 언제까지나 우리들을 기다려 주지 않는다. 지금 표현하지 않으면 하고 싶어도 다시는 못하는 순간이 올 수도 있다. 진실한 사랑의 마음을 아낌없이 표현해야 한다.

사랑의 기회는 드물다. 인생에 자주 있는 기회가 아니다. 사랑만큼 귀한 보약도 없다. 사랑에 인간은 그 어떤 명약으로도 얻을 수 없는 기적을 선 보인다. 사랑을 먹고, 사랑을 마시고 끊임없이 사랑하라. 우리들의 사랑에 필요한 건 오직 〈선택과 집중〉 뿐이다.[16)]

나. 사랑의 감정

사람들은 누구나 한 번쯤은 열정적이면서도 낭만적인 사랑을 꿈꾼다. 그래서인지는 몰라도 동서고금을 막론하고 사랑은 예술과 문학의 가장 중요한 주제였다. 그만큼 사랑은 인간관계에서 우리들이 경험할 수 있는 가장 오묘한 감정이며 우리 모두가 동경하는 인간관계의 끈이다.

베르테르와 로테(Werther+Rothe), 로미오와 줄리엣(Romeo+Juliet) 역시 사랑을 주제로 한 이야기다.

베르테르와 로테, 로미오와 줄리엣의 이야기는 우리들의 가슴을 한편으로는 낭만적인 동경으로, 한편으로는 열정적인 안타까움으로

물들게 한다. 그들은 인간의 목숨을 관통하는 사랑의 엄중함과 참담함을 동시에 보여주었다. 물론 이들은 영화나 소설 속에서는 얼마든지 미화될 수 있다.

그러나 이것이 현실에 들어오면 엄청난 비극일 뿐이다. 어차피 이룰 수 없는 사랑이라면 추억으로 고이 접어 서랍 속에 간직하고 새로운 삶과 새로운 사랑을 찾아야 하는 것이 정상이다.

포기해야 할 부분을 끝까지 붙잡고 있으면 나만 불편하고 나만 아프다. 돌려받지 못할 사랑 때문에 가슴앓이할 필요도 없다. 손해 보는 사랑도 할 필요가 없다. 사랑은 그럴 수도 있기 때문에 사랑인 것이다.

그렇다면 사랑은 왜 그럴 수도 있는 것일까? 그것은 사랑은 상대가 있는 게임이기 때문이다. 사랑은 상대방에 대한 별의별 복잡미묘한 감정들이 실타래처럼 엉켜져 있는 일종의 구조물이기 때문이다.

그런 사랑이 이루어지려면 그런 별의별 감정들을 적절히 표현하는 지혜도 필요하고, 거기에 집착, 소유욕, 질투등을 적절히 가미하는 사랑의 기술도 필요하다. 이처럼 사랑은 상대가 있는 게임이다. 그래서 사랑은 그럴 수도 있는 것이다. 나 혼자서는 아무것도 할 수 없는 것이 사랑이다.

사랑이 더 깊은 관계로 발전하기 위해서는 두사람이 정서적 지지와 공감을 함께 하고 더불어 자기노출과 같은 즐거운 체험의 현실적 교환 등이 있어야 하기 때문에 사랑은 그럴수도 있는 것이다.

이것은 다시 한번 사랑은 상대가 있는 게임이라는 확실한 증거이기도 하고 말이다. 어쨌건 재미있는 사실은 <사랑은 그냥 신비한 존재로 남겨두어야 한다>는 의견도 있다.

1990년대 미의회에서는 사랑에 대한 연구를 금지해야 한다는 의견을 제시한 적이 실제로 있었다.

그 이유는 사랑이 너무 과학적으로 해부되어 낱낱이 알려져 버리면 인간의 삶이 너무나 무미건조해 질 것이라는 염려 때문이었다고 한다. 그럼에도 불구하고 내가 감히 사랑의 정의를 내릴수는 없겠지만 그래도 사랑을 구성하고 만드는 요소는 있지는 않을까 하는 생각이다. 적어도 두 사람이 서로에 대한 어떤 최소한의 마음이라도 있어야 사랑은 이루어질 수 있는 것이 아닐까?

그렇다면 그런 사랑을 만드는 최소한의 요소에는 어떤 것들이 있을까? 물론 그런 요소는 두 사람이 똑같이 가지고 있어야 한다는 전제조건이 붙는다.

첫번째는 열정이다. 열정은 한마디로 뜨거운 감정이다. 열정은 사랑에 빠진 사람을 들뜨게 하고 사랑하는 사람과는 한 시라도 떨어지고 싶지 않으며 그사람과 하나가 되고 싶은 강렬한 충동을 불러 일으키는 감정이다.

한마디로 열정은 곧 사랑의 동기다. 열정은 여타의 인간관계와 사랑을 다르게 만드는 가장 핵심적인 요소다.

두번째는 친밀감이다. 친밀감은 서로에 대한 익숙함이며 편안함이다. 친밀감은 서로를 잘 이해하고 가깝게 그리고 편하게 느끼는 것, 더불어 두 사람의 의사소통이 원활하고 서로에 대해 공감하며 상대로부터 지지를 받는다고 느끼는 감정을 말한다. 친밀감은 사랑에 있어 정서적인 측면이다.

친밀감은 지속적인 만남을 통해 상대방을 신뢰하게 될 때 만들어지는 감정이다. 그래서 친밀감은 사람을 편안하고 안정감 있게 만드는 특성이 있다.

세번째는 책임감이다. 책임은 사랑에 있어 인지적 측면의 성격이 강하다. 책임감은 사랑하는 사람과 사랑의 약속을 지키겠다는 자기 선택이자 자기 결정이다. 약속에는 맹세와 서약이 있다.

맹세는 스스로와의 약속이고 서약은 상대방에 대한 약속이다. 사랑은 맹세와 서약을 모두 요구한다. 그래서 책임은 상대방에 대한 헌신과 희생, 협조와 배려 같은 행동을 통해 지속되며 확인된다.

그런데 이런 사랑의 구성 요소 중에 열정만 있는 사람들은 불꽃처럼 빠르게 가까워지지만 사실 불꽃이란 우리가 생각하는 만큼 오래 지속되는 성질의 것이 못 된다. 특히나 알아갈수록 신체적 매력은 떨어지고 시간이 지날수록 상대에 대한 신비로움은 쇠퇴하고 사라진다.

이처럼 열정은 친밀감과 책임이라는 요소가 뒷받침되지 않으면 관계의 지속은 어려워진다. 열정이 불꽃이라면 책임은 그 불꽃을 담아두는 등잔이다,

책임이라는 등잔에 열정이 활활 타오르며 동시에 친밀감이라는 불쏘시개가 지속적으로 공급될 때 사랑은 유지되고 발전하게 된다. 이 가운데 어느 것 하나만 빠져도 온전한 사랑이 되지 못한다.

당신의 사랑은 어떤 유형인가요...?[17]

베르테르는 자신의 사랑을 증명하기 위해 자살이라는 극단의 방법을 선택한다. 그는 그렇게 짝사랑의 비애를 세상에 알린 인물이다.

세상 사람들은 말한다. “내가 살기 위해서라도 그쯤이면 그 등신 같은 짝사랑을 그만둬야 하는 것이 옳지 않은가?” 라고.

그런데 정말 자기가 살기 위해서라도 그 짝사랑을 그만둬야 하는 것만이 답일까? 대부분의 세상 사람들은 베르테르의 짝사랑을 이해하지 못한다.

그러나 내 생각은 좀 다르다. 어쩜 그건 세상에서 가장 “행복한 사랑” 일지도 모른다.

사랑을 위해 자신의 목숨을 내어놓을 수 있는 사람은 세상에 몇 안 된다. 그래서 괴테는 "일생을 살면서 이 작품이 오직 자신을 위해 쓰인거라고 생각되는 시기가 한 번이라도 없다면 그 건 불행한 일이다" 라고 말했다. 참으로 한 번쯤은 찬찬히 곱씹어 볼만 한 말이 아닐까 싶다.

한번 사는 인생에 내가 사랑하는 사람과 죽을 것 같은 사랑을 해 보는 것도 어찌보면 인생의 드문 행운이다. 그건 누구에게나 주어지는 기회가 아니다.

어떻습니까?

만약 상대방이 당신에게 "사랑해" 라고 고백하면 당신은 어떻게 하실건가요? 나도 "사랑해" 라고 말을 해 줘야 하는 타이밍이란 걸 알지만 차마 입이 떨어지지 않습니까? 그래도 당신의 사랑은 당신이 지켜야지요. 사랑은 누가 지켜주는 것이 아닙니다.

버스 떠난 뒤 손흔드는 어리석은 일은 없어야 되지 않겠습니까?

"베르테르의 죽음"

유부녀를 향한 남자의 지독한 짝사랑. 알면서도 끝까지 애매모호했던 여자의 태도. 결국은 자살로 생을 마감한 가련한 인간. 그는 대체 무엇을 위해 사랑을 했을까? 그는 대체 왜 그런 사랑을 했을까...

짝사랑은 범죄다. 유부녀를 향한 그릇된 사랑. 그것이 아무리 좋은 감정과 아무리 선의라 할지라도 결코 면죄부는 될 수가 없다.

목적이 수단을 정당화 시킬 수는 없다. 의도는 의도이고 행동은 행동이다. 그리고 그런 행동은 엄연한 내 책임이다. 그래서 나는 단지 아직 그저 생존하고 있는 베르테르일 뿐이다.

대체 250년 전의 괴테(Goethe, Johann Wolfgang von)는 지금의 현실을 어떻게 꿰뚫고 있었을까?[18)]

"사랑의 전환!"

오래전부터 사랑은 우리를 압도하고 의지로 다스릴 수 없으며 경험으로 통제할 수도 거부할 수도 없는 힘으로 묘사되어 왔다. 현대에 일어난 사랑의 변화를 이해하는 가장 좋은 방법 가운데 하나는 선택이라는 범주로 사랑을 바라보는 일이다. 이는 사랑한다는 것은 곧 여러 사람 가운데 한 명을 사랑의 상대로 선택하는 바로 그 행동에서 자신의 개성을 분명히 드러내야 한다는 뜻에서만 하는 이야기가 아니다. 나아가 누군가를 사랑한다는 것은 곧 선택의 물음에 직면한다는 뜻이기도 하다. "정말 저 사람이 나에게 맞는 짝일까?" "이 사람이 진짜 내 짝이라는 걸 어떻게 알지?" "더 기다려보면 훨씬 나은 짝을 만날 수 있지 않을까?"[19] 이런 물음들은 감정이라는 차원을 선택의 차원과 함께 묶어놓는다. 말하자면 '느끼다' 와 '고르다' 라는 서로 다른 행위가 하나의 행동으로 묶이는 셈이다.

현대인의 자아는 스스로 고르고 결정할 권리를 요구한다는 점을 통해 정의된다. 그런 의미에서 사랑은 현대에 선택이라는 범주를 갖는 사회적 기초가 무엇인지 중요한 통찰을 얻을 수 있게 도와준다.

선택은 현대문화의 전형적 특징이다. 선택은 적어도 경제와 정치의 무대에서 자유의 행사뿐 아니라 두 가지 능력을 육화한 것이다. 자유의 행사를 정당화하는 이 두 가지 능력이란 바로 합리성과 자율이다. 이런 의미에서 선택은 현대인의 자아를 형성하는 문화와 제도의 가장 강력한 벡터이다. 벡터, 곧 자아형성의 강한 추진력인 선택은 권리인 동시에 일종의 능력이다. 선택이 현대인이 지닌 개성의 육화한 부분이라면, 이제 던져야 할 질문은 인간은 관계를 맺을지 말지를 어떻게 결정하며, 왜 그렇게 결정하느냐다. 이 물음은 사랑을 현대성의 경험으로 이해하는 데 결정적으로 중요하다.

현대에서 사랑이 겪는 핵심적 변화 가운데 하나는 낭만적 선택 결정(decision choices)을 내리는 조건과 직접적 관계를 가진다. 이 조건은 두 종류다. 하나는 생태에 따른 선택이다. 이는 사회환경이 특정한 방향으로만 결정하도록 몰아간 탓에 이뤄지는 선택이다. 이에 반해 섹스혁명은 섹스 파트너를 선택하는 데 존재하던 현저히 많은 금기를 제거하면서 성적 선택의 생태를 바꾸어놓았다.[20)]

다정도 병인 양

이현승(1973~)

왼손등에 난 상처가
오른손의 존재를 일깨운다

한 손으로 다른 손목을 쥐고
병원으로 실려오는 자살기도자처럼
우리는 두 개의 손을 가지고 있지

주인공을 곤경에 빠뜨려놓고
아직 끝이 아니라고 위로하는 소설가처럼
삶은 늘 위로인지 경고인지 모를 손을 내민다

시작해보나마나 뻔한 실패를 향해 걸어가는
서른두 살의 주인공에게로
울분인지 서러움인지 모를 표정으로

밤낮없이 꽃등을 내단 봄 나무에게도
위로는 필요하다

눈물과 콧물과 침을 섞으면서 오열할 구석이,
엎드린 등을 쓸어줄 어둠이 필요하다
왼손에게 오른손이 필요한 것처럼
오른손에게 왼손이 필요한 것처럼

우리는 이 시의 제목이 어디에서 왔는지 알고 있다. "다정도 병인 양 하여 잠 못 들어 하노라"로 끝나는 시조의 한 구절이다. 이조년의 이 시조는 누군가를 사랑하여 심란한 마음, 혹은 임금이 걱정되어 노심초사하는 마음을 표현했다고 풀이된다. 이유가 무엇이든 이때의 다정이란 단 한 사람의 몫이다. 이런 다정은 홀로의 마음 안에서만 맴돌다 사라질 것이다.

이런 옛날의 다정과 오늘날의 다정은 많이 다르다. 옛날의 다정이 개인의 다정이었다면 오늘의 다정은 우리들의 다정이다. 아픈 손이 아픈 손을 알아보듯이, 이 시에서처럼 왼손의 상처가 오른손을 일깨우듯이 우리의 다정은 한 사람 안에서만 맴돌지 않는다. 이것은 나에게서 나와 너를 일으키고, 너에게서 비롯해 나를 안아주는 상호적 희망이다.

돈이 좋아서 인간은 점점 천박해진다. 명예, 존엄, 품위처럼 멋진 가치들도 돈 앞에서는 힘을 잃고 있다. 하지만 우리가 큰 명예는 못 지켜도 서로에게 다정할 수는 있지 않을까. 존귀하지는 못해도 최소한 다정할 수는 있지 않을까. 다정은 최소한의 가치다. 이현승 시인의 시는 이제 개인이 아니라 우리들의 명제가 되어버린 다정에 대해 이야기 한다. 때로 우리는 한 줌의 다정으로 연명하기도 한다. 날이 점점 추워지고 있다. 다정이 더욱 절실한 계절이다.[21]

"성은 삶의 도구, 독똑하게 사랑하고 뜨겁게 섹스하자"

부부 사이에 성관계가 없으면 왜 연인이 아닌 가족이 되는 걸까? 모든 동식물은 어떻게 번식할까? 누군가를 유혹하기 위해 왜 그렇게 많은 남자와 여자가 멋을 부릴까? 화장품과 향수는 왜 그렇게 많이 팔릴까? 명품 백은 누가 사서 누구에게 선물하는 걸까? 남자와 여자는 어떨 때 가장 행복할까? 그리고 모든 예술 작품은 누구를 위해 만드는 걸까? 궁극적으로 떤 여자를 위해 남자는 자기의 사랑을 바치고 싶을까?

섹스를 알지 못하고 이 문제에 대답할 수 있을까? 20~30대는 자신의 미래에 대한 고민으로 성관계를 밝히거나 할 시간이 없고, 30~40대는 직장에서 성공하고 아이를 키우느라 정신이 없어 성관계 할 시간이 없고, 인생을 즐길 수 있는 여유를 가질만 하니 여자는 폐경이 오고 남자는 발기가 잘 안되는 아이러니를 어떻게 풀 수 있을까

섹스는 중요하다. 그리고 섹스를 아는 만큼 남녀 간의 문제를 해결할 수 있다. 섹스는 섹스만의 문제가 아니다. 그 섹스가 가능하

려면 남녀는 뇌, 생리, 해부, 호르몬, 신경전달물질, 대화, 건강, 심리 등 알아야 할 것이 너무나 많다. 그 모든 것을 알아야 남녀 간의 실타래를 풀 수 있다. 갱년기 전후 남녀의 섹스리스를 풀기 위한 해결책을 빠르게 강구해야 한다.[22]

"'5분 안에 오르가슴에 이르는 실전 테크닉'"

10년 가까이 성에 관한 상담과 치료를 해온 산부인과 전문의 박혜성 원장. 섹스에서 얻는 만족이 가정의 행복을 좌우한다고 말하는 그가 '부부간 섹스 만족도를 높일 수 있는 실전 테크닉'에 대해 들려주었다.

누구나 오르가슴에 도달하고 싶어하지만 그게 말처럼 쉬운 일이 아니다. 10여 년간 성 상담과 치료를 병행해온 비엘여성의원 박혜성 원장은 "섹스도 연구해야 참 재미를 알 수 있다" 고 말한다.

"모든 것은 잘 쓰면 쓸수록 발달하게 돼 있어요. 공부도 열심히 해야 요령을 터득할 수 있듯 섹스도 마찬가지예요. 실험정신을 갖고 여러 가지를 시도하고 새로운 방법을 개발해야 해요."

일반적으로 여자는 청각과 촉각에 민감하고 남자는 시각에 예민하다. 포르노 잡지나 영화, 비디오 등을 즐겨 보는 비율이 남자가 여자보다 압도적으로 많다는 점이 이 같은 사실을 증명한다. 섹스에 있어 남자의 시각과 여자의 촉각이 교감할 수 있는 부분은 바로 가슴이라고.

"남자는 여성의 가슴을 볼 때, 여자는 남자가 가슴을 애무해줄 때 성적 흥분을 느끼죠. 남편이 아내의 가슴을 애무할 때는 격렬하게 하는 것이 좋아요. 처음에는 부드럽게, 깃털로 문지르듯 양손으로 살살 만진 다음 서서히 힘을 가하는 거죠. '당신 가슴 정말 큰데? 옷 입으면 오히려 작아보이나 봐!' 라는 등 가슴을 칭찬하는 말을 귀에 대고 속삭이면 더 좋고요."

박 원장은 남편의 시각을 자극하기 위해서는 아내가 수동적인 자세에서 벗어나 좀 더 과감한 행동을 시도하는 것도 좋다고 한다.

"아내가 스스로 옷을 벗기보다는 남편에게 '당신이 벗겨줘' 라고 부탁하는 것도 괜찮아요. 야한 비디오를 부부가 함께 보는 것도 남편을 자극할 수 있는 좋은 방법이죠. 그걸 보면서 침대에 누워 남편 등 뒤에서 천천히 애무를 주고받으면 더욱 효과를 볼 수 있고요."

여자는 남자에 비해 오르가슴에 도달하는 시간이 길다. 하지만 그는 누구나 노력만 하면 5분 안에 오르가슴에 오를 수 있다고 한다. 첫 번째 방법은 '여자가 몸을 활짝 드러낸 채 남자 위로 올라가는 것' 이라고 한다. 남자는 여자가 자신의 위에 올라가 섹스를 하는 모습을 보면 흥분이 고조된다는 것.

"이때 여자가 말을 타듯 올라 타 앉는 게 중요해요. 이 체위는 여성이 클리토리스의 마찰 속도와 양을 조절할 수 있어서 오르가슴에 도달하는 데 도움이 돼요. 두 사람의 가슴이 맞닿도록 여자가 몸을 숙이면 클리토리스가 더 자극을 받아 쉽게 오르가슴에 도달할 수 있고요."

여자가 오르가슴을 느끼기 위해서는 또 섹스 도중 클리토리스를 자극하는 것이 중요하다고 한다. 박 원장은 "남자는 피스톤 운동을 통해 페니스가 직접 자극을 받기 때문에 쉽게 사정을 한다" 면서 "여자도 남자와 똑같이 하면 오르가슴에 오를 수 있다" 고 설명했다. 즉 섹스 도중 여성의 최고 성감대인 클리토리스에 직접적인 자극을 가하는 것이다. 남자의 페니스와 여자의 클리토리스는 '기능' 이 같기 때문에 이를 자극하면 쾌감에 빨리 도달한다고.

"여자가 오르가슴에 도달하기 위한 가장 좋은 '노력' 은 자위행위예요. 자신의 성감대를 충분히 계발하는 거죠. 그리고 자위하는 모습을 섹스할 때 상대방에게 보여주면 색다른 자극제가 될 수 있어요. 상대방이 자위를 하면서 오르가슴에 이르는 모습을 보는 그 자체가 흥분제가 되거든요. 쑥스럽게 느껴질 수 있지만 처음 시도할 때가 어렵지, 한번 하고 나면 괜찮아져요."

"노력하면 할수록 발달하는 게 성감" 이다.

자위와 클리토리스 자극 못지않게 성적 상상 또한 몸의 감각을 깨우는 데 효과가 있다고 한다. 은밀한 상상이 뇌를 자극, 흥분으로 연결되고 이는 파트너의 흥분을 더욱 고조시킬 수 있다는 것.

"언젠가 포르노에서 본 장면을 떠올려보는 것도 좋고 침실이 아닌, 다른 곳에서의 섹스를 상상해도 좋아요. 섹스 시 시큰둥하게 반응해 상대방을 무안하게 하는 것보다 소리를 내거나 갖가지 상상을 동원해 호흡을 맞추면 상대의 흥분을 고조시킬 수 있어요."

"노력하면 노력할수록 발달하는 게 성감" 이라고 말하는 박 원장은 자신을 위해서, 또 남편의 만족을 위해서 '명기' 가 될 수 있도록 갈고닦는 노력도 필요하다고 말했다.

"남자들이 좋아하는 삽입 섹스의 요소에는 따뜻함, 촉촉함, 조임, 이 세 가지가 있어요. 남자들은 여자의 몸이 따뜻해 안을 때 느낌이 좋은 경우, 애액이 많이 나와 삽입할 때 촉촉한 느낌이 드는 경우, 삽입을 했을 때 질이 잘 수축되는 경우에 몹시 좋아해요. 혈액순환을 원활히 하고 평소 케겔 운동(질의 수축과 이완을 반복하는 행위)을 통해 단련한다면 누구나 '명기' 가 될 수 있어요. 그런데 케겔 운동도 제대로 알고 해야 효과를 볼 수 있어요. 배와 다리에는 힘이 가지 않도록 하고 오직 질 내부만 움직이는 게 중요해요. 아홉 번은 1초 동안 질을 꽉 조였다가 풀어주고 마지막에는 5초 동안 힘을 줘야 합니다."

그는 우리나라 부부들은 섹스를 무겁게 생각하는 경향이 있는데 섹스도 일상적인 부부생활의 일부분일 뿐이라고 한다. 부부간 대화가 줄고 친밀도가 낮아지면 섹스 횟수도 줄고 충분한 만족감을 느낄 수 없는 것도 그런 이유 때문이다.

"싸우고 난 후 '내가 섹스를 하나봐라' 하고 버티다 보면 대화도 줄고 부부 사이도 서먹해질 수 있어요. 부부가 행복하려면 무엇보다 '몸의 대화' 인 섹스가 잘 통해야 해요. 부부싸움 후 배우자가 미울 때도 섹스를 하는 것이 좋아요. (섹스를) 하다 보면 서로에 대한 미움도 금방 잦아들거든요."

박 원장은 "섹스를 통한 보이지 않는 만족이 가정의 화목을 좌우한다" 면서 "남편 앞에서는 부끄럽게 여기지 말고 차라리 음란한 여자가 되라" 고 조언했다.23)

나도 언젠가 다시 노래하고 싶다. 그때도 뒤에서 가만히 들어 줄 사람이 당신. 당신 앞에서 노래한다면 음정, 박자 다 놓쳐도. 조금 부족하고 엉성해도. 그 모습을 사랑스럽다고 말해줄 사람이. 나는 행복하다. 당신이 내 노래를 들어줄 사람이니까.

3. 사랑과 신체 변화

사랑을 느낄 때 여타 할 다른 감정(기쁨, 슬픔, 분노)에 비해서 육체적으로 나타나는 증거들이 상당히 많은 편인데 호르몬 활동이 매우 강해진다. 사랑에 빠지게 되면 뇌에서 여러 화학물질들이 분비되는데 페로몬, 도파민, 노르에피네프린, 세로토닌, 옥시토신, 바소프레신 등이다. 사랑하는 사람과 껴안거나 단순히 애인의 사진을 보는 것만으로도 체내에서 옥시토신이라는 호르몬이 분비되어 두통에 대한 진통제 역할을 한다.

생화학적으로는 뇌 변연계에서 분비하는 페닐에틸아민이 작용하는 현상인데, 이건 각성제인 천연 암페타민의 일종이다. 페닐에틸아민이 1착이라서 그렇지 다른 호르몬들도 작용하는데, 그 호르몬이란게 아드레날린, 도파민, 엔돌핀, 옥시토신, 세로토닌 같은 호르몬들로 각성제에 사용되곤 하는 물질들이다. "사랑은 마약이다"는 표현이 사실 마약이 사랑을 흉내낸 것이니 반대가 된 셈이다.

다만 이 페닐에틸아민의 분비는 유통기한이 있어서, 일반적으로 2년을 넘기지 못한다. 이것도 개인차가 있어서, 상당수는 3개월이면 끝이고 좀 길게 가는 경우는 3년까지 간다. 둘이 동시에 불꽃이 튀었다가 한 사람은 3개월에 끝나고, 다른 한 사람은 2년 3년을 가면 그 때부터 비극이 생기는 것. 그 기간이 지나면 약물에 쩔어있던(?) 뇌가 다시 정신줄을 잡게 된다는 이야기다. 콩깍지 OFF 링크. 이때부터 사랑은 화학의 단계는 끝나고 사회학의 단계로 넘어가게 되는 것이다. (다소 낙관적이지만) 이 2년 반의 기간이 상대와의 유대, 친밀감을 쌓고 다지기 위해 있는 것이며, 이때를 잘 지낸 커플은 잉꼬 커플이 되는 것이고, 그렇지 않은 커플은 호르몬의 약빨이 떨어지고 나면 들뜬 상태에서 한순간에 가라앉아 권태기에 빠지게 되는 것이라는 의견도 있다. 이때 페닐에틸아민의 분비가 줄어들지만, 옥시토신이 활발하게 분비되면서, 서로에게 편안함을 가지게 된다.

하지만 이 페닐에틸아민을 평생 분비하는 부부도 꽤나 존재한다고 한다. 그러니까 결국은 천생연분을 찾으란 소리(...). 근데 이 경우도 평생 같은 농도로 쭉 분비되는 것이 아니라, 보통의 다른 커플들처럼 분비되는 시기와 분비가 사그러드는 시기가 반복적으로 온다. 근데 이 패턴의 주기가 두 사람이 비슷해서 평생 죽이 잘 맞는 것. 조금 다르게 생각하면, 잠깐씩 권태기가 왔다가 다시 서로에게 반해서 빠져드는 것이다. 반대로 깨지는 커플들은 아직 한쪽이 분비기인데 반대편이 휴지기에 접어들어 분비기인 쪽이 상대의 사랑이 식었다고 여기거나, 휴지기에 접어든 쪽이 상대방이 집착한다고 여겨 헤어지게 되는 것이다. 어쩌면 남자와 여자가 사귀고 깨지는 주 패턴인 한 쪽이 고백 - 사귐 - 고백했던 쪽이 상대가 집착한다고 느낌 - 소원해짐 - 헤어짐의 패턴은, 먼저 호감을 느낀 쪽이 분비기가 일찍 시작되었으므로 더 빨리 휴지기에 접어들고, 그 시점에 뒤늦게 분비기의 절정을 달리던 상대쪽의 행동을 집착으로 여겨버리는 것일 수 있다.

다만 그렇다고 사랑이라는 감정을 단순한 호르몬 변화로 정의하기에는 무리가 있다. 과학적으로 사랑을 느낄 때 어떤 호르몬 변화가 "어떻게" 일어나는지는 밝혀졌다 하더라도 언제 그런 변화가 "왜" 일어나는지는 밝혀지지 않았고, 밝히는 것도 불가능하기 때문이다. 또한 과학적으로 그것들을 밝혀낼 수 없는 이유가 '사랑' 이라는 것은 정의되지 않았지만 모순적이게도 모두가 알고 있는 즉, 과학과는 정 반대편에 있는 그런 추상적인 감정이기 때문이다. 일예로 사랑에 대한 다양한 연구결과들에서 사랑을 느낄 때 어떠한 호르몬이 분비되고 뇌에서 어떠한 반응들이 일어났다고 이야기하지만 사실 피실험자가 실험 당시 느낀 감정이 정말 '사랑'이었는 지, 아니 정말 '사랑'이란 '왜'라는 질문으로 가기 전 무엇인지 역시 알 수 없을 뿐더러 피실험자의 부인이나 애인 등 사랑하고 있을 것이라 추정되는 인물들의 사진을 보여줬을때와 부인과 애인이 아닌 포르노에 관련된 사진을 보여줬을 때의 호르몬과 뇌의 변화가 아주 유사했다는, 혹은 피실험자 스스로가 결코 사랑이라고는 정의하지 않는 스카이다이빙을 할 때 페닐에틸아민이 폭발적으로 증가했다는 연구결과도 있다. 또한 최근에는 막 사랑에 빠진 커플의 뇌와 오랜 기간 결혼생활을 한 부부의 뇌 사이에는 별반 큰 차이가 없었다는 연구 결과 역시 나오기도 했다.

즉, 사랑에 대한 호르몬 연구결과들 역시 많은 사람들 자신이 사랑을 느낀다고 정의하는 순간 뇌와 호르몬 변화에 있어서 비슷한 형태를 보이는 것이 페닐에틸아민, 페로몬, 도파민과 같은 물질들이었다는 것이지 절대 페닐에틸아민이 곧 사랑이다라고는 볼 수 없는 것이며 그 어떤 것도 사랑과 같다고 하기에는 사랑 자체가 아주 추상적인 것이고 개인적인 것이다.

사랑 연구에 대한 한 일화로 1975년 3월에 미국 상원의원이자 과학계에서 반(反)과학적인 정치인으로 이름이 알려진 윌리엄 프록스마이어(W. Proxmire)는 사랑을 연구하는 심리학자 엘렌 버샤이드(E.Berscheid)와 일레인 하트필드(E. Hatfield)에게 일명 세금 도둑상, 밑 빠진 독상으로 불리는 황금양털상을 수여하면서 "2억 명 미국인들이 수수께끼로 남겨놓고 싶어 하는 것 중에서 으뜸은 어떻게 해서 우리가 사랑에 빠지는지 하는 문제일 것"이라고 혹평했다. 다만 이후로도 두 사람의 연구는 이런 논란에도 굴하지 않은 채 계속 진행되어졌고, 이후로도 그 둘로 인해 시작된 사랑에 대한 연구는 여러 연구자와 과학계에서 계속 연구하게 되었던 것을 생각한다면, 결국 프록스마이어는 사랑의 법칙을 알고 싶지 않으려 했다는 사적이면서도 너무 보수적이었던 감정으로 그런 상을 그 둘에게 수여했다고 비판받게 되었다.

오늘날 많은 사랑 이야기 가운데 낯선 여행지에서 만난 두 남녀의 사랑 이야기는 과거 이러한 이계(異系) 여인과의 사랑 이야기와 많이 닮아있다. 여행이라는 것은 일상의 탈출, 경계의 이탈을 의미하는 모티브이다. 낯섦이 주는 거리감은 끌림의 긴장을 유지하기 위한 기제로 작용하며, 제한된 시간은 감정의 과정을 압축하고 욕망 자체에 집중할 수 있는 조건을 형성한다.

우리 안에는 잉여적 쾌락의 욕망과 선한 진정성의 대립이 있는 것이 아니라 사랑의 진정한 주재자로서 '마음'이 있다. 마음은 욕망과 신의의 통일이기도 하고 감성과 이성의 통일이기도 하고 과거의 기억과 현재의 판단, 그리고 미래적 상상 혹은 지향의 통일이기도 하다.

지금 사랑의 진정성이 의심 받고 그 전적인 책임을 욕망이 뒤집어 쓰고 있는 형국에서 우리에게 필요한 사랑 담론의 과제는 무엇보다 '마음' 에 대한 검토인 듯하다.

"잦은 성관계는 당신의 건강에 이롭다"

섹스를 하는 이유는 즐거움, 긴장 해소, 정서적 연결을 위해서이지만 대부분의 남녀는 섹스를 조절하거나 벌을 주는 무기로 사용하면서 결국 관계를 깨뜨리게 된다.

섹스를 잘 활용하면 최고의 보약이고, 예방의학이다. 섹스의 장점을 살펴보기로 한다.

(1) 힐링(healing)

책임감 있는 파트너와 지성적인 섹스는 수명을 연장시키고 면역기능, 즐거움, 통증 조절, 성적 건강과 생식 건강에 도움이 되고 특히 심장 질환과 암을 예방한다.

(2) 수명

1940년대 앨프리드 킨제이는 섹스가 스트레스를 감소시키고, 섹스를 잘 유지하는 삶은 덜 불안하고 덜 공격적이며 덜 호전적이라고 보고한다. 그리고 신체적인 접촉은 옥시토신을 증가시키는데 이것은 신뢰를 올리고 만성 스트레스를 일으키는 코르티솔 분비를 줄인다. 듀크대학에서 252명을 25년간 조사했는데 성관계 횟수와 즐거움과 수명 사이에 긍정적 관계가 있다고 보고했다. 킹스대학 연구에서는 남자를 3그룹으로 나누었다. 일주일에 두 번 이상 섹스를 하는 그룹의 남자들은 그 이하인 남자들보다 평균 수명이 두 배나 길었다.

(3) 면역

펜실베이니아대학 정신과에서 정상적인 성생활을 하는 사람은 면역을 증가시키는 면역 글로불린 A가 증가하고 암이나 질병과 싸우는 능력이 높아진다는 연구 결과를 발표했다. 감기와 같은 바이러스 질병도 빨리 낫는다고 한다.

(4) 건강한 성적 건강

규칙적인 성관계를 하는 여성은 더 높은 가임력, 규칙적인 생리, 생리통 감소 등의 이점이 있으며 남성의 경우 전립선이 더 강해지고 전립선염에 걸릴 확률이 30% 줄어든다.

(5) 항노화 효과

생식호르몬(DHEA), 에스트로겐, 테스토스테론 등 젊음의 호르몬이 증가한다. 닥터 커틀러는 규칙적인 섹스를 하는 사람은 에스트로겐 수치가 증가한다고 보고한다. 에스트로겐은 심혈관 질환 감소, 나쁜 콜레스테롤 감소, 좋은 코레스테롤 증가, 골밀도 증가, 좋은 피부와 관계가 있고, 뇌 기능에도 좋다.

오르가슴 바로 전 DHEA 분비가 몇 배 증가하는 데 DHEA는 뇌 기능 개선, 면역, 조직 재생, 건강한 피부, 심혈관 질환 예방에 도움이 된다.

규칙적인 섹스는 테스토스테론을 증가시키는데 테스토스테론은 뼈와 근육을 강화시키고, 건강한 심장과 건강한 뇌에도 도움이 된다. 테스토스테론 수치기 낮을 경우 알츠하이머의 위험이 두 배 증가하고 성욕이 감소한다. 그러므로 당신이 섹스에 관심이 없어서 테스토스테론이 낮은 경우 당신의 기억력에 치명적인 영향을 줄 수 있다.

(6) 당신을 더 젊게 보이게 한다

로열 에든버러병원에서 일하는 임상 신경정신학자인 데이비드 윅에 의하면 일주일에 세 번 성관계를 하면 스트레스가 없는 관계가 되고 10년 정도 더 젊어 보인다고 한다. 닥터 윅은 그가 출판한 책『Superyoung(The Proven Way to Stay Young Forever)』에서 여성이 성적 활동을 하면 성장 호르몬이 분비돼 젊게 보이게 된다고 했다.

(7) 암예방

일주일에 다섯 번 이상 사정할 경우 전립선암이 더 감소한다고 보고됐다. 이는 전자가 암세포를 공격하는 자연살해세포를 활성화시켜 TGF beta를 운반하기 때문인 것으로 여겨진다.

(8) 수면

오르가슴은 옥시토신과 엔도르핀을 분비해 신경안정제 역할을 하고 잠을 잘 들게 한다. 미국 여성 1,866명을 조사했는데 3개월 동안 자위를 한 여성의 32%는 잠을 잘 자고, 모두가 알 듯이 남성은 섹스 후에 바로 잠이 든다. 섹스는 불면증에 좋다.

(9) 통증

오르가슴 바로 전에 옥시토신이 다섯 배 증가하고 그후 엔도르핀이 분비되면 통증이 줄어든다. 여성에게 에스트로겐을 분비시키고 이것은 생리 전 긴장증후군과 생리통을 줄인다.

베벌라 휘플의 연구에 의하면 여성의 지스폿(G-spot)은 성적 흥문의 스위치 역할을 하고 이 부위에 압력을 가하면 통증의 역치가 40%까지 올라가고, 오르가슴을 느끼는 동안 통증은 110%까지 견딜 수 있다. 휘플 박사는 성적 흥분 동안 뇌의 깊숙한 곳에 있는 통증을 가라앉히는 센터가 할성화된다고 보고한다. 이런 뇌의 신호는 엔도르핀과 쿠티코스테로이드를 분비하고 이것이 많은 다른 원인에 의한 통증을 일시적으로 무감각하게 만든다. 또한 이 부위가 활성화되면 불안이 줄어든다.

(10) 편두통

2001년 연구에서 83명의 여성 중 절반이 오르가슴 후에 편두통이 사하졌다고 보고한다. 섹스는 편두통에 있어서 약도 필요 없고 훨씬 빠르고 더 싸고 부작용도 없는 즐거운 치료법이다.

(11) 우울증

오르가슴은 항우울제 효과가 있다. 오르가슴은 뇌의 변연계 깊숙한 곳의 활동을 증가시켜 섹스 후에 안정화시킨다. 항우울제도 똑같은 부위를 안정화시킨다.

규칙적인 섹스를 하는 사람은 덜 우울하다. 남성이 오르가슴을 느낄 때 변연계의 한 부위가 활성화된다. 이 부위에서 즐거움과 관계된 화학물질이 분비된다. 동시에 뇌에서 공초를 느끼는 편도체는 남성이 섹스를 하는 동안 덜 활성화 된다. 오르가슴은 편도체를 비활성화한다. 불안중추를 잠재우는 것은 남성의 감각을 자극한다. 즉 섹스를 하면 남성은 여성을 위해 더 헌신적이게 된다. 남성의 정액에 있는 프로스타글란딘과 지방산은 질에 흡수되어 여성 호르몬과 기분을 조절한다. 다른 연구에 의하면 성관계를 많이 하는 사람은 우울증과 자살률이 감소한다.

(12) 후각

섹스 후에 프로탁틴의 생산이 증가한다. 프로탁틴은 뇌의 후각센터에 있는 새로운 뉴런을 개발시키는 줄기세포를 자극한다. 그래서 후각이 예민해진다.

(13) 체중감소

섹스의 가장 중요한 이점 중 하나는 유산소 운동이라는 것이다. 성관계의 행동은 200칼로리를 태우는데 이것은 30분 달릴 때 소모되는 정도이다. 대부분 커플은 24분 정도 사랑을 나눈다. 오르가슴 동안 심장 박동 수와 혈압은 두 배 올라가고 모두 옥시토신의 영향 아래 있다. 성관계 동안 골반, 허벅지, 엉덩이, 팔, 목, 가슴의 근육은 수축한다. 섹스는 최고의 운동이다.

(14) 건강과 수명의 열쇠

규칙적인 성관계, 특히 헌신적인 파트너는 당신의 신체와 뇌를 건강하게 유지한다. 섹스하기에 너무 피곤하거나 너무 바쁘다고 핑계를 대지 마라. 일을 너무 많이 해서 섹스할 시간이 없다고 하지 마라. 관계의 부족은 사람을 우울하게 만들고 인터넷이나 약물, 술, 게임 등 다른 중독은 뇌의 건강에 좋지 않고 사람을 고립시킨다.

남자와 여자는 건강을 위해 접촉, 눈 맞춤, 성적 연결이 필요하다. 당신이 사랑을 받고 돌봄을 받고 지지를 받고 친밀감을 느끼면 훨씬 행복해지고 건강해진다. 그러면 훨씬 덜 아프고 생존할 가능성이 높아진다.

(15) 행복과 경제적 가치

침대와 은행 계좌에 대한 행복한 뉴스가 있다. 다트머스대학의 데이비드 블랜치플라워 교수와 영국 워릭대학의 앤드루 오즈월드 교수는 1만 6,000명을 대상으로 행복과 성관계의 상관관계를 연구했는데 상관계는 행복에 긍정적으로 영향을 미쳤을 뿐만 아니라 한 달에 한 번에서 일주일에 한 번씩 성교를 늘리는 것이 추가로 5만 달러의 수입을 얻는 것과 같았다고 보고한다.

연구에서 가장 행복한 사람들은 결혼한 사람들이었는데, 평균적으로 독신보다 30%나 더 많은 성관계를 가졌다. 경제학자들은 결혼을 유지하면 매년 1억 원의 행복이 추가로 발생하는데, 이혼을 하면 연간 약 6,600만 원의 행복을 앗아간다고 추산했다.[24)]

4. 부부간의 사랑과 번뇌

사실 우리네 삶 자체가 이야기의 연속이다. 스티브 데닝은 「스토리텔링으로 성공하라」라는 저서에서 "당신이 이끌고자 하는 사람들과 커뮤니케이션하는 최상의 방법은 '스토리를 활용하는 것'이라" 고 하였다.

현명한 리더는 사람들의 마음을 움직이는 스토리텔링으로 원하는 바를 이룰 수 있다는 뜻이다. 우리나라에도 효자가 되려면, '노모에게는 책비(冊婢, 책 읽어드리는 계집종), 노부에게는 입담꾼(떠돌아다니며 우스개 이야기를 해서 웃기는 사람)' 을 마련해주어야 한다고 하였다. 실제로 조선시대 후기에는 '전기수(傳奇叟)' 가 등장하였는데, 책값도 비싸고 문맹자도 많았기 때문에 '소설을 읽어 주고 보수를 받는 직업적인 낭독가' 를 말한다.

영화 <책 읽어주는 여자(The Reader, La Lectrice, 1988)>에서 책을 좋아하는 여주인공 꽁스땅스(미우 미우)는 자신의 아름다운 목소리를 활용하여 마치 자신이 읽는 책의 주인공이 된 것 같이, 남에게 책을 읽어준다. 그녀는 다섯 명의 의뢰인에게 책을 읽어주는데, 외로운 노인들과 소외된 사람들에게 좋은 친구가 되어줄 뿐만 아니라, 치유자의 역할을 충분히 해낸다. 그러나 사회적 지위가 높은 사람들의 위선과 단순한 쾌락은 단호히 거부한다. 결국, 마리에게는 책을 읽는 행위 자체가 행복이었으며, 책을 읽을 수 없는 사람들에게도 행복을 나눠주는 데 충분하였다.

스토리텔링(storytelling)이란 '이야기(story)' 와 '말하기(telling)' 의 합성어로, '객관적인 사실보다는 주관적인 이야기 말하기' 를 뜻한다. 즉, '상대방이 이야기에 몰입할 수 있도록 재미있게 말하는 행위' 이다. 여기에서의 이야기는 '언어로 된 서사' (민담, 설화, 전설, 동화 등)뿐만 아니라, '비언어적 서사' (영화 텔레비전 드라마, 뮤직비디오, 만화, 게임, 광고 등)도 포함된다. 스토리텔링 마케팅은 소비자에게 상품 그 자체를 설명하는 것이 아니라 상품에 담긴 이야기를 설득력 있게 제공함으로써, 판매촉진 등에 활용하는 마케팅 활동이다. 스토리텔링은 훌륭한 마케팅 도구라는 뜻인데, 그 예를 살펴보자.

(주)광주요가 만드는 '계영배(戒盈盃)' 라는 술잔이 있다. 이 술잔은 7부 이상이 담기지 않는 신기한 술잔이다. "가득 참을 경계한다" 고 해서 "계영배" 라는 이름이 붙었다. 최인호의 「상도(商道)」라는 소설을 원작으로 하여 드라마로까지 만들어져 유명해졌다. 소설 속의 내용은 다음과 같다.

"'계영배' 는 술잔의 이름으로 모든 고통이 욕심, 즉 술과 여자, 쾌락과 명예, 소유와 집착, 애욕과 허무로부터 비롯되며 이것을 초월했을 때 드디어 득도하게 된다는 가르침을 담고 있는 영물이다. 보기에는 그냥 평범한 술잔이지만 재미있게도 이 술잔에 술을 가득 채우면 술이 곧 사라진다. 잔 안쪽에는 '계영기원 여이동사(戒盈祈願 與爾同死)' 라는 문장이 써 있는데, '가득 채우지 말 것이며 너와 함께 죽기를 원한다' 는 의미다."

좋은 이야기는 마케팅의 성공여부를 가늠하는 수단이 된다. "상도(商道)" 라는 좋은 이야기(교훈이나 의미를 담고 있으며, 화자 간에 감정이입을 할 수 있고, 매력적이고 차별화된 재미있는 이야기)를 지닌 제품이 이야기가 되어 책과 드라마로 소개까지 됐으니, 훌륭한 마케팅도구가 된 것이다.

미래학자 롤프 옌센(Rolf Jensen)는 "사람은 꿈을 먹고 산다"

면서 세상은 '드림 소사이어티(Dream Society)'에 접어들었다고 하였다. 드림 소사이어티란 '감성과 꿈이 지배하는 사회'로, 신화, 전설 등의 이야기를 바탕으로 시장이 형성되는 새로운 사회를 의미한다. 이와 관련해 부각된 것이 '스토리텔링'이며, 이는 꿈과 감성을 이루는 수단이라는 뜻이다.

미국의 경영컨설턴트인 아네트 시몬스는 "사람의 마음을 움직이는 것은 화려한 언변도 논리적인 설득도 아니다. 그것은 '이야기'라는 옷을 입은 '진실'이다. 때론 어눌할지라도 당신만이 줄 수 있는 '이야기'는 대화의 거리와 말의 벽을 넘어 그 사람의 가슴으로 스며든다"고 하였다. 스토리텔링의 중요성을 강조하는 말이다.[25)]

'책 읽어주는 여자(The Reader, La Lectrice, 1988)' 독서의 특별한 매력을 재발견하게 해주는 우화 같은 소설!

1990년 국내에 처음 소개되었던 이 소설은 영화화 되어 제12회 몬트리올 영화제 그랑프리 작품이 된 이 소설은 콩쿠르 단편상 수

상작가 레몽 장의 장편소설로 책을 읽어주는 사람과 그것을 듣는 사람, 책 속의 이야기와 책 밖의 현실을 넘나들며 '독서'의 특별함을 이야기 한다.

가. 주부들의 바람

여성들을 보면 두 부류가 있다. 하나는 자식 의존형, 또하나는 남편 의존형이다.

자식 의존형은 자식이 커갈수록 남편에게 신경 안 쓰고 오로지 자식 교육에 신경쓰는 타입이고, 남편 의존형은 자식에게는 별 관심이 없다. 남편에게 사랑받지 못하면, 다른 남성을 찾는다.

다른 남자와 사랑에 빠지면 바로 가정에서 이탈하는 타입이다. 이런 여성들 중에 현실적인 계산이 있는 사람은 남편 몰래 남자를 만나면서 가정 깨는 일만은 삼가는 그런 여인들도 있다.

남자만 그런 게 아니라 여자도 가정을 지키면서 연애를 따로 하는 그런 여자들이 간혹 있었으나 요즈음은 부지기수(不知其數; 그 수를 알 수 없다는 뜻으로, 헤아릴 수 없을 만큼 매우 많음을 나타내는 말)라고 한다.

누가 이런 여자에게 돌을 던질 것인가. 남편이 자기에게 마음이 가셔서 외로운데, 그렇다면 가정을 박차고 나가는 것보다야 가정을 지키는 이런 여자에게 돌을 던질 수는 없다고 생각한다.

남편과 자식들을 다 버리고 떠나는 여자와 비교할 때 가정을 차마 못 버리고 이렇게 남몰래 애태우면서 병립하는 그런 남자나 여자가 오히려 인간적인 정은 깊다는 생각이 든다.

왜냐하면 가정은 그만큼, 그런 것을 인정해야 할 만큼, 책임이 따라야 한다는 말이다.

옛날 우리 어머니들이 남편이 밖으로 나돌아도 '그래, 나돌려거든 나도슈' 하고, 나가든 들어오든 신경 별로 쓰지 않고, 자식들 키우는데 전심전력을 쏟았던 것을 생각하면, 그게 얼마나 대단한 지혜였나 싶다.

만약 그런 남편에게 신경쓰고 이혼해 버리든지, '왜 안오시나' 하고 달만 보고 있다든지 했다면, 그 자식들을 키울 수 있었고, 또 그 동네에서 인정을 나눌 수 있었을까 하는 생각도 최근 들어서 해보게 된다.

어머니들이 그렇게 '빼팅기고 살았응께' 그래도 그 덕으로 자란 사람들이 많지 않은가. 어머니가 버티지 않았으면 어떻게 됐겠는가. 깨자면 벌써 깼을 그런 여자들이 많다. 하지만 깨버렸을 경우 아이들이 얼마나 힘들겠는가.

원조 어머나 찾아가야지, 지금 아버지 부인 찾아가야지, 애들이 얼마나 애로가 많겠는가. '빼팅기고 산' 옛날 우리 어머니들이 참 대단했다.[26)]

……남편과 함께 사창가 골목을 걸어갔다.

남편은 갈가 벽에 기대 서 있는 한 여자를 보더니 손을 잡아끈다.

그리고는 나에게 잠시 기다리라고 하며 호텔로 들어간다.

나는 잠시 길을 걸었으나 어지러워 벽에 기댔다.

그런 나를 한 남자가 다가와 물끄러미 바라보더니 손을 잡아끈다. 그는 나를 데리고 호텔로 들어간다.

방안에서 그는 말한다.

당신은 거리의 다른 여자들하고는 다르군요.

그는 겉옷을 벗더니 나에게도 벗어라고 한다.

그리고는 다가와 겉옷을 벗는 걸 도와 준다.

우리는 서로 옷을 벗었다.

발가벗고 침대에 누운 나의 몸 위로 그의 알몸이 덮쳐온다.

그가 내 몸 속으로 들어올 때 나는 마치 첫경험이라도 하는 듯 황홀한 고통을 느꼈다.

섹스를 끝낸 후 그는 홍차를 마시려고 한다며 나에게 무엇을 마시겠냐고 묻는다.

나는 같은 것을 달라고 했다.

거리로 나와 보니 남편은 카페에 앉아서 커피를 마시고 있었다.

남편은 십 분 만에 나왔다며 나를 찾았다고 한다.

나도 거리를 걸었다고 대답한다.

남편이 무엇을 마시겠냐고 해서 홍차를 마시겠다고 했다.

당신은 홍차를 싫어하지 않았냐고 하면서 남편은 홍차를 시킨다.

집에 돌아오니 남편이 나의 스커트 자락을 잡는다…… .

불란서 영화『책 읽는 여자』의 한 대목이다.

영화 "책 읽어주는 여자" (La Lectrice The Reader)의 꽁스땅스(Constance/Marie)는 책 읽기를 좋아하는 여자이다. 어느날 연인에게 책을 읽어주는 것으로 시작된다. 책의 제목은 '책읽어 주는 여자' 였다.

꽁스땅스(Constance/Marie) 그녀는 연인에게 책을 읽어 주면서 차츰 소설의 세계로 빠져 들어 어느덧 책의 주인공 마리가 되는데 소설 속 마리는 '젊은 여성이 댁에서 책을 읽어드립니다.'라는 광고를 낸다. 광고를 보고 다섯명의 신청자가 의뢰를 한다. 첫번째 의뢰인은 반신불수의 미소년 에릭으로 '머리카락' 을 읽어준다.

두번째는 이기심 많은 장군의 미망인에게 '전쟁과 평화' 를, 세번째는 일중독에 걸려있는 사장에게 마그리뜨 뒤라스의 '연인' 을 읽어준다.

집 지키는 6살 소녀에게는 '이상한 나라의 앨리스' 를 읽어주고, 속물스러운 노파의 서재에서는 '소돔의 120일' 을 읽는 동안 상대의 에로틱한 요구에 시달리기도 한다. 이상의 이야기는 영화의 주인공 꽁스땅스가 읽는 소설의 내용이다.

책을 다읽은 꽁스땅스는 "나도 광고를 내야겠어, 나도 낭독을 잘하거든" 이라고 말하고 영화는 끝난다.

한 주부가 스스로 책을 읽어 주는 직업을 갖는데 그녀는 단순히 책만 읽어 주는 것이 아니라 친구가 필요한 노인에게는 친구가 되어 주고, 섹스를 필요로 하는 사장에게는 몸을 제공하고, 성에 눈뜨는 청소년에게는 팬티도 보여 준다. 그러고는 하루 일어난 일을 마치 읽기라도 쓰듯이 남편에게 읽어 주는데 남편은 그저 자기가 아내를 가장 사랑하는 것 같고 아내도 자기를 사랑하는 것 같다는 등의 얘기만 한다.

그녀는 마지막에 가장 지적인 남자 셋이 『사드』를 읽어 달라고 하자 그것만은 차마 하지 못하고 평범한 자기 일상으로 회귀한다.

이 영화를 보면서 우리 주부들이 앞으로 자기의 삶에서 어떤 방향으로 갈 것인지가 어렴풋이 짐작되었다. 우리 주부들도 앞으로는 과거의 갇힌 삶에서 벗어나 한껏 자유로움을 찾아 날아다니다가 감당할 수 없는 벽에 부딪혀 다시 현실감을 찾는 경향이 점점 늘어날 것이다. 주부들의 자유로운 경향이 늘어나면 자연히 바람 또한 잦아질 테고 이에 대해 남편이나 사회에서 성숙하게 반응해 주지 못하면 도처에서 무너지는 가정이 속출할 것이다. 그래도 아직 우리 주부들은 「책 읽는 여자」 까지는 요원하고, 바람이 일기 시작하는 초기 단계나 바람의 잠재 고객으로 봐야 할 것이다. 그리고 그에 대한 사회나 남편들의 대응 방식 또한 초보적이라 아직은 당혹해하는 양상인 것 같다.

그런데 요즘 일기 시작하는 주부 외도의 바람은 그렇게 만만한 것 같지는 않다. 바람은 초가라 하더라도 그 바람이 커지는 속도나 주위를 파괴하는 정도는 꽤 빨라 보이기 때문이다. 요즘 드러나고 있는 주부 외도의 실태를 보면, 강북은 가정을 버리면서까지 바람에 빠져드는 살 데까지 가 보는 방식이 여전히 많고, 강남은 가정은 지키면서 바람은 낮에 기술적으로 피우는 약은 방법이 많다고 한다.

파트너를 구하는 방식도 고전적인 옛 애인을 찾는 방식부터 현대적인 PC 통신, 급증하는 주부들의 단체 미팅, 생활 정보지 이용 등에 이르기까지 다양하다고 한다. 그렇다면 우리 사회에서 부부 바람은 왜 일기 시작하는 걸까? 나름대로 답을 구해 보면 이러하다.[27]

☞ 영혼의 병을 치유하기 위한 방책으로 일기 시작하는 주부 바람

대학을 졸업하자마자 먼 친척의 소개로 지금의 남편과 결혼한 그녀는 결혼 후 몇 년 동안은 아이 낳고 키우랴, 살림하랴 정신없

이 보냈다. 그러면서도 줄곧 가슴 속 깊은 곳에서 뭔가 정체를 알 수 없는 안타까움이 불쑥불쑥 치솟는 느낌을 받곤 했었다. 아니의 기저귀를 갈면서도, 우유를 타면서도, 저녁 설거지를 하면서도, 심지어는 방긋방긋 웃는 아이의 재롱에 즐거워하다가도 그녀는 순간 숨이 턱 막히곤 했다. 마치, 가슴 속에 커다란 구멍이 뚫려 있고 그 안에서 허허로운 바람이 계속 일고 있다가 틈만 나면 목줄기로 치솟아 그녀의 숨을 막히게 하는 것 같았다. 그런 시도 때도 없는 숨막힘은 아이가 커가고 생활이 안정될수록 점점 더 자주, 점점 더 강하게 그녀를 엄습해 왔다.

'도대체 내가 왜 이럴까? 나에게 부족한 것이 뭐가 있다고?

난 그냥 조금씩 나이 먹어가는 평범한 가정 주부일 뿐이고, 지금 이 상황에서 부족한 것은 아무 것도 없다'

그녀는 가끔씩 스스로를 그렇게 질책하곤 했다. 하지만 분명히 있었다. 부족한 것은 없다고 아무리 부인하려 해도 그녀를 사정없이 엄습하는 허무함과 외로움 뒤에는 분명히 뭔가가 있었다. 그녀의 가슴 속에 뻥 뚫린 빈 공간을 채워 줄 무언가가 있어야 했다.

어느날 그녀는 갑자기 빗자루를 집어던지고 울음을 터뜨렸다. 처음엔 소리없이 흐느끼다가 나중에는 아예 거실 마루에 주저앉아서 펑펑 큰 소리로 울었다. 그렇게 울어 제끼면서 그녀는 자신의 영혼이 병들어 있음을 드디어 인정했다.

일단 자신의 병을 인정하자 그녀는 정신이 번쩍 드는 느낌이었다. 영혼의 병이 심해지면 자살하거나 미치는 수밖에는 없다. 더 이상 심해지지 전에 뭔가 대책을 강구해야 했다. 영혼의 병은 스스로 고쳐야지 어느 누구도 대신 고쳐 줄 수는 없다. 영혼의 병은 자신과의 싸움에서 진 사람이 걸리는 병이기 때문이다(이윤희 作. 『익명적 사랑』 중에서).

이 소설을 읽으면서 '영혼의 병' 이라는 말이 참으로 인상적이다. 그리고 이 영혼의 병은 우리 주부들이 대부분 앓고 있다는 생각이 들었다. 우리는 누구나 천명을 갖고 태어난다. 생명(生命)이란 말은 천명(天命)이 일어남(生) — 천명이 생기면서 인간은 태어난다 — 에서 나온 말이라고 한다. 천명을 타고난 인간은 그 천명을 다할 때 비로소 정신과 육체와 영혼이 건강해진다. 그러나 그 천명을 다하지 못할 때 그는 영혼의 병을 앓게 된다. 그렇게 영혼은 시들다가 급기야 병까지 들어 버리는 것이다.

천명은 개인마다 다 다르지만 개인에게 작용하는 방식은 동일하다고 본다. 즉 사람은 정체되어 있는 것을 못 견디고 무언가 바람직한 방향으로 나아가야 한다는 것이다. 아마도 오랜 세월의 진화를 통해 생명은 고여 있기 보다는 발전 쪽으로 추구하게끔 유전적으로 새겨지지 않았나 한다. 보다 발전된 방식을 지향하는 삶이 아니면 만족을 하지 못하는 경향은 생명이 자연에 보다 효과적으로 대응하는 데 기여했을 것이다. 그래서 삶이 고여 있을 때 영혼은 시들면서 진한 권태에서 피어나게 하고 그 권태에서 벗어나기 위해 그 당사자는 자기 삶을 송두리째 뽑아 버릴 수도 있는 모험을 선택하기도 한다. 삶이 고여 있을 때 모험을 해서 그 진부한 삶을 탈피하려는 것은 우리 생명이 끝없이 자연을 개척해 자연 속에서 보다 폭넓게 자리하길 원하기 때문일 것이다.

그래서 영혼이 시들면서 피어오르는 권태는 겉으로는 한없이 늘어지는 것 같지만 사실상 이면에는 굉장히 자극적이고 모험적인 유혹이 배태돼 있다. 그래서 걸려든 사람으로 하여금 새로운 도전을 하게 되고 그 도전 속에서 영혼은 다시 살아나면서 그 사람에게 또 다른 신나는 살 맛을 안겨 준다.

우리 주부들의 바람도 이러한 권태에서 탈피하기 위한 모험에서 비롯되는 것이 많지 않나 한다.

이윤희의 『익명적 사랑』의 주인공같이 뭐 하나 부족할 것 없는 주부가 갑자기 정체를 알 수 없는 안타까움, 숨막힘을 느끼며 가슴속에 뻥 뚫린 빈 공간을 채워 줄 무언가를 갈구하다가 급기야는 자기가 그 동안 쌓은 것을 한순간에 날려 버릴 수 있는 바람까지 모험하게 되는 것이다. 그 권태의 주범은 아무래도 경제 수준이 높아지면서 남는 시간과 여유다. 사람은 본능적으로 계속 일을 해야 하는데 여유롭다고 일을 않다 보니 권태로워지고 새로운 일을 만들게 되는 것이다.

그러나 우리가 아무 이유 없이 일하는 것을 싫어하듯이 일ㅇ;랑, 일을 위한 일이어서는 별로 당기지가 않고 무뭔가 자기 존재와 부합하는 생명에 의미 있는 일이어야 일할 맛이 나는 법이다. 따라서 권태는 뭔가 모험적이고 자극적인 일을 차게 한다. 그 일은 전문직이나 뭔가 바람직한 방향에서 찾게 되면 끝없이 일에 몰두하게 되지만 별로 바람직하게 일할 기회가 주어지지 않은 주부들은 엉뚱하게 손쉬운 데서 그 일을 찾게 된다. 즉 생명도 잉태할 수 있고 젊음도 다시 누릴 수 있고 모험과 스릴(thrill; 간담을 서늘하게 하거나 마음을 죌 정도로 아슬아슬한 느낌)도 만점인 바람의 유혹을 느끼는 것이다.

그래서 대개 바람이 나서 평지풍파가 이는 가정을 보면 그 전에는 뭐 하나 부러울 것이 없는 가정인 경우가 많다. 지금까지는 그러한 가정의 주범은 대개 남편이지만 이제는 여자들 또한 만만치 않게 전면에 나서고 있는 것이다. 이전에는 남자들이 여자를 노예처럼 부리면서 자기가 남는 시간에 스릴 있게 바람피우며 놀았지만 여권이 신장되면서 이제는 여자들도 좀더 스릴 있고 살 맛나는 바람 전선으로 속속 뛰어드는 것이다.

☞ 홧김에 피우는 바람

그러나 아직도 우리 주부들은 남편보다는 자식과 가정을 소중히 한다. 그래서 심심해서 바람피우는 일부 중산층 이상의 주부들을 제외하고는 바람이 자기에게 가깝다고 생각하는 경우는 드문 편이다. 그러나 이런 착한 주부들을 화나게 했을 때 이들도 바람을 피울 수 있는 것이 현실이다. 시대 변화에 따라 예전에는 바람을 상상도 못 했던 주부들도 이제는 바람의 잠재 고객으로 떠올라 여차하면 언제라도 바람 전선에 투입될 수가 있다는 것이다.

홧김에 바람피운다는 말이 옛날에는 지나가는 말이었을지 모르나 이제는 점점 냉혹한 현실이 돼 가고 있는 것이다. 남편의 바람으로 정신과 치료를 받는 주부들 중에는 나도 기회가 있으면 꼭 바람피우고 말겠다고 벼르는 사람들이 꽤 많다는 것을 바람난 남편들은 신중하게 생각해 봐야 할 것이다.[28]

☞ 바람피우는 사람들

욕설과 외계어가 날뛰는 세상. 두런두런 이야기하듯 곱고 바른 우리말을 알리려 합니다. 우리말 이야기에서 따뜻한 위로를 받는 행복한 시간이 되길 바랍니다.

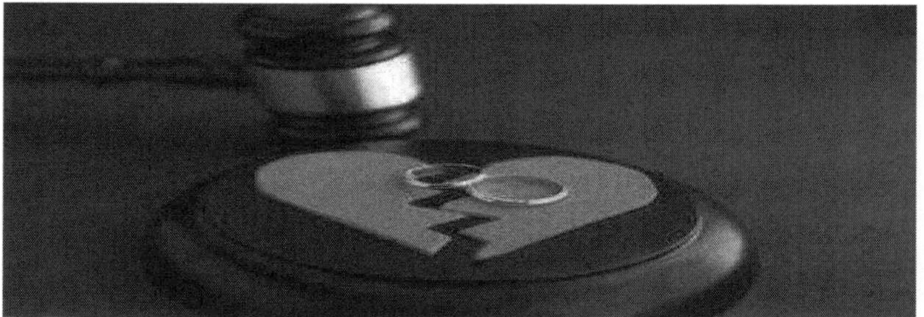

최근 '이혼' 이 방송가 대세로 떠올랐다. 이혼의 가장 큰 이유는 외도라고 한다. 신뢰가 깨지면 부부 관계는 지속하기 어렵다(게티이미지뱅크).

"헉!"

옛 어른들이 요즘 텔레비전 방송을 보면 멈추지 못할 소리일 게다. 이곳저곳 채널을 돌려 보니 '이혼' 관련 프로그램이 쏟아진다. '부부는 하늘이 맺어 준 인연'이라고 여기는 어르신들이니 놀라 숨이 막힐 수밖에. 얼굴도 못 보고 결혼해 사랑은커녕 자식 하나만 보고 살아온 분들은 속으로 부러워할지도 모르겠다.

세상은 빠르게 변해 가고 있다. 쉬쉬하던 이혼이 방송가 대세로 떠올랐다. 한 해에 19만1,690쌍이 결혼하면 그 절반가량인 9만3,232쌍이 이혼하는 시대(2022년 기준)이니 그럴 만도 하다. 웹툰, 드라마는 기본. '한 번쯤 이혼할 결심' '오은영 리포트-결혼지옥' '결혼과 이혼 사이' 등의 예능 프로그램에는 이혼을 고민하는 부부가 출연해 갈등 상황을 그대로 보여준다.

성장 배경이 다른 남녀가 만나 함께 산다는 건 보통 어려운 일이 아니다. "발열로 시작해 오한으로 끝난다" "전쟁터에 나갈 땐 한 번, 바다에 갈 땐 두 번, 결혼할 땐 세 번 기도하라" "3개월 사랑하고, 3년 싸우고, 30년 참는다"…. 힘든 결혼 생활에 대한 명문구(?)들이 그냥 나온 게 아닐 게다.

이혼하는 가장 큰 이유가 궁금하다. 이혼 전문 변호사들은 한목소리로 말한다. 바르지 않은 행동, 즉 배우자의 외도라고. 이야기 프로그램에 출연한 변호사는 "외도는 상상할 수 있는 곳과 없는 곳 모두에서 일어난다"며 "이혼에도 지혜가 필요하다"고 강조했다.

외도(外道)는 바람을 피우는 것이다. 왜 바람일까. 그러고 보니 부정적 느낌의 바람이 꽤 있다. 실없이 행동하거나, 마음이 들떠 있어 미덥지 못한 사람은 "허파에 바람 들었다"라고 한다. 속이 텅 빈 '바람 든 무'는 맛이 없어 어떤 요리에도 쓸 수가 없다.

허황된 짓을 꾀하거나 그것을 부추길 때도 바람 잡는다고 한다.

한 사람에게 만족하지 않고 몰래 다른 사람과 관계를 갖는다는 뜻의 바람피우다는 붙여 써야 한다. 한 단어이기 때문이다. 그런데 방송에선 '바람피다' '바람 피다' '바람 피우다' 등 잘못된 자막이 나와 혼란을 일으킨다.

담배는 어떨까. 담배 역시 피우다가 바른 표현이다. '피우다'에는 어떤 물질에 불을 붙여 연기를 빨아들였다가 내보낸다는 뜻이 있다. 행동이나 태도를 나타낼 때도 어울린다. 재롱을 피우고, 게으름을 피우고, 소란을 피우고, 고집을 피운다.

누군가 "결혼은 판단 부족, 이혼은 인내심 부족"이라고 말했다. 문득 "있을 때 잘해"라는 오래전 유행어가 떠오른다.[29)]

☞ 어차피 인생은 허무한 강

어떤 이는 자식만을 사랑하며 자기 삶을 희생하는 것은 구세대형이라고 하여 시대 착오적인 바보 같은 삶이라고 한다.

옛날 어머니들의 삶의 모델(model; 기준이 될 만한 사람의 전형이나 사물의 표본)이라며, 그 어머니들 한 세상 살며 자식에게 '나처럼 살지 말아라. 이렇게 살다가니 허망하구나' 라고 했다면서…….

그래서 딸들은 엄마처럼 안 살 거라고, 나를 위한 삶을 살아간다고 하자.

이기적이고 순간적으로 살던 그 여자가 이 세상을 떠나는 날, 그 딸에게 말할까. "나처럼 살아라. 그렇게 사니 참, 때깔 나더라."

천만에 그 여자는 말할거다. "나처럼 살지 마라. 그렇게 사니 참 허망하더라."

어차피 인생은 허무한 강이다. 이렇게 사나 저렇게 사나 허무한 시간이다. 똑같은 허무. 보람이라도 남기고 가는 옛날 어머니의 삶이 다 나쁜 것은 아니다. 적어도 나로 인해 이 세상에 존재하는 자식에 대한 책임은 인간사의 기본 중의 기본이다.

그 애들이 세상에 나오고 싶어 나왔는가. 한때나마 그 남자와 쪽쪽 빨고 작업해서 만든 애들이라면 적어도 그들이 설 수 있을 때까지는 곁에서 버팀목이 되어야 하는 거다.

한 여자의 책임이 아름다운 가정을 만들고 아름다운 가정으로 사회는 더욱 아름답게 된다.[30]

나. 우리 시대의 메디슨 카운티 다리!

오늘은 1992년에 출간 되여 전세계적으로 1200만부 이상 팔렸고 제2의 〈러브 스토리〉라 일컬어진 소설 〈메디슨 카운티의 다리〉에 대해서 얘기해 보고 싶다.

오늘은 1992년에 출간 되여 전세계적으로 1200만부 이상 팔렸고 제2의 〈러브 스토리〉라 일컬어진 소설 〈메디슨 카운티의 다리〉에 대해서 얘기해 보고 싶다.

이 소설은 우리나라에서는 1993년 5월경에 번역 출간되였는데, 당시 베스트 셀러가 되었다 하며, 곧 이어 1995년 영화화 되여 클린트 이스트웃이 감독, 주연하였고 여주인공 역에는 메릴 스트립이 공연 하였다.

영화는 미국에서 소설에 비해 크게 호평을 받지 못했으나, 그럭저럭 흥행이 되였다 하며, 국내에서는 제법 관객몰이를 하였다고 알려졌는데, 처음 이 소설이 미국에서 출간되자마자 스티븐 스필버그가 먼저 영화 판권을 계약하였는데, 클린트 이스트웃이 당시 영화계에서 자신의 침체 상태를 벗어나기 위해 스필버그 에게 사정하여 판권을 양도 받아 감독 주연한, 노욕(?) 을 부린 작품 이였다고 알려져 있다.

1995년 영화촬영 당시 60세가 훨씬 넘은 이스트웃이 남자 주인공 로벗 킨케이드역(소설 속에서 52세로 나옴)을 하기엔 너무 늙었고 분위기도 어울리지 않는다는 현지 참새들의 쪼임에 무척 고통스러워 했다고 하며 아울러 흥행 성적도 이와 무관치 않았다고 한다.

근자에 후편 격인「메디슨 카운티의 추억(A thousand country roads)」이 출간되었는데, 전편의 감동만은 못하였지만, 킨케이드와 프란체스카의 일생에서 단 한번 뿐인 사랑의 여정을 이어가는 모습에는 역시 가슴이 싸아해 옴을 느끼지 않을 수 없었다.

프란체스카 킨케이드를 따라가지 않았기 때문에 그를 영원히 소유할 수 있었고, 같이 떠나고 싶었지만 그녀에게는 가족이라는 책임이 있어 그녀의 그런 부담까지 이해하고 자신의 아픔으로 받아들인 인내하는 사랑을 보여준 킨케이드,

'당신을 사랑하오, 깊이, 완벽하게, 그리고 언제나 그럴 것이오.' 라고 말한 그의 사랑에서는 메마른 이 세상에서 우리들이 다시 한번 본능의 춤을 출 수 있도록 활력을 주었다고 생각한다.

바야흐르 가을이 지고 있다. 이 가을에 사랑을 하고 계신 분이나, 그렇지 않은 분들에게, 좋은 책 한 권 읽어 보면 가을을 같이 갈 수 있고, 오는 겨울은 그리 춥게 느껴지지 않을 게다.

〈평생을 살아도 모르는 게 사랑이다〉라고 말씀하신 어떤 분의 얘기가 생각난다. 일생에 단 한 번 오는 사랑을 기다려야 하는가?

……이해해 주렴. 난 너희들의 아버지 또한 사랑했다는 것을. 열광적인 그런 사랑은 비록 아니었지만 말이다. 그때도 그걸 알았고, 지금도 그걸 알고 있단다. 그이는 내게 잘 해 주었고, 내게는 보석 같은 너희를 주었지. 그 점을 잊지 말아라.

하지만 로버트 킨 케이드는 굉장히 다른 사람이었어. 내가 평생토록 보지도, 듣지도, 어디서 읽어 보지도 못했던 그런 사람이었지…… . 그가 움직이는 모습을 지켜보고 그가 진화의 막다른 가지에 다다른 존재에 대해 이야기하는 것을 들었다면, 너희도 그의 주위를 맴돌 수밖에 없었을 거야…….

어떤 면에서 그는 이 세상의 사람이 아니었지. 내가 분명히 얘기할 수 있는 것은 바로 그점이야. 나는 늘 그를 유성 꼬리 위에 탄 표범 같은 존재라고 생각했지. 그는 그런 식으로 움직였고, 그의 몸은 꼭 그랬단다. 그는 따스하고 친절하면서도 한편으로는 대단히 강인한 사람이었다. 그에게는 애매하지만 비극적인 분위기가 풍겼지…….

사람들에게 가장 소중한 것은 무얼까? 아마 생명일 것이다. 사람은 죽음을 딛고 생명을 탄생시켰기에 가장 강인한 소망은 생명의 연장이다. 그러나 육체는 불완전하기에 생명의 연장은 나 하나로는 역부족이고 자손의 탄생을 필연적으로 요구한다. 그래서 사람들에게 가장 소중한 것은 생명이며 생명의 또 다른 연장인 자식이다.

그렇다면 우리는 자식을 위해 무엇을 할 수 있을까? 바로 우리 삶을 희생해서라도 그들이 나보다 더 낫고 훌륭할 수 있도록 뒷바라지하는 것일 게다.

수사마귀가 교미 후 자기 몸을 암사마귀에게 에너지원을 헌납하는 것도 자기의 죽음을 통해 더 강건한 자식을 낳기 위함이다. 부모의 희생은 생명이 오랜 세우러 자기를 유지할 수 있었던 기본적인 속성이었다. 전보다 지금이, 지금보다 나중이 더 낫지 않았다면 이 험난한 자연계 속에서 생명을 지키고 연장한다는 것은 불가능했을 테니까.

비록 인간이 자연을 많이 정복했다고는 하지만 자연계에서 생명이 영원하지 않는 한 인간은 자연을 완전히 정복했다고는 볼 수 없다. 인간이 자연계에서 영원한 생명을 얻기까지 부모가 자식을 희생적으로 사랑해야 함은 오랜 세월 진화를 통해 내려온 기본적인 본능이다.

이러한 자연의 속성은 우리 생활 곳곳에 뿌리 깊게 박혀 있다. 그 대표적인 것이 결혼이다. 우리는 매력을 느끼는 상대에게 끌려 결혼하게 된다. 그런데 그 매력은 상대방이 뭔가 나와는 다른 속성을 갖고 있을 때 강하게 느낀다. 매력이란 무의식의 끌림인데 나를 끌어당기는 무의식은 내가 의식에서 갖기 힘들어 억압하고 외면했던 속성들로 가득 차 있기 때문이다. 내가 의식에서 못 가진 것을 상대방이 갖고 있을 때 나는 그에게 강하게 끌리면서 그와 하나가 되어 그의 속성을 내 것으로 하고 싶어진다. 그래서 내성적인 사람은 외향적인 사람에게, 외향적인 사람은 내성적인 사람에게 매력을 느껴 결혼한다.

부부는 많이 닮았다고 하지만 대개는 외적인 경우고 그들의 내면은 서로 대조적인 경우가 많다. 그러나 결혼 전에는 매력이 있던 것이 결혼 후에는 서로 맞지 않는 것으로 드러나게 된다. 내가 의식에서 갖기 힘들어 억압하고 외면했던 속성들이 자꾸 자기를 가지라고 요구하기 때문이다. 그래서 결혼한 다음에는 서로 힘들어하는 부부들이 많다.

그렇다면 우리는 왜 서로 맞지 않는 사람들에 혹해 두고두고 고생을 하는 걸까? 마누라는 마음에 안 들지만 자식 때문에 헤어지지 못하는 남편, 남편은 원수지만 자식 때문에 참고 사는 주부, 더 나아가 선불리 결혼했다가 후에 정말 사랑하는 사람이 나타나면 열애에 빠졌으나 자식 때문에 차마 이혼하지 못하고 참고 사는 부부들은 우리 주위에 널려 있다. 결국 인간도 사마귀처럼 자식 때문에 자기를 희생하고 사는 것이다.

이렇게 인간의 부부생활을 불만족스럽게 끌고 가는 자연의 섭리는 무얼까? 서로 잘 맞는 사람끼리 사랑해서 짝자꿍하고 살면 얼마나 좋을까? 왜 신은 한순간에 연인들의 눈에 안개를 씌워 평생 후회하게 만드는 것일까? 그건 바로 자식을 부모보다 더 훌륭하게 만들기 위함이다. 내성적인 사람이 자기와 맞는다고 내성적인 사람만을 찾고 외향적인 사람이 외향적인 사람만을 찾는다면 모난 두 성격보다 더 나은 자식을 기대하기는 어려울 것이다. 극단적으로 말하면 내성적인 사람들은 자폐아를, 외향적인 사람들은 개망나니나 낳기 십상이다.

결혼했다가 다른 여자와 사랑에 빠진 남자들도 본처에게서 난 자식만큼은 끔찍이 아끼고 더 나아가 걔들은 자기보다 낫다고 자랑하는 것을 보면 자식은 대조적인 두 성격의 변증법적인 발전의 결과물이라는 생각이 들곤한다. 따라서 부부는 천륜이라는 말은 오랜 진화의 역사 속에서 탄생한 말로서 쉽게 거부될 수 있는 성질은 아닐 것이다.

그러나 현대 사회에서는 자기만의 이익을 탐하며 무수한 이혼과 파괴의 가정이 속출한다. 뒤늦게 사랑하는 사람을 만나면 불을 쫓는 부나방처럼 날아가곤 하는 것이다. 그러나 천륜이라는 뿌리를 거역하고 자기만의 이익을 탐하는 사랑이 좋은 결과를 낳을 수가 없다. 둘은 과거에 비해 좀더 나을지는 몰라도 역시 부리 없는 방황을 계속해야 하며 그들의 분신은 인간성이 결여된 채 시들게 자라야 한다.

그러나『메디슨 카운티 다리』에서는 프란체스카는 생명의 기본적인 길을 잘 지켜 냈다. 비록 킨 에이드라는, 세상에서 가장 멋진 남자를 만났음에도 불구하고 그는 남편을 소중히 하고 자식들에게 열심히 뒷바라지하고 그 일이 다 마무리된 후 킨 케이드를 찾음으로써 전세계를 울리는 감동을 자아냈다. 그녀의 외도가 빛나는 게 아니라 사랑이라는 꿈을 포기하지 않으면서도 가정을 지켜 낸 그녀의 희생이 아름다운 것이다.

주부 외도와 주부 매춘, 성급한 이혼이 늘어나면서 그것이 치 '자유를 찾는 용기' 처럼 호도되는 우리 현실에서도 여전히 묵묵히 자기를 희생하고 사는 착한 주부들이 많다. 그러나 그들은 바보처럼 참고 사는, 시대에 뒤진 주부가 아니라 프란체스카같이 빛나는 영혼의 소유자임을 우리는 알아야 할 것이다. 그들은 쾌락적 유혹에 쉽게 흔들리는 우리의 가정을 힘있게 지탱하는 우리 시대의 메디슨 카운티의 다리인 것이다.[31)]

다. 주부 매니아(mania)를 진단한다

어느 회사의 영업사원으로 높은 실적을 올리는 맹렬 여성이 있었다. 그녀는 이혼하고 혼자 살고 있었는데 그녀에게 다시 결혼하고 싶지 않냐고 물으니 그녀는 주저없이 대답한다.

"결혼은 뭐 하러 합니까? 한 번 해 봤으니까 미련도 없고 괜히 결혼해서 전같이 마음 고생을 하고 싶지 않아요. 애인도 있고 일도 있고 하니 지금 생활에 아주 만족하죠. 단지 애가 아빠를 가끔 찾는 게 문제지만 그것도 시간이 지나면 해결되겠지요."

지금의 결혼 제도는 여자들이 희생하는 것도 크고도 크다. 그러나 그것을 밝혀내면 남자들만 손해 보겠기에 남자들은 쉬쉬하며 그 모순이 밝혀지는 것을 감추려고만 한다. 그러나 현대에 들어오면 올수록, 정보화 사회가 진행되면 될수룻 남자들이 누리는 그러한 특권적 위치도 점점 허물어지고 있다. 우리 사회에서 그 일각을 부수는 과도기의 현상이 바로 주부 매니아들이다. 가정도 지키고 자기 일도 열심히 하면서 인간으로서의 삶에 눈을 뜨는 것이다.

매니아(mania)를 정신과에서는 조증(躁症)으로 해석한다. 조증 상태에서는 정신생리적 활동의 증가가 일어나 기분은 앙양되고 자존심은 부풀어 무엇이든 해서 안 될 것이 없을 것 같은 자신감에 가득 차게 된다. 이에 따라 행동과다나 지나치게 많은 일을 한꺼번에 하려는 경향, 다변(多辯), 사고미약, 주의산만증, 성욕과다 등의 증상이 일어난다.

이 조증이 약한 경조증인 동안에는 사업이나 직업 생활 또는 학문적인 영역에서 크게 성공하는 경우도 있다. 그러나 정도가 지나칠 때는 자기 행동이 초래할 수 있는 경과에 대한 판단력 결여로 대개 실패를 하곤 한다. 그런데 이 중증 정신 질환에 속하는 조증이 언제부턴가 우리 일상에 가깝게 나타나게 되었다. 컴퓨터 매니아, 재즈 매니아, 비디오 매니아 등 조금 열중한다 싶으면 무슨무슨 매니아라고들 붙이니 말이다. 전업주부이면서도 자기 일에 전념하는 주부 매니아도 그래서 나온 이름일 게다.

주부 매니아 하면 떠오르는 몇 사람이 있다. 대개는 작가나, 출판인, 방송인 등인데 그들의 삶을 보면 흥미로운 점이 많다. 십여 년 동안 외길을 걸어온 한 주부 연극인은 뒤늦게 자기 삶에 자긍심을 갖게 되었다. 그 동안 돈이 없어 찢어지게 가난하게 살았지만 친구들을 보니 자기 삶이 훨씬 나았던 것이다. 친구들은 남는 시간과 돈을 주체 못 해 빌빌거리는 데 자기는 촌음이 아까운 것이다. 공연이 없어도 평소 닦고 고양시켜야 할 정신의 자산이 너무 많았던 것이다. 사람을 건강하고 행복하게 하는 것은 열심히 일하며 나아가는 삶이지 돈을 부둥켜안고 뒤룩뒤룩 머물러 있는 삶이 아니라는 것을 그녀는 깨닫고 있었다.

어떤 삼십대 후반의 주부 방송인은 어느 날 짓궂은 남자 동료들의 요청에 못 이겨 미팅을 주선하기로 하였다. 그러나 도저히 파트너를 구할 수 없어서 못 하겠다고 손을 들었다. 그 얘기를 듣고 남자 동료들은 한결같이 고개를 끄덕였다. 그럼 그렇지, 그 나이 또래면 한결같이 펑퍼짐한 아줌마들일 테니까……. 그러나 그녀의 얘기는 달랐다. 자기 또래의 친구들은 사우나나 헬스를 열심히 다녀서 자기보다 더 예쁘고 날씬하다는 것이었다. 그런데 도저히 대화가 안 된다는 것이다. 나이 들면서 돈에 대한 탐욕이 더 많고 리츠 칼튼 호텔 사우나 이용권 운운하면서 사고가 정지돼 있어 도저히 미팅에 불러올 수 없다는 것이었다. 그러면서 친구들은 항상 바쁘게 사는 자기를 아직도 소녀 같다고 부러워 한다고 한다.

항상 자기 일에 열중하다 보니 늙을 새가 없어서 그럴 것이다.

과거에는 남자들이 나이 먹으면서 점점 멋있어지고 여자들은 폭삭 빨리 늙는다고 했다. 그러나 요즘에는 나이 들어서도 늙지 않는 주부들이 늘어나고 있다. 겉만 번지르르한 경우도 물론 많지만 남자들 못지 않게 여러 가지 면에서 뛰어난 처세술과 재능을 보여주는 주부들도 많다. 아마도 사람들의 멋있음을 정하는 것은 남녀 차이가 아니라 얼마나 자기 일에 열중하느냐 차이인가 보다. 하고 싶은 일에 열중하는 것은 그 사랑의 생기와 원기를 북돋우니 말이다.

또 한명의 인상적인 주부 매니아는 역시 연극인이었다. 그녀는 연극에 너무 미쳐 집에 일찍 들어가는 적이 거의 없었는데 그래서 남편과의 관계도 그리 썩 좋아 보이지는 않았다. 그 남편은 악착같이 그녀의 연극에는 나타나지 않았으니 말이다. 그래도 그녀는 소신 있게 자기 일에 열중하면서 가정일은 마치 남자들같이 시간나면 신경 쓰는 정도 였는데 그렇게 사는 모습은 참 아름다워 보였다. 남들은 엄마가 없으면 애들은 어떻게 도느냐고 탓할지 모르나 내가 보기에는 아이들도 잘 클 것같았다. 아이들은 부모의 존재가 필요한 것이지 항상 옆에서 일일이 간섭하고 지시하는 참견인을 필요로 하는 것이 아니기 때문이다.

그러나 이러한 주부 매니아도 너무 지나치면 현실적인 문제를 일으키지 말라는 법은 없다. 특히 주부들에게는 아직 보수적인 우리의 현실에서는 말이다.

나는 어제부턴가 이 세상을 이끌어 가는 것은 광기이고 정신병자가 아닐까 하는 생각을 하게 되었다. 진화론적으로 볼 때 생명을 발전시키는 것은 어쩌나 튀어나오는 돌연변이기 때문이다. 돌연변이는 노는 것도 별나지만, 평범한 삶이 유전되지 못하는 데 비해 돌연변이는 다음 세대에 자기의 특성을 유전시키기 때문이다. 즉 돌연변이가 생명의 발전을 담당하는 것이다. 그 돌연변이를 정신적으로 보면 아마도 정신병자일 것이다. 물론 대개의 돌연변이가 자연계에 적응하지 못해 시드는 것같이 무수한 정신병자들도 사회에서 제 구실을 못하고 시들어 가지만 때때로 어떤 정신ㅂㅇ자들은 세상에 커다란 바자취를 남긴다. 뛰어난 정치가나 예술가, 작가들에게 의외로 정신질환이 많다는 것에서도 짐작할 수 있을 것이다.

그렇다면 지금 우리 사회의 주부 매니아들이 하고 있는 역할은 무엇일까? 아미도 우리 사회에서 오랫동안 정체된 주부들의 위상을 드높이는 데 큰 역할을 담당할 것이다. 물론 그들의 삶 자체도 신나겠지만…….[32)]

우리 중 누군가는 자기 계발에만 몰두해도 충분치 않은 치열한 생존 현실 덕에 연애나 결혼은 사치로 여겨기까지 한다.[33)]

라. 여자의 슬픔, 외로움, 허무함

☞ 슬픔

슬픔(IPA: [sʰɯl.pʰɯm])은 복잡한 감정 표현의 하나이다. 탈력감, 실망감이나 좌절감을 동반하고 가슴이 맺히는 등의 신체적 감각과 함께 눈물이 나오고, 표정이 굳어지며, 의욕, 행동력, 운동력 저하 등이 관찰될 수 있다. 또한 눈물을 흘리며 말로 할 수 없는 소리를 내는 '우는' 행동을 나타내 보이기도 한다.

일반적으로 사랑, 우정, 의존, 공영의 대상이 없어졌을 때 나타나는 것으로 알려져 있다. 슬픔은 '깊다/얕다' 라고 표현되고, 대상이 자신과 관계가 강할수록 깊은 슬픔이 찾아오는 것으로 알려져 있다. 그런 의미에서 대표적 예의 가장 큰 슬픔은 가까운 사람의 죽음이다. 이외에는 각자의 가치관 우선순위에 따라 슬픔의 정도는 달라질 수도 있다.

슬픔이라는 감정에 대해 '처음에는 노여움에 의한 그 사실의 부정으로부터 시작해, 자신의 뇌에서 그 현실을 받아들임과 동시에 복받쳐 오는 감정'으로 다루기도 한다.

한편 또다른 연구에서는 '슬픔' 자체가 감정으로서 무언가 상실감에 기초하여 이를 대응할 수 있도록 신체가 반응한다는 점에서 중요한 가치를 두는 경우도 있다. 따라서 슬픔은 자기 자신을 외부나 자기 자신으로부터 방어하는 기제로서 이해할 수 있는 중요한 기회인 셈이다. 이는 상실감을 극복하거나 이를 직시하고서 문제해결을 시도하는 긍정적인 작용과 관련이 있는 감정이게 된다. 또한 이것을 사랑하는 사람들의 연민과 사랑이 필요한 관계적인 감정으로서 다루고 있다는 점에서 사회적 존재로서 슬픔은 이와 관련된 감정이라고 볼 수 있다.

슬픔은 이따금씩 일상을 환기한다. 정제되지 않은 슬픔은 삶을 파괴하고 초토화시키나, 어떤 슬픔은 삶을 되새겨 정화한다. 그래서일까. 우리는 기쁨과 희극만이 아니라 우울과 비극에도 이입되고 공감을 갖는다. 그것이 사무치는 비탄의 감정을 일으켜 가슴을 에이게 하더라도.

아리스토텔레스는 '카타르시스(catharsis, 비극에 등장하는 인물들의 비참한 운명을 보고 간접 경험을 함으로써, 자신의 두려움과 슬픔이 해소되고 마음이 깨끗해지는 일. 정신 분석에서, 마음속에 억압된 감정의 응어리나 상처를 언어나 행동을 통해 외부로 드러냄으로써 강박 관념을 없애고 정신의 안정을 찾는 일)'라는 용어를 들어, 그런 감정 뒤 궁극의 상태를 설명한 바 있다.

프로이트의 정신분석학에서는 인간 내면의 억압된 감정이 해소되지 않으면 무의식 속에 잠재하여 부정적으로 작용할 수 있다고 보고 있다. 이에 대해 슬픔이나 슬픔을 통한 눈물은 카타르시스 효

과가 있는 것으로 알려져 있다.[34]

살면서 몇 번이나 슬픔을 인정하는 것을 피하고 오히려 가리려고 했는가? 어렸을 때부터 사회는 우리에게 슬퍼할 여력이 없다고 말했고, 그렇기에 우리는 용감해야 한다. 우리는 언제나 강해야하며, 비틀거리고, 슬퍼하는 모습을 보일 수는 없다. 사회는 유일하고 바람직하고 건강한 감정이, 바로 행복이라고 말하고 있다. 그러나, 행복을 담을 지언정, 그 행복이 극한적이지는 않다.

물론 슬픔은 부정적인 가치를 지닌 감정이다. 하지만, 우리가 그 슬픔을 우리에게 긍정적인 감정으로 바꾸면 어떨까? 슬픔을 인정하는 것은 어렵지만, 일단 슬픔을 인정하고, 그 슬픔을 통해 배운다면 어떨까? 참으면서 삭히기보다, 슬픔을 위한 공간을 마련한다면 어떨까?

강철규의 회화는 슬픔으로 그려져 있다. 찌를 듯한 고통에 울부짖는 표정의 얼굴, 영혼을 잃은 듯 비어 보이는 신체의 가냘픈 몸짓, 이들은 스잔하고 음울한 배경에 배치돼 비감의 분위기를 풍긴다. 기억과 환상, 알레고리로 점철된 장면에는 훼손되고 망가지는 순간의 위기감이 감돈다. 내면으로 침잠해 들어가는 자의 순수하지만 불안한 의식이 그렇듯이.

'관통' 은 강철규의 자전적 일화가 기록된 그림이다. 무의식의 영역을 대신한 짙은 숲 군데군데에 작가가 실제 겪었던 폭력과 학대의 아픔이 묘사돼 있다. 헤어 나올 수 없는 구멍이 된 상실의 고통과 처연하게 식어버린 자존의 무력한 이미지도 있다. 그것은 개인적 차원을 넘어 현실에 경각을 일으키고 예술로 승화돼 타자의 정서에 스며든다.

운명에 위해가 따르고 세상에 참극이 계속 일어나는 한, 우리는 이렇게 슬픔과 공생하며 살아갈 것이다. 서린 슬픔을 꺼내 서로를

위로하면서.35)

강철규, ‘관통’, 227x181cm, 캔버스에 유화, 2021

☞ 외로움

외로움(loneliness)의 사전적 정의는 ‘홀로 되어 쓸쓸한 마음이나 느낌’ 을 뜻한다. 사회적 동물인 인간이 타인과 소통하지 못하고 격리되었을 때 느끼게 된다. 예를 들면 낯선 환경에서 혼자서 적응할 때, 사랑하는 사람과 이별하였을 때 등 혼자가 되었다고 느낄 때 외로움을 느낀다고 할 수 있다. 외로움의 어원은 하나를 뜻하는 ‘외’ 와 ‘그러함’ 또는 ‘그럴 만함’ 의 뜻을 더하고 형용사를 만드는 접미사 '~롭다'를 붙여서 만들어진 것으로 추측된다. 내성적인 사람이 외로움을 덜 느끼는 것은 아니다. 성향의 차이일뿐 외향적인 사람도 소수의 사람들과의 커뮤니케이션이 부족하면 내성적인 사람만큼 외로움을 느낀다. 내성적, 외향적인 성격과 외로움은 상관관계가 없다. (관련이 있다는 연구결과가 있으면 근거로 제시하여 추가할것) 비슷한 말로는 '고독'이 있으며 외로움을 오랫동안 겪다보면 우울증과 자칫 자해, 자살과 같은 극단적인 선택으로 이어지는 수도 있다. 사회적 소외감을 느끼고 주변 사람들로부터 격리되었다고 느낄 때 실제로 뇌의 통증을 느끼는 부분이 활성화된다고 한다.

열등감과 함께 사람의 영혼을 갉아먹는 부정적인 감정으로 꼽히며, 심한 외로움을 느끼는 사람은 정신적으로 대단히 고통받고 심혈관계 질환에 노출되며 극심한 무기력증을 느끼며 술, 담배, 마약 등의 여러가지 일탈 행위에 노출되어 최악이면 외로움이 사람을 죽음으로 몰고 간다. 이 고통은 실제로도 신체적 고통과 같은 것이라, 의외로 타이레놀을 먹으면 완화된다는 연구가 놀랍게도 있다.[36]

외로움을 겪는 사람은 우울과 소외감을 느끼기 쉽다. 일반적으로 사람은 매우 쉽게 외로움을 느끼고, 일반적으로 2-3분만 소외되어도 "나는 존재가치가 있는 사람일까?"와 같은 질문을 할 정도로 깊은 외로움을 느낀다.[37]

연구에 따르면 외로움을 느낀 사람들은 다른 사람이 은연중에 보이는 부정적인 의사를 더 잘 파악했다고 한다. 배고픈 사람이 음식과 관련된 것에 더 민감하게 반응하는 것과 비슷하다.[38]

'양극화' 문서의 '위화감과 적대감 심화' 문단 내용처럼 서로의 불신이 커지고 접촉이 감소하며 각 계층이 서로를 이해하고 교류할 여지는 점차 서서히 줄고, 이 거리감은 더욱 커지며 외로움, 서로의 불신감, 거부감도 계속 커지는 악순환이 발생하는 문제도 있다.

금전적인 문제에도 봉착하는 장년, 노년층은 과거에는 덜했지만,

배우자와 둘이 사는 경우가 대부분이고, 체력이 약해져 집에서 보내는 시간이 많으므로 외로움을 많이 느낀다. 특히 심한 질병으로 누워 지내게 되거나 배우자가 사망하여 혼자 살게 되면 외로움이 극심해진다.

☞ 허무함

공허(空虛, emptiness), 공허감(空虛感), 허무(虛無), 허무감(虛無감), 또는 간단히 공(空)은 인간의 조건으로서 일반화된 지루함, 소외, 무감정의 감정이다. 공허의 느낌은 기분부전장애,[39] 우울증, 외로움, 성쾌감 상실, 절망, 기타 정신/감정적 질환(분열성 인격장애, 외상 후 정신적 외상, 주의력결핍 과다행동장애, 분열형 인격장애, 경계선 인격장애 포함)을 수반하기도 한다. 공허함의 느낌은 비탄의 자연스러운 과정의 일부이기도 하며 이는 별거, 애인의 죽음, 기타 상당한 변화의 결과로 나타난다. 그러나 "공허" 의 특정한 의미는 공허가 쓰이는 특정한 문맥, 종교, 문화적 전통에 따라 다양하다.[40]

기독교와 서양 사회학자들과 심리학자들은 때때로 공허함의 상태를 부정적이거나 원치 않는 상태로 바라볼 때도 있으며 한편 불교 사상, 도교와 같은 동양 철학에서는 공허(공)는 독립된 본성이 표출된 것으로 인식하는 경우도 있다.

한편 그리스 신화에서 혼돈이라는 의미를 가진 카오스는 최초로 생긴 '텅 빈 공간' (우주가 들어갈 공간)을 가리킨다.

인생은 한결같지 않아 덧없다는 뜻의 사자성어. 중국어로는 런셩우창(rén shēng wú cháng ㄖㄣˊㄕㄥㄨˊㄔㄤˊ), 일본어로는 진세이무죠(じんせいむじょう)라고 읽는다.

직역하면 '인생이 한결같지 않다' 는 뜻이다. 사람 앞일은 모르는 것이고, 좋은 시절이 있으면 또 나쁜 시절이 있기 마련이라는 뜻이다. 이것을 불교에서는 제행무상이라고도 한다. 다만 불교적 의미의 제행무상은 허무주의적 정서가 강하게 풍기는 인생무상과는 좀 다르다.

결국 언젠가는 죽을 수밖에 없는 인생을 의미한다. 아무리 인생에 좋은 시기가 있다 한들 언젠가 끝나고, 언젠가는 죽을 것이 분명하기 때문에 한결같지 않다는 말로 돌려서 표현하는 것이다. 즉 권세나 명예조차 한순간일 뿐 결국은 덧없고 허무하며, 모든 끝은 죽음이라는 것. 이와 비슷한 의미의 사자성어로는 화무십일홍, 설니홍조가 있다.

전도서 1장 2절 "헛되고 헛되다. 설교자는 말한다, 헛되고 헛되다. 세상만사 헛되다." 가 이와 일맥상통한다.

흔히들 인생은 덧없다는 뜻으로 해석하며 人生無賞으로 잘못 아는 경우가 많다. 인생은 덧없고, 갈 때는 우리 모두 빈 손으로 가는 것이니 이런 의미에서는 뜻이 일맥상통하기도 하다.

마. 부부 싸움

부부 싸움은 언제 일어날까? 상대가 나의 공간을 침범하거나 간섭하거나 지배하거나 무시할 때 대개 싸움이 일어난다. 이는 소위 일신동체라는 부부에게도 해당된다. 부부가 원수같이 싸우는 경우는 우리 주위에서도 흔하게 발견할 수 있다. 어쩌면 사랑과 미움은 손바닥 양면과도 같아 오히려 쉽게 뒤집어지는 것 같다.

부부간의 심각한 갈등 때문에 정신과를 찾는 주부들도 계속 늘어나고 있다. 그들은 하나같이 이혼을 생각하고 있는데 대개 싸움은 그들 스스로도 감당하기 힘들 정도로 번진 상태이다. 둘이 싸우다 상처를 받자 각자 결혼 전의 자기 집에 가서 원군을 청하고 그 원군까지 불러와 붙고 나니 양가의 자존심까지 깊숙이 상해 결국 감당할 수 없는 지경까지 이르고 만다. 결과는 대개 남자는 여자에게서 마음이 차갑게 돌아서 있고 여자는 현실이 겁이 나 우유부단해 있는 상태이다. 그 전까지는 기세등등하게 나섰지만 남자가 마음이 돌아서고 이혼이 목전에 다다르고 나니 마음이 약해진다. 그러나 일단 돌아선 남자의 마음은 우유부단한 여자를 감싸 주지 않는다. 여기까지 다다르면 여자가 성숙한 지혜를 발휘하지 않는 한 상황을 되돌리기가 어려워진다. 그런 여자를 볼 때마다 속으로 참 한심하다는 생각이 들 때가 많다. 감당하지 못할 것을 무엇 때문에 그렇게 죽어라 싸운단 말인가? 기껏해야 주도권 쟁탈일 텐데 가장까지 무너뜨리면서 주도권을 쟁취해야 무슨 소용이 있는가?

그래서 나는 요즘 '부부 싸움에 여자가 지는 게 낫다.' 는 지론을 갖게 되었다. 특히 신혼 초의 치열한 주도권 쟁탈전인 부부 싸움에서는 여자가 지는 게 낫다. 그것은 고부간의 갈등에서도 마찬가지다. 신혼만 조금 지나고 아이를 낳게 되면 자연히 아내에게 주도권이 넘어올 텐데 그것을 못 참아 자기가 선택한 결혼을 뿌리째 뽑아 버리는 것은 어리석다고 할 수밖에 없다. 특히 우리 나라의 남자들은 극성스러운 부모님의 영향으로 성숙이 더딘 경우가 많다. 그렇다고 눈앞의 남자가 결혼 후 가정이 안정되면서부터는 급속도로 성장하곤 하기 때문이다. 마치 그 동안 억눌렸던 성숙을 한꺼번에 이루려는 듯…….

그리고 나는 기본적으로 이혼엔 절대 반대다. 싸우다가 안 맞는다고 걸핏하면 이혼부터 생각하는 것은 그 자체가 미숙하고 어리석기 작이 없다. 물론 아기를 낳기 전에 이혼하는 것은 그래고 괜찮다. 이혼은 둘에게만 상처로 남고 그 상처는 의외로 성숙시킬 수 있기 때문이다. 아기를 지우면 당장은 편한 것 같아도 그 죄책감은 상상 외로 오래 가고 앞으로의 인생에도 계속해서 무거운 그림자를 드리우기 때문이다. 특히 아이가 있는 상태에서의 이혼은 어느 나라 어느 문화권을 막론하고 치명적이다. 자기의 분신을 위해서도 결혼의 파국은 어떻게 해서라도 막는 것이 좋다.

사랑을 좇고 감성을 좇고 마음에 맞는 상대와 살겠다고 이혼을 해서 그런 이상적인 상대와 살아 봐도 얼마 지나면 다 마찬가지라는 것을 깨닫게 된다. 가정이란 안식하고 자녀를 양육하는 곳이지 감성과 사랑을 꽃피우는 곳은 아니기 때문이다. 사랑과 감성을 꽃피우는 곳은 장시간 애써 치장해서 준비된 만남을 갖는 사교장 정도이다. 가정으로 돌아오면 누구나 다 긴장을 풀고 쉬고 싶어하고 밖에서의 생존 경쟁을 위해 에너지를 재충전하려고 한다. 그런데 일일이 섬세한 감성과 사랑에만 신경쓰다가는 사회적으로 도태될 수밖에 없다. 항상 낭만적이고 사랑스러운 가정은 행복한 가정이 아니라 오히려 구성원 각자에게 스트레스만 주는, 건강하지 않고 비효율적인 가정일 뿐이다.

가정은 각 개인의 프라이버시를 존중하며 개인이 쉬고 자녀가 건강하게 자랄 수 있는 공간이어야 한다. 그 이상의 욕심은 부리면 부릴수록 자기만 피곤하다.

따라서 부부 싸움은 서로 상대방에게 기대를 줄이는 선에서 지혜롭게 극복하는 것이 낫다. 전쟁에서의 진정한 승리는 피 흘리지 않고 거두는 승리이기 때문이다.[41] 사람이 가정을 이루고 살다보면 낭만이나 사랑보다는 생존이 더 중요해진다. 부부간의 대화를 통해서 사랑도 표현하고 서로의 감정도 공유하는 법을 잊고 살게 되는 법이다. 부부들은 몇 년 살면서 서로 이성으로서의 매력을 상실하게 되면 목소리부터 달라진다. 중성의 목소리가 되는 것이다.

특히 남편에게 여자로서의 매력을 끌 이유가 없게 된 여자는, 남편을 부르는 목소리가 완전히 중성처럼 거칠어진다. 여자의 목소리가 아니라 중성처럼 부르는 단계가 되는 것이다. 그쯤 되면 이미 남녀 구도는 깨어지고 두 사람은 그저 가족으로서 구성원의 의미가 된다.

이때 어느 한쪽이 사랑에 대해서 갈구하게 되면 외도를 하게 되는 것이다. 남자는 여성성을 그리는 본증이 있기 때문에 부드럽고 둥글고 따뜻한 여자를 찾고 여자는 남자다운 남자, 즉 자기를 보호해주고 여자를 존중해주는 남자를 정신적으로 찾게 된다.

부부 사이도 서로 정신적으로 육체적으로 만족시켜 주면서 잘 사는 부부도 있지만 이제 세계 각 나라는 예외 없이 거의 비슷한 비율로 헤어지고 있는 것이다.[42]

바. 바람이라도 피우지 않으면……

얼마 전 어느 식당에 갔을 때의 일이다. 옆자리에 부부가 식사를 하는데 아이들이 밖으로 나가자 엄마가 막 난리를 친다. 아빠가 나가 놀겠다는 아이를 어쩌지 못해 내버려 두자 여자는 남편에게도 꽥꽥 소리를 지른다. 그것은 아이가 나가 노는 것에 대한 분노라기보다는 아마도 남자가 자기 말을 듣지 않는 것에 대한 극심한 분노 같았다. 그 주위에는 여러 사람이 합석해 있어 특히 그는 무안해 보였는데 저런 무식한 여자와 어떻게 사나 하는 생각마저 들었다. 아마도 그 남자는 가정의 평화를 위해 꾹 참나 본데 바람이라도 피우지 않으면 스트레스(stress) 때문에 오래 살지 못할 것이다.

부인 잘못 만나 평생 스트레스에 시달리다 병에 걸려 죽는 경우도 실제로 가능하다. 히스테리컬(hysterical)한 부인을 둔 어떤 남자는 부인이 임신했을 때 한 번 바람을 피웠다가 부인이 죽겠다고 바다에 뛰어드는 바람에 뱃속에 든 아기까지 유산하고 평생 아이를 못 갖게 되었다. 그 후 그는 한평생 부인의 눈치를 보며 살았는데 그의 가장 가까운 친구는 술이었다. 부인은 항상 여기저기 아프다면서 그를 편하게 대하거나 만족시켜 주지는 않고 항상 자기를 위해 봉사하기만을 요구했으니 말이다. 결국 술을 진탕 마시고 주정하는 것만이 유일한 스트레스 해소 수단이었다. 그 결과 그 는 젊은 나이에 위암에 걸려 죽고 말았다. 부인은 남편이 죽고 난 후 슬퍼했지만 그녀가 관심 있는 것은 유산이었다. 이제 그녀의 의존심을 채워 줄 수 있는 것은 돈밖에 없었기 때문이다. 억울하게 죽어 간 그를 보고 시집 식구들은 모두 원통해 했지만 죽은 사람의 유산을 물려받을 수 있는 사람은 그녀뿐이었다. 그러던 어느 날 시집 식구의 억울함을 풀어 줄 수 있는 사건이 발생했으니 바로 그 남자에게 애인이 있었다는 사실이었다. 그는 예전처럼 발각되지 않도록 몰래 한 여자를 따로 만났던 것이다. 그 사실을 안 부인은 노발대발했으나 이미 죽은 남편에게 전처럼 영향력을 행사할 수는 없었다.

아마 그는 생존을 위해서 바람이라도 피우지 않았으면 안 되었을 것이다. 그리고 그렇게 바람이라도 피우지 않으면 좀더 일찍 암으로 죽었을지도 모른다. 보통 남자들이 바람나면 조강지처 버리고 젊은 자 밝힌다고 손가락질하지만 때로는 남자들의 생존을 위한 몸부림인 경우도 있다. 바람이라도 피우지 않으면 숨막혀서 못 살기 때문이다. 그건 단순한 밝힘의 차원이 아니다. 생존의 차원이다.

P씨는 자타공인 성공한 사람이다. 그런데 그가 그렇게 성공할 수 있었던 것은 부인 덕이 컸다. 부인이 P시를 편하게 해 주지 않아 외도에 열중했기 때문이다. 부인은 무척 인색한 사람으로 돈 한 푼이라도 맹목적으로 절약하려는 형이었다. 그리고 그 때문에 무엇을 사거나 일을 할 때 철저하게 장고(長考)를 했다. 이에 반해 P씨는 사소한 것에 신경 쓰는 것은 딱 질색인 사람이었다. P씨는 사소한 것은 사소한 대로 빨리 끝내고 다음 일로 넘어가기를 바라는 형이었다. P씨는 가정에서 부인과 화목하게 지내고 싶었으니 부인의 그 답답한 패턴(pattern)에 절대로 적응할 수가 없었다.

드디어 P씨는 바람이 났다. P씨는 하늘을 날아다니고 싶은데 부인은 따라 주지 않고 그렇다고 부인을 따르자니 부인의 좁은 틀이 너무 답답했다. 마음껏 날아다녀 할 새를 좁은 새장 속에 가두면 그 새는 스트레스를 받아 죽고 마는 것이다. P씨의 외도는 여자에게만 국한되지 않고 계속 밖으로 날아다니며 사업에 전념했다. 결국 가정에 쏟아야 할 에너지를 모두 일에 쏟으니 성공할 수밖에 없었다. P씨는 한편으로는 부인이 고맙기도 했으나 여전히 마음은 허허로웠다. 세상에 누구보다도 자기를 이해하고 위해 줘야 할 마누라하고 마음으로 만나지 못하기 때문이다.

이렇게 해서 바람피우는 남자가 애인을 통해 가장 크게 도움을 받는 것은 이해와 존중이다. 물론 섹스만을 집요하게 밝히며 섹스를 통해 스트레스를 풀겠다는 사람도 있겠지만 대개는 상대가 내 얘기, 내 인생에 진심으로 귀를 기울여 주고 관심을 가져 준데 대해 고마움을 느낀다. 바람에 깊이 빠진 남자들의 애인을 보면 대개는 아내와 비슷하게 생긴, 아내보다 다소 젊은 여자인 경우가 많다. 그러나 그 마음 씀씀이만은 아내와 판이하게 다르다. 아내는 자기의 좁은 틀, 경직된 가치관만을 고집하지만 애인은 남자의 말을 듣고 이해하고 공감해 주며 따르는 것이다.

많은 부부 불화가 서로 공감하고 이해하고 마음으로 만나지 못하는 데서 비롯된다. 각자 자기 틀만을 고집하니 마음으로 멀어지고 각기 방황하는 것이다. 서로 마음으로 먼난다는 것은 굉장히 어려운 일인 것 같으나 아주 간단하기도 하다. 상대의 판단을 존중만 해 주면 된다. 특히 나와 상관이 없는 상대의 일일 경우에는 그냥 따르기만 하면 된다. 그런데 그것을 어려워하며 어떤 식으로든지 상대를 지배하려고 할 때 성대는 못 견뎌하며 스트레스 속에서 신음하다가 바람으로 달아난다.

따라서 남편이 바람을 피웠을 때는 무조건 윤리적으로 욕만 해댈 것이 아니라 혹시 남편이 바람이라도 피우지 않으면 안 될 만큼 내가 절박하게 스트레스를 주지는 않았는지 자기 쪽도 살펴봐야 할 것이다. 그리고 이런 식은 남편에게도 해당될 것이다. 남자만 바람피울 수 있는 것은 아니기 때문이다.[43)]

사. 맞바람 이야기

몇 년 전 종수가 귀가 따갑게 듣는 말은 "당신도 사람이우!" 라는 말이었다. 종수가 바람을 피우고 아기까지 지웠다는 사실이 밝혀지자 아버지나 처남은 "네가 사람이냐?" 고 사람 취급도 안 했다. 게다가 아내는 종수가 자기를 만날 때 딴 여자도 동시에 만나고 또 집들이에 초대한 손님 중에 종수와 관계를 가진 여자가 둘이나 있었다는 사실에 "당신도 사람이우!" 라고 분개했다. 종수는 입이 열 개라도 할 말이 없어 묵묵히 그 질책을 묵묵히 받아들였다.

그런데 요즘 종수의 입에 붙어 떠나지 않는 말은 "니가 사람이냐!" 라는 말이다. 최근에 우연히 발견한 아내의 바람은 종수 못지않은 휘황찬란한 것이었기 때문이다. 아내는 종수로 하여금 그 여자와의 관계를 정리하게끔 수단과 방법을 가리지 않으면서 뒤에서는 따로 남자를 구해 만났던 것이다. 그것도 처갓집의 적극적인 뒷바라지를 받으면서, 처갓집은 종수가 바람을 피우자 아내가 다른 남자를 만나는 것을 적극적으로 뒷바라지하고 특히 장모님은 아내가 스트레스를 풀어야 한다며 그 남자와 자고 오라고 애까지 봐줬던 것이다.

또 아내는 종수가 오랜 시간 공들여 책을 써서 바쳤을 때도 비웃듯 그 남자와 며칠 동안 해외여행을 떠났다. 나중에 우연히 그 사실을 알게 된 종수는 하도 기가 막혀서 "니가 사람이냐!" 는 말밖에는 나오지 않았다. 그 같은 종수의 말에 아내의 대응은 한결같이 무덤덤했다. 너도 바람피우지 않았느냐는 것이다.

결국 종수와 아내는 바람에 휩싸이면서 둘 다 기본적인 인간다움을 포기한 것이다. 그러나 곰곰이 생각해 보면 아내의 말이 맞바람이지 아마 첫 바람을 피워도 그 같은 파렴치한 짓을 서슴지 않았을 것이다. 바람에 휩싸이면 누구나 눈에 뵈는 것이 없는 것이다.

말이 고와 바람이지 인간사 바람이 어디 흐르듯 스쳐 가는 바람인가! 물고 빨고 찧고 온갖 짐승 같은 짓을 다 하는 게 인간의 바람인데. 그래서 바람에 피해를 입는 쪽에서는 '당신도 사람이우!' 라는 말이 보통으로 흘러나오는 것이 아닐까? 요즘 아내들의 바람기로 화병에 걸리는 남편들이 늘고 있다고 한다. 남편의 바람기로 화병나는 여자들은 예나 지금이나 비슷하게 많지만 이제는 남편들까지 화병에 걸리고 있으니 정신과 의사만 좋게 생겼다. 남편이 화병에 걸리는 이유는 대개 이런 식이다.

여자 나이 삼삽대 중반이면 아이도 어느 정도 크고 세상사 알 만큼 알게 되어 세상을 기웃거리게 된다. 더 이상 가정에 갇혀 살고 싶지 않은 것이다. 그러다가 바람이라도 불어넣어 주는 개방된 친들, 특히 이혼녀라도 만나게 되면 그야말로 다이너마이트에 숯불을 끼얹는 격이다. 갑자기 가정은 지옥같이 어둡고 답답해지고 밖의 세상이 그렇게 아름답고 빛날 수가 없다. 한 번뿐인 내 인생이 소중하지 그 밖에 또 무엇이 중요하랴. 자식도 남편도 다 남인 것이다. 그때부터 그녀는 술과 음악, 뮤지컬, 영화, 책 등에 탐닉하며 소위 자기를 발견하게 된다. 아이들이나 남편을 시중드는 삶이 아니라 자기가 주인인 삶! 얼마나 멋진 인생이냐. 그러다가 좀더 바람이 부풀게 되면 드디어 가출, 외박, 이혼 요구를 하게 된다. 니때 대개의 남편들은 커다란 충격을 받고 허둥지둥 안절부절 못하며 철없는 아내를 돌아오게 하려고 애쓴다.

옛날 같으면 그런 여자들은 당장 이혼이었지만 요즘 부쩍 늘어나고 있는 허약한 남자들은 이혼은 감히 상상도 못 한다. 어떻게 하든 아내가 마음을 잡아 주기만을 바라면서 혼자서만 끙끙 속앓이를 하게 된다. 이때 생기는 것이 바로 화병이다. 남편들이 찾아와서 이런 하소연을 늘어놓을 때마다 나도 모르게 속으로 불끈 솟아오르는 말이 있다.

'그냥 냅 둬! 그리고 하고 싶은 대로 맘껏 해 보라고 해! 그런 여자들은 한번 혼이 나 봐야 돼!'

세상이 어디 그렇게 녹록한 곳인가! 십대, 이십대의 싱싱한 젊음을 가지고서도 기회를 못 잡아 쩔쩔매는 것이 현실인데 다 늙은 여자가 어딜 가서 자기 멋대로 살 수 있단 말인가 가정이라는 어항 속에 있을 때는 세상이 그렇게 맑고 아름답게 보이겠지만 정작 금붕어가 세상에 나와 봤자 마주치는 것은 갈가리 찢겨나가는 시련뿐이다. 그렇게 기세 좋게 이혼한 여자들이 세월이 흘러 기력도 쇠약해지고 현실고와 외로움이 쌓여 가면 후처 자리라도 들어가려고 기를 쓴다는 것은 왜 모를까? 그러나 시름에 잠겨 어떻게라도 마느라를 붙들려고 하는 남편들에게 차마 이런 얘기는 못 하고 그냥 부드럽게 다독거린다.

"좀더 기다려 보시죠. 기다림만이 모든 문제를 푸는 가장 좋은 해결책입니다. 견디기 힘들면 약이라도 좀 드시면서 기다려 보는 게 어떨까요. 항우울제도 있고 항불안제도 있습니다."

아마도 인간사회가 망한다는 20세기 말로 가면 갈수록 '당신도 사람이우!' 라고 절규하는 남편과 아내들은 한참 더 늘어날 것이다. 단란한 가정을 그런 짐승들의 동굴로 만들지 않으려면 부부는 애초부터 서로간의 순수한 믿음, 사랑을 키워가는 데 한층 더 신경을 써야 할 것이다. 그 방법은 서로를 존중하고 아껴 주고 이해하며 자식을 사랑하는 데 있지 않을까?[44]

☞ '맞바람' 이야기가 이렇게 아름다워도 되나-그 시절, 우리가 좋아했던 영화] 왕가위 감독의 정통멜로 <화양연화>-

지난 2016년 8월 영국방송협회 BBC에서는 전 세계 영화평론가 177명의 투표를 거쳐 '21세기의 위대한 영화' 100편을 선정했다(공동순위로 집계된 영화를 포함하면 실제로 선정된 영화는 총 102편 이었다).

2001년에 개봉했던 데이비드 린치 감독의 <멀홀랜드 드라이브>가 1위에 오른 가운데 <이터널 선샤인>(6위), <매드맥스: 분노의 도로>(19위), < 월-E >(29위)처럼 대중들에게 익숙한 영화들도 제법 많이 포함돼 있다.

<화양연화>는 BBC선정 21세기 최고영화 2위에 선정되는 등 왕가위 감독 영화 중에서도 최고로 기억되고 있다. ㈜디스테이션.

BBC 선정 21세기 위대한 100대 영화 순위를 보면 과거보다 한국 영화의 위상이 한층 높아졌음을 알 수 있다. 박찬욱 감독의 <올드보이>가 30위, 고 김기덕 감독의 <봄 여름 가을 겨울 그리고 봄>이 66위에 이름을 올리고 있기 때문이다. 만약 선정 시기가 2016년이 아닌 2020년대에 이뤄졌다면 2019년 칸 영화제 황금종려상과 2020년 아카데미 4관왕에 빛나는 봉준호 감독의 <기생충> 역시 상당히 높은 순위에 올랐을 것이다.

BBC선정 21세기 위대한 100대 영화에서는 미야자키 하야오 감독의 일본 애니메이션 <센과 치히로의 행방불명>이 4위라는 매우 높은 순위에 랭크돼 있다. 하지만 <센과 치히로의 행방불명> 같은 걸작 애니메이션보다 더 높은 순위에 오른 아시아 영화가 있다. 바로 'BBC 선정 21세기 위대한 영화' 순위에서 당당히 2위에 이름을 올리고 있는 왕가위 감독 연출, 양조위, 장만옥 주연의 홍콩 멜로 영화 <화양연화>다.

가. 간간이 등장했던 애틋한 홍콩의 멜로영화

2000년대 들어 그 위상이 많이 꺾이긴 했지만 1990년대 중반까지 아시아 영화시장을 주름 잡았던 홍콩영화는 크게 오우삼 감독과 주윤발로 대표되는 누아르 영화와 고 이소룡과 성룡, 이연걸이 주도했던 쿵푸액션영화로 양분됐다.

여기에 주성치라는 걸출한 '희극지왕'이 코미디 장르에서 독보적인 위치를 차지했다. 하지만 짧은 기간에 여러 장르의 영화를 만들어내는 홍콩에서는 남녀 간의 사랑을 주제로 한 멜로 영화도 꾸준히 관객들을 만났다.

여성감독 정완정이 연출한 1987년작 <가을날의 동화>는 '영원한 따거' 주윤발의 멜로연기를 볼 수 있는 흔치 않은 작품이다. 약 10년 동안 짧게 활동하고 은퇴한 배우 종초홍의 대표작이기도 한 <가을날의 동화>는 엇갈리는 두 남녀의 감정을 섬세하게 묘사한 작품이다. 특히 대서양이 보이는 바다에서 식당을 차린 선두척(주윤발 분)이 제니퍼(종초홍 분)와 재회하는 엔딩은 <가을날의 동화> 최고의 명장면으로 꼽힌다.

1987년 <가을날의 동화>를 연출했던 정완정 감독은 그로부터 11

년이 지난 1998년 '홍콩 4대천왕' 중 한 명인 여명과 대만출신 여성배우 서기를 캐스팅해 또 하나의 멜로영화 수작 <유리의 성>을 선보였다. <유리의 성>은 국내에서 홍콩영화의 침체기가 시작되는 시기에도 서울관객 12만 명을 동원했다(영화관입장권 통합전산망 기준). 가수활동도 병행하던 여명이 직접 부른 OST 'Try to Remembe' 도 많은 사랑을 받았다.

1997년에 제작돼 국내에서 1998년에 개봉했던 금성무(카네시노 타케시), 곽부성, 진혜림 주연의 <친니친니: 안나마덕련나>는 음악을 소재로 세 남녀의 삼각로맨스를 다룬 작품이다. 중반 이후 내용이 복잡해지면서 관객들의 호불호가 갈리기도 했지만 좋은 음악과 함께 긴 여운을 남긴 멜로영화였다. 특히 진혜림 버전의 감미로운 'A Lover's Concerto' 는 대중들에게 익숙한 <접속> OST 버전과는 다른 매력을 가지고 있다.

홍콩 연예계 최대 흑역사 중 하나로 꼽히는 지난 2008년 옛 연인과의 동영상 및 사진 유출사건이 터지기 전까지 장백지는 장만옥의 뒤를 잇는 청순가련 여성 배우였다.

특히 1999년에 출연했던 <성원>은 시각장애와 언어장애를 가진 남자주인공 양파(임현제 분)와 상냥한 간호사 초란(장백지 분)의 슬프도록 아름다운 사랑이야기를 그린 멜로영화다. <성원>으로 국내에서 인지도가 급상승한 장백지는 이후 한국영화 <파이란>에 캐스팅됐다.

나. BBC 선정 21세기 최고영화 2위

독창적인 촬영기법과 스타일리시한 연출로 1990년대 '아시아영화의 아이콘' 으로 명성을 날린 왕가위 감독은 <중경삼림>과 <타

락천사>에 이어 1997년 <해피 투게더>를 통해 칸 영화제 감독상을 수상했다. 관객들은 당연히 왕가위 감독의 차기작에 큰 기대를 가졌고 왕가위 감독은 2000년 자신의 두 번째 장편영화 <아비정전>에 출연했던 양조위와 장만옥 주연의 신작 <화양연화>를 선보였다.

중화권 최고의 연기파 배우였던 양조위는 <화양연화>로 칸영화제 남우주연상을 수상했다. (주)디스테이션.

<화양연화>는 배우자가 있는 두 주인공 주모운(양조위 분)과 소려진(장만옥 분)이 자신들의 배우자가 바람을 피운다는 사실을 알게 된 후 맞바람을 피운다는 아침드라마에서 볼 법한 소재의 영화다. 하지만 왕가위 감독은 두 주인공 사이에 오가는 미묘한 사랑에 대한 감정을 특유의 절제된 미장센을 통해 섬세하게 표현하며 관객들을 매혹 시켰다. <화양연화>는 평가가 야박하기로 유명한 이동진 평론가에게 별 5개를 받은 흔치 않은 영화이기도 하다.

양조위는 홍콩을 대표하는 연기파 배우로 홍콩에서 많은 영화제의 남우주연상을 휩쓸었고 연기에 대한 열정과 소탈하고 예의 바른 성품을 두루 갖춘 배우로 명성이 자자했다. 양조위는 1997년 <해피투게더>를 통해 세계적인 명성을 얻기 시작했고 3년 후 <화양연화>로 칸 영화제 남우주연상을 수상하며 정점을 찍었다. 이후

양조위는 오늘날까지 20년 넘게 중화권을 대표하는 최고의 배우로 명성을 날리고 있다.

왕가위 감독이 공식적으로 인정한 적은 없지만 적지 않은 영화 팬들은 <화양연화>를 1990년에 개봉한 <아비정전>, 2004년에 개봉한 < 2046 >과 함께 같은 세계관을 공유하는 '왕가위 감독의 멜로 3부작' 으로 분류하기도 한다. 실제로 세 작품에서 양조위는 주모운, 장만옥은 소려진이라는 캐릭터를 연기했고 세 영화의 시대적 배경 역시 <아비정전>이 1960년, <화양연화>가 1962년, < 2046 >이 1964년이다.

오랜 기간 촬영하고 편집하기로 유명한 왕가위 감독의 영화답게 <화양연화> 역시 워낙 많은 장면을 촬영하고 삭제한 영화로 유명하다. 삭제 장면만 따로 모아서 다큐멘터리를 만들었던 <해피투게더>처럼 <화양연화> 역시 삭제장면을 모두 포함하면 런닝타임이 3시간에 달했을 거라고 한다. 심지어 <화양연화>의 주인공 양조위조차 시사회에서 완성본을 보기 전까지 영화의 내용을 완전히 이해하지 못했다고 한다.

다. 얼굴 한 번 안 나오는 두 주인공의 배우자

홍콩영화 감독 중에서 왕가위 감독만큼 음악을 적절하고 멋지게 사용하는 감독도 드물다. <화양연화> 역시 음악이 또 하나의 주인공이라고 할 수 있을 정도로 영화 곳곳에 음악이 적절하게 사용됐다. 영화 제목 <화양연화>는 1930~1940년대 중국에서 큰 인기를 끌었던 가수 저우쉬안의 동명곡에서 따왔다. '꽃 같던 시절의 빛' 이라는 뜻의 <화양연화>는 두 주인공이 보낸 인생에서 가장 아름다웠던 시절을 의미한다.

영화의 메인테마곡인 'Yumeji's Theme' 는 1991년에 개봉한 일본영화 < Yumeji >의 주제곡을 재사용한 것이다. 왕가위 감독은 본인의 영화에 알맞다고 판단하면 이미 발표된 노래나 다른 영화의 OST도 과감하게 사용하는 감독으로 유명하다. <중경삼림>에 쓰였던 'California Dreamin' 이나 2013년작 <일대종사>에서 엔리오 모리코네가 작곡한 <원스 어폰 어 타임 인 어메리카>의 OST '데보라 테마' 를 사용한 것이 대표적인 예다.

장만옥이 <화양연화>에서 보여준 우아한 분위기는 관객들을 매혹 시키기 충분했다. ㈜디스테이션.

주모운과 소려진이 바람을 피는 데 결정적인 원인이 됐던 두 사람의 배우자는 영화 내내 한 번도 얼굴이 나오지 않고 목소리로만 출연한다.

얼마나 잘난 사람이기에 양조위와 장만옥 같은 남편과 아내를 두고 다른 사람과 바람을 피는지 궁금해하는 관객들이 많았지만 왕가위 감독은 끝까지 이들의 얼굴을 보여주지 않았다. 하지만 이들의 정체(?)가 끝까지 밝혀지지 않은 것이 오히려 영화의 분위기와 긴장감을 유지하는 데 큰 역할을 했다.[45]

아. 지기 싫어하는 아내

남편이 돈을 못 벌어와도 섹스를 잘 하면 아내는 이렇게 말한다.

"니가 짐승이지 사람이냐."

남편이 돈은 잘 벌어오지만 섹스를 못 하면, "돈이면 다냐!"

남편이 돈도 못 벌어오고 섹스도 못 하면, "니가 해 준 게 뭐 있다고!"

남편이 돈도 잘 벌고 섹스도 잘 하면, "그래, 너 잘랐어!"

이 말들을 가만히 살펴보면 여자들이 남자에게 얼마나 지기 싫어하는지 그 단면을 여실히 드러내 준다. 아마도 여자들은 우리 사회의 뿌리 깊은 남녀 불평등 속에서 억압받고 콤플렉스(complex; 자기가 다른 사람에 비하여 뒤떨어졌다거나 능력이 없다고 생각하는 만성적인 감정 또는 의식)에 시달려 왔기에 그들의 인생은 어쩌면 남자들과의 영원한 투쟁에 있는지도 모른다. 그래서 남편들이 만만하게 보이면 끊없이 지배하고 자기들의 존재를 과시하려고 하는지도 모른다. 그러면 남자들은 어떨까? 남자들은 아마도 여자들과의 싸움에는 별 관심이 없을 것이다. 자라면서 여자들에게 콤플렉스를 느낀 것도 아니기에 꼭 싸워서 이길 절대적인 당위성이 없기 때문이다.

그래서 우리 나라에서 남녀가 싸워서 남자가 이기는 경우는 거의 없다. 대개 남자들은 싸움을 포기하고 여자가 시키는 대로 사는 게 속 편하다는 것을 곧 발견하기 때문이다. 그네들의 끊없는 투쟁심과 맞서 봐야 이길 수도 없고 싸움에 이겨도 얻을 것도 별로 없기 때문이다.

예전에 어느 대학병원에서 전공의들과 간호사들 사이에 싸움이 붙었다. 그 이유는 간호사가 의사들에게 선생님이라고 부르지 않고

'닥터 김' 등으로 부른다는 것 때문이었다. 이에 맞서 의사들은 간호사들을 '미스 김' 등으로 불렀는데 그 싸움은 심각하게 오래 끌었다. 그러나 그 와중에서 몇 년 지내 본 의사들은 한결같이 말한다. 이제는 간호사들과 싸우지 않고 조용히 좀 살고 싶다고. 아마도 그 집요한 여인네들의 공격에 견디기 힘들어서 나온 소리이리라.

이이같이 우리 나라 남자들이 가장 스트레스를 받는 존재는 직장이 아니라 집안의 여자들이다. 아마도 우리 나라 남자들이 사십대 사망률 세계 최고라는 스트레스에서 벗어나는 길은 여자들이 남자 이기려는 전투를 스스로 포기하는 데 있는지도 모른다. 직장생활이 아무리 피곤하고 힘들어도 자기를 존중하고 이해하고 감싸고 사랑해 주는 아내만 있다면 흔쾌해 이겨 낼 수 있을 테니 말이다. 물론 그러면서 우리 사회의 뿌리 깊은 남녀 불평등부터 해소되어야겠지만…….[46)]

자. 과거 있는 여자

가끔 이런 생각이 들 때가 있다. 여자로 태어났다는 것은 얼마나 커다란 무기를 갖고 있는 것인가? 여자는 일단 여성이라는 이유 하나만으로 남자들보다 훨씬 유리하다. 남자들은 아무리 잘나도 '먹이' 로 쓸 수가 없지만 여자와 섹스를 할 때 잡아먹는다는 표현을 쓰듯이 여자는 '먹이' 를 몸에 지니고 있는 것이다. 단지 여자라는 이유 하나만으로 남자들보다 훨씬 유리한 고지를 점령하고 있다.

이렇게 얘기하면 고분고분히 듣고만 있을 여자들은 없을 것이다. 무슨 이유 때문인지 몰라도 발끈하고 싸우려고 든다. 아마도 내가 사람이지 '먹이' 냐고 반발하는 것일 게다. 그러나 엄연한 사실은 여성다움을 잃을 때쯤 가서야 뒤늦게 깨닫게 된다. 너무 늙어 아무도 자기에게 관심도 사랑도 보여 주지 않을 때 비로소 싱싱하고 예뻤을 때 좀더 값비싼 '먹이' 로 자신을 이용하지 않은 것을 후회한다. 그래서 뒤늦게 화장도 하고 몸부림도 쳐 보지만 돌아오는 것은 비참함뿐이다. 이미 '먹이' 로서의 가치가 떨어졌기 때문이다.

성적인 매력 하나만 가지고도 세계를 휩쓰는 여성들이 있다. 그녀들에게 너희들은 왜 여성을 상품화하느냐고 아무리 외쳐 봐도 공허한 메아리일 뿐이다. 설득력이 없기 때문이다. 그네들은 지기가 몸에 지닌 '먹이' 를 최대한 활용해 전세계를 누빈다. 자기를 먹고 싶어하는 남성들의 심리를 이용해 전세계의 남성들을 무릎 꿇게 한다. 여성이라는 '먹이' 는 다른 먹이와는 달리 아무리 먹어도 먹어도 물리지가 않고 없어지지도 않는다. 그래서 그들은 젊었을 동안에 한껏 위세를 떨치다 빛이 다하면 어느새 조용히 사라진다. 먹이로서의 가치기 떨어졌다는 것을 스스로 잘 알기 때문이다.

자기 가치를 스스로 아는 사람들은 그 힘을 최대한 이용항다. 그러나 자기의 가치를 모르고 심지어 스스로 외면하고 억압하는 자들은 그만큼 자신의 힘을 망각한다. 혼자 고고하다고 주장해 봤자 누가 알아주나? 혼자만 시들어 갈 뿐이다. 직장에서 성희롱이니 뭐니 하면서 항상 시끄러운 여성도 있지만 자신의 매력을 십분 활용하면서 상사 직원들에게 인기도 끌고 자기 이익도 챙기는 여성도 있다. 아마도 출세는 전자보다는 후자가 더 빠를 것이다.

그런데 먹이로서의 가치를 잘 활용하는 것은 고사하고 한번 먹이로 썼다고 두고두고 그 기억에서 벗어나지 못하는 여성도 있다. 자기가 먹이로서의 가치를 상실했다고 착각하는 건지 다른 이유 때문인지는 몰라도 인생의 가치로운 시기에 헛된 미망으로 중요한 시간과 기회를 허비한다. 이는 작게는 소중한 젊음을 허비하는 것으로 크게는 현실 기회의 상실, 아주 심각할 경우에는 정신질환까지 나타날 수 있다.

한번 쓰면 버려진다고 생각하는 여성과 아무리 쓰고 또 써도 항상 새로이 쓸 수 있다고 생각하는 여성과의 차이를 한번 예를 들어 비교해 보자.

정확히는 기억 안 나지만 언젠가 이런 얘기를 들은 적이 있다. 결혼식을 앞둔 한 처녀가 시골에 있는 남자 집에 갔다가 밤늦게 돌아오게 되었다 한다. 남자는 집안 식구들 눈치 때문에 집에 머물게 되고 여자 혼자만 돌려 보내게 되었는데 혼자만 택시를 태워 보낼 수 없어 전전긍긍하다가 합승해서 오는 택시가 있어 안심하고 태워 보냈다 한다.

그러나 그 택시 안의 사람들은 한통속이라 그들은 여자를 으슥한 곳으로 데리고 가 집단 강간을 하고 물건을 모두 빼앗고 신고를 못 하게 발가벗긴 채 길에 팽개쳤다. 그녀는 밤새 떨다가 지나가는 영업용 운전사에게 겨우 구조되었는데 그녀가 받은 마음의 상처는 지대한 것이었다. 결국 그녀는 파혼하고 오랜 시간이 흐른 후에야 겨우 결혼할 수 있었다. 그런데 그녀가 선택한 신랑은 누구일까?

바로 그 택시 운전사였다. 그녀는 좋은 학벌에 좋은 집안이었지만 자기 일생을 자기를 구조해 준 남자에게 떠맡겼던 것이다. 그러나 그 후 얼마나 잘 사는지는 들은 바가 없어 잘 모르겠다. 그 선택이 영혼이나 운명의 선택이었으면 잘 살았을 테고 몸을 버렸다는 착각으로 인한 노이로제(Neurose)적인 선택이었으면 두고두고 후회했을 것이다.

이와 반대되는 예로는 이런 얘기가 있다. 옛날 어떤 소설책에서 얼핏 본 내용이다. 한 자가용 운전자가 밤길에 차를 몰고 가는데 갑자기 한 사내가 튀어나오더니 차를 막는다. 그래 가만히 있으니 그의 부인인 듯한 사람이 뒤로 올라탄다. 그 사내는 부인을 시내로 데려가 달라고 부탁한다. 그래 둘이 가게 되었는데 심심한 운전사는 카세트를 틀었다. 그랬더니 평소 혼자 은밀하게 듣던 포르노 테이프였다. 깜짝 놀라 끄려고 하니까 여자가 제지했다. 그러면서 한밤중의 길을 둘이서 테이프를 듣고 갔는데 아무래도 분위기가 묘했다. 여자는 그런 종류의 테이프에는 이미 익숙한 듯 어느 나라 제품인지까지 알아맞힌다. 그리고 보니 그 부인은 이목구비가 정연한 게 상당한 미인이었다. 그날 둘이는 여관으로 들어가서 격렬하게 육체를 불태운다. 물론 여자의 제의로 말이다. 여자가 얘기하기로는 남편도 자기 못지않게 바람을 피우고 자기가 그러는 것 또한 용인한다고 한다. 이 여자가 어떤 여자인지 그 후 얼마나 잘 살고 있는지는 알 수 없으나 만일 그녀가 열심히 사는 여자라면 나머지 여생도 별 후회 없이 잘 보냈을 것이다. 항상 새롭게 태어나는 여자로서 말이다.

과거에 몸을 버렸다고 정신병까지 걸리는 여자도 있다. 지금은 만성 전염병에 걸려 폐인의 길을 걷고 있는 어떤 여자 환자는 젊었을 때 우연히 공원 길을 걷다가 동네 깡패들에게 집단 강간을 당하게 되었다. 강간당하고 난 후에도 그녀는 다시 그 공원 길을 찾곤 했는데 땅에서 꺼뭇꺼뭇한 것들을 발견하고 그것이 어디까지 가는지를 따라다니면서 정신병 발작을 일으켰다.

연인과의 관계가 이루어질 수 없는 사랑으로 발전하자 몸 버리고 신세 망쳤다고 자기 비하감에 빠지는 여성들은 스스로를 한번 먹히면 없어지는 일회용 먹이로 간주하는 것이다. 그러나 언제 어느 때라도 항상 싱싱하게 새로 태어나는 여성은 젊음이 다할 때까지, 아름다움이 시들 때까지 아무리 먹어도 물리지 않는 먹이로서의 가치를 유지한다.

요즘은 꽁보리밥 건강식품이 유행이고 워게임((Wargame) [47]등이 인기를 끈다. 옛날 6·25 때 피난살이 하며 꽁보리밥 먹고 진저리치던 고생고생을 요즘은 사서들 하고 있는 것이다. 그 이유는 아마 그런 체험 속에 삶과 죽음이 교차하는 스릴(thrill; 간담을 서늘하게 하거나 마음을 죌 정도로 아슬아슬한 느낌)이 있기 때문일 것이다. 그래서 가끔은 이런 공상을 해 본다. 아마 앞으로 세월이 좀도 흐른다면 이런 게임이 여자들에게 인기를 끌지 않을까? 남자에게 버림받고 강간당하고 심지어는 집단으로 강간당하는 내용의 컴퓨터 게임이. 정작 당하면 싫겠지만 그런 체험 가운데서는 또 삶과 죽음이 교차하는 스릴을 맛볼 수 있기 때문이다.

그렇다면 과거에 여러 가지 사랑의 고통을 겪은 사람들은 미래의 컴퓨터 게임을 미리 해 본 것이라고 생각해도 무방하지 않을까? 앞으로 점점 더 단조로워지는 인생에서 일부러 그런 스릴 있는 게임을 찾는 사람들은 자꾸 더 늘어날 테니 말이다.[48]

"위험한 남자!"

어떤 남자가 위험한 남자일까? 어떤 남자만 안 만나면 섹스를 즐기면서 인생을 행복하게 지낼 수 있을까? 대개 처음 만날 때는 새로운 사람에게 집중하면서 열정 때문에 그 남자를 정확하게 파악하기가 힘들다. 그래서 이 사람이 싸이코인지 의처증이 있는지, 나쁜 남자인지 위험한 남자인지 구별하기 힘들다. 그러나 자세히 관찰하면 대개 어떤 전조증상이 있었는데 나중에야 아는 경우가 많다.

위험한 남자는 대개 친구가 거의 없다. 연쇄살인범 중에는 친구가 없는 사람이 많았다고 한다. 동성의 친구가 없는 사람은 성격에 결함이 있거나 문제가 있는 경우가 많다. 그래서 친구 이야기를 거의 안 하거나 친구를 거의 만나지 않는 사람은 조심해야 한다.

의처증이 있는 남자는 처음 만날 때부터 지나치게 자주 연락을 하거나 전화를 계속하고, 여자의 스케줄에 관심이 많다. 그래서 항상 이런 질문을 많이 한다. "오늘 뭐 했어? 누굴 만났어? 친구 누굴 만났어? 어딜 갔었어?" 하고 자주 자세하게 물어본다.

그리고 내가 말한 것을 아주 자세히 기억하고 있고, 나에게 전화오는 남자에게 특히 신경을 곤두세운다. 또한 궁금한 것이 있으면 자기 직성이 풀릴 때까지 물어본다. 그것도 똑같은 질문을 또하고, 또한다. 혹시 연락이 안 되는 일이라도 있으면 안절부절 못하고 내 주위 사람들에게 전화를 해서 반드시 확인한다.

이렇게 집요하게 내 스케줄을 관리하는 사람은 거의 대부분 여자를 의심하는 의처증이 있는 사람이다. 이런 사람에게 걸리면 평생 스케줄을 보고하고 다녀야 한다. 만약에 어떤 오차라도 생기면 바로 죽음이다. 하지만 처음 만났을 때는 사랑이 깊어서 그런 행동을 하는 줄 알기 때문에 감별하기 어렵다.

또한 위험한 사람은 내게 해를 끼치는 남자다. 어떤 식으로든 그와 가까이 있으면 내게 도움이 안 되는 사람이 있다. 그가 하는 일이 정상적이지 않든지, 내가 살아온 삶을 파괴하든지, 그의 주변에 있으면 주위 사람에게 해를 끼치는 사람이 있다. '근주자적(近珠者赤) 근묵자흑(近墨者黑)' 이라고 빨간색을 가까이 하면 빨개지고, 까만색을 가까이 하면 까매진다. 좋은 사람이 옆에 있으면 같이 좋아지지만, 나쁜 사람이 옆에 있으면 같이 나빠진다.

만남이 있으면 헤어짐도 있다. 가장 좋은 관계는 평생 같이 가는 것이다. 하지만 절대로 같이 못 갈 것 같은 사람도 있다. 여자든 남자든 서로에게 해를 끼치는 사람과는 평생 같이 갈 수 없다. 이것은 조금 더 좋고, 조금 덜 좋고의 개념이 아니다. 나를 파괴하고, 나를 죽이고, 나를 불행하게 만들고의 개념이다. 그래서 이런 사람과는 어떤 식으로든 이별을 해야 하는데 시작은 쉽게 할 수 있어도 끝은 혼자 힘만으로 잘 안 된다. 그래서 인간관계는 시작할 때 신중하게 해야 한다. 이 사람이 위험한자 아닌지 정도는 정확히 파악해야 한다. 남자도 여자를 만날 때 같은 기준으로 판단해야 한다.[49]

"뜨거운 얼음처럼!"

결혼은 공존입니다. 오랫동안 한 집에서, 한 이불에서, 같은 탕 안에서 함께 지내는 겁니다. 같은 체온끼리는 서로 온도를 느낄 수 없고, 뜨거운 탕도 오래 있다보면 그 열기를 못 느끼는 법. 우리는 뜨거운 탕에 오히려 '시원하다' 합니다. 식었다고 하지 않습니다.

온도를 잴 필요도 없이 얼음은 늘 차갑습니다. 그것이 얼음의 본질이니까요. 그건 변하지 않는 것입니다.

『법구경(法句經)』에도 이런 말이 있죠. "어리석은 자는 한평생 다하도록 이를 가까이 섬겨도 참다운 법을 깨닫지 못한다. 국자가 국 맛을 모르듯이." 혀는 국 맛을 알지만 국자는 국 맛을 알 수 없습니다. 우리가 국자 신세는 면해야 하지 않겠습니가. 마음이 식은 게 아니라 바르게 된 것이고, 변해서가 아니라 변치 않아서 익숙해진 것이고, 그 덕에 우리는 동상도, 화상도 입지 않고 평생을 동거하며 공존해올 수 있었던 겁니다.

그러나 이런 일이 그저 오래 같이 지내다 보니까 익숙해지는 권태처럼 오해되어서는 곤란합니다. 행복한 결혼 생활의 비결은 대장장이처럼, 장인의 책무처럼, 정성을 다하며 몰입하는 일을 거듭할 때만이 얻을 수 있는 비급(祕笈)인 것이다.

6. 흔들린 사랑

어려서부터 자연스럽게 성(性)을 배운 사람은, 마치 우리가 밥을 먹거나 숨을 쉬듯이 일상생활의 일부로 성을 받아들이고 실천한다. 성은 우리 삶을 건강하게 유지시켜 주는 샘물과 같은 역할을 한다. 성은 우리가 젓가락이나 신발 끈 묶는 것을 배울 때처럼 배워나가는 삶의 기술이다.

자연스럽게 성을 배우지 못한 사람은 항상 마음 한 곳이 공허하고 결코 채워지지 않는 갈망을 지니게 된다. 그 같은 허기짐은 게임과 도박으로 출구를 찾기도 하고 일 중독에 빠진다. 폭식으로 비만 상태에 빠지고 거식증으로 기아 상태에 빠지기도 한다. 성 에너지를 어떤 식으로든 사용하지만, 그것이 극단적인 방식으로 출구를 찾게 된다는 것이다.[50)]

수컷의 본능 때문에 이리저리 기웃거리기도 하지만 결국 그들의 뿌리는 아내에게 있는 거다. 그럼에도 불구하고 처녀들은 유부남과 사랑에 빠진다. 유부남과 사랑에 빠지는 특징은 뭘까?

일단 순수하다. 사랑을 믿고 행복을 느끼면서 그것이 영원하리라 생각한다. 심수봉의 「사랑밖에 난 몰라」 가사를 음미해 보면, 사랑밖에 모르는 여자들이 얼마나 현실감이 떨어지는지 잘 알 수 있다

그대 내 곁에 선 순간 그 눈빛이 너무 좋아
어제는 울었지만 오늘은 당신 때문에 내일은 행복할 거야.
얼굴도 아니 멋도 아니아니 부드러운 사랑만이 필요했어요.
지나간 세월 모두 잊어버리게

당신 없인 아무 것도 할 수 없어
사랑밖엔 난 몰라.

무심히 버려진 날 위해 울어주던 단 한 사람
커다란 어깨 위에 기대고 싶은 꿈을 당신은 깨지 말아요.
이날을 언제나 기다려 왔어요.
서러운 세월만큼 안아주세요.
그리운 바람처럼 사라질까봐
사랑하다 헤어지면 다시 보고 싶고
당신이 너무 좋아

가. 사랑밖엔 난 몰라

사랑밖에 모르니 현실이 어떻든 사랑하는 순간만을 위해 살겠다는 것이다. 그러나 현실은 아무리 사랑으로 생떼를 쓴다고 하더라도 전부 해결되는 것은 아니다. 사랑 때문에 자살해도 흔들리지 않는 게 현실이다. 때로는 유부남들이 실제 이혼을 해서 처녀와 같이 살기도 한다. 그러나 그 생활도 만만치 않다. 한 번 가정을 버린 남자이기에 그녀의 마음속에는 불안이 가득하다. 이 남자가 또 가정을 버리지 않을까? 그것이 지나치면 의부증이 되면서 새로 맞은 결혼을 파탄으로 몰고 가기도 한다.

유부남을 사랑하는 처녀들은 욕심이 많고 자존심이 강하다. 성공의 도중에 있는 남자보다는 이미 성공한 남자를 선호한다. 여러 가지로 다 갖춘 남자는 유부남밖에 없다. 보통 총각들은 시시하기만 하고 성공한 유부남만 멋져 보인다. 심지어 처녀는 할아버지라도 개의치 않는다. 그네들은 현실보다도 꿈속에서 살고 있는 것이다.

처녀와 사랑에 빠지는 유부남들의 특징도 마찬가지다. 현실감이 떨어지고 순수하고 욕심이 많다.

그러나 그런 만큼 현실에는 취약하다. 현실이 복잡하게 얽히면 사랑이고 뭐고 다 집어치우고 무조건 벗어나고만 싶어진다. 그때 가정이 그를 보호한다. 가정이 그를 버리지 않는 한 가정은 그를 철통같이 보호한다.

처녀와 유부남과 사랑에 빠졌다가 깨지고 현실감을 갖게 되면 지난날은 꿈만 같다. 정말 진한 연애를 한 것만 같다. 그 연애를 통해 한층 성숙한 것도 같다. 그러나 자기를 떠난 그 유부남은 경멸스럽기만 하다. 사람이 어떻게 그렇게 비겁할 수가 있을까. 와이프(wife)치마폭으로 쏙 숨어버리다니. 나는 사랑밖에 몰랐는데. 유부남과 현실적으로 헤어지고 난 다음에도 그 사랑을 계속하고 싶으면 영혼의 사랑을 할 수밖에 없다. 그때부터 그녀는 그 유부남에게는 영혼의 영인, 영혼의 아내가 되는 것이다.

그러나 그 삶은 살아 있는 삶이 아니다. 영혼은 현실이 죽었을 때 떠오르는 것이기 때문이다. 유부남과의 아픈 사랑을 통해 현실감을 찾았다면 그때는 현실에서 출발해야 한다. 현실감을 갖고 현실에서 씨름하다 보면 과거 사랑이 아니면 죽을 것만 같았던 그 순수하고 열정적이던 순간들이 연기처럼 아롱대고 흩어질 것이다.[51]

나. 양다리

선희는 요즘 고민에 빠졌다. 양손에 떡을 쥐고 어느 쪽을 먹어야 할지 결정을 못했기 때문이다.

A는 2년 전 일 관계로 알게 되었다. 아버지의 사업을 도우며 학교도 다니는 등 열심히 살아가는 모습이 좋아 보였다. 그래서 그에게 끌렸고, 지금은 그를 무엇과도 바꾸고 싶지 않을 만치 사랑한다. 하지만 그는 첫사랑의 상처가 너무 커 여자를 믿으려 하지 않고 결혼이라는 것조차 생각하려 하지 않았다. 설상가상으로 그의 집안 어른들은 선희의 부모가 이혼했다는 이유로 선희를 반가워하지 않았다. 그러던 중 선희에게 좋지 않은 일이 생겨 잘 알고 지내던 남자친구 B의 집에서 선희 친구랑 세 명이서 몇 달을 지내게 되었다.

그러던 와중에 선희는 A와 결혼 문제로 자주 다투었고, 옆에서 항상 따뜻하게 선희를 보살펴 주는 B에게 마음이 끌렸다. 선희는 A랑 헤어지기로 하고 B랑 결혼을 약속하게 되었다. 부모님께 인사도 드리고, B의 친구들도 만나게 되었다. 그러나 하루도 A에 대한 생각을 잊어본 적이 없었다. 급기야는 다시 서로의 빈 자리를 이기지 못해 연락을 하고 만났다. A는 이제는 선희가 자기에게 있어 얼마나 큰 자리를 차지하는지를 깨달았다고 옆에 있어 달라고 한다. 선희도 그의 옆에 있고 싶다. 하지만 뒤늦게 선희를 만나서 행복하다는 B에게 어떻게 해야 할지 모르겠다. 선희는 이 두 사람 사이에서 거짓말로 약속을 잡느라 이제는 스스로가 싫을 정도다. 선희는 A에게 또 한 번의 상처를 주고 싶지는 않다. 그를 사랑해 주고 싶고, 그의 곁에 있고 싶다. 어떻게 해야 할까? 선희는 내년에 유학을 가기 위해 준비 중이다.

선희는 양손에 쥔 떡 중 하나를 내려놓기로 결심했다. 더 시간을 끌다가는 비극만 커질 것이다. 선희는 A를 선택하기로 했다. 그리고 B에게는 사실대로 말하기로 결정했다. 어떤 반응이 있을지는 모르지만 단호할 필요가 있었다. 어른들 말씀이 사회생활에서 우유부단하게 끌려다니다가는 망하기 십상이라고 하지 않던가. B가 매달리면 더 단호하게 끊을 것이다. 싫다는 데도 매달리는 건 스토커(stalker; 상대방의 의도와는 상관없이 고의적으로 쫓아다니면서 상대방에게 위협을 가하는 사람)니까.

한편 정식은 요즘 거의 죽을 맛이었다. 며칠째 식사도 못하고 잠도 제대로 못 이루며 불안해서 한자리에 가만히 앉아 있을 수가 없었다. 그동안 잘 누려왔던 행복의 대가를 톡톡히 치르고 있었던 것이다. 정식을 단란하게 가정생활을 하고 있었다. 그러다 우연히 정식을 한 여자를 만나게 되었다. 아내와는 주로 생활에 바빴지만 그 여자와는 감성적인 나눔을 가질 수 있었다. 두 여자를 만나면서 현실적으로는 안정되고 감성적으로는 풍요롭게 잘 지내다가 그만 모든 것이 발각되고 말았다.

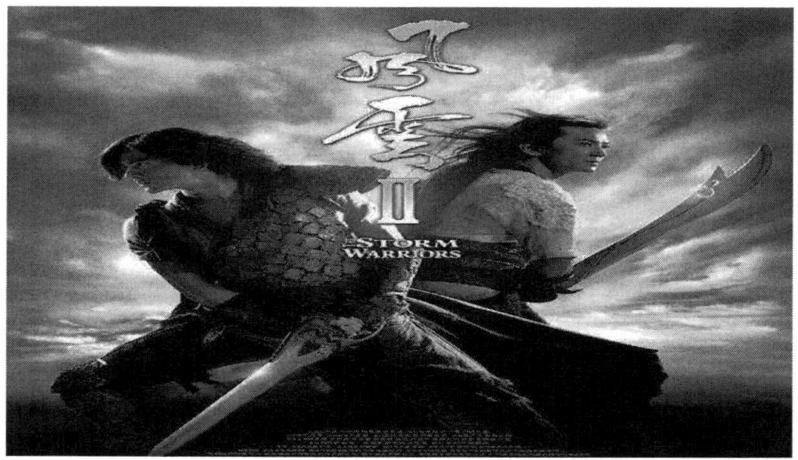

그 다음부터는 모든 게 지옥이었다. 아내는 이혼하자고 하지, 여자는 자기를 버리지 말라고 매달리지, 아이들은 아빠를 경멸하지…… . 어떻게 뾰족한 해결책이 보이지 않았다. 감성적인 충족의 대가를 현실적으로 톡톡히 치르는 것이었다. 정식은 차라리 죽어버

렸으면 했다. 두 여자 사이에서 비틀거리다 보니 떠오르는 것은 죽음뿐이었다.[52]

늑대의 성향을 지닌 당신은 지극히 서정적이며 정서적이다. 또한, 늑대는 정열적인 동물이기도 하다. 인디언(Indian) 12지 동물 중 늑대는 사랑과 인간관계에 대해선 경지에 오른 최고의 동물이라 할 수 있다.

매우 철학적이며 언변이 뛰어나 말을 잘하는 사람이 많고 어디에서나 군중을 모을 수 있는 능력이 있어 어딜 가나 대중 속의 중심에 서 있다.

늑대의 성향을 가진 당신은 인생과 삶의 최고 목표는 사랑이라 생각하며 남자든 여자든 관심 있는 이성의 사랑은 수단과 방법을 가리지 않고 꼭 쟁취하고야 만다.

또한, 늑대의 성향을 가진 사람은 로맨티스트(romantist; 성격이나 분위기가 현실적이기보다는 신비롭고 달콤하여 환상적인 데가 있는 사람. 낭만주의자나 낭만파를 이르는 말)이지만 절대 바람둥이는 아니다. 사랑에 열정적인 만큼 좋아하는 일이 생기면 최선을 다하는 타입이다.

늑대는 양면적인 모습을 가지고 있다. 모순적일 수도 있지만 자유를 사랑하면서도 내면으로 속박당하길 원하며 겉으로는 차갑고 냉철하지만 마음속으로 동정심으로 가득하다. 흔히 말하는 차도남('차가운 도시 남자' 를 줄여 이르는 말로, 자신만만하고 쌀쌀맞은 분위기의 세련된 젊은 남자)이 여기 해당하는 타입이다.

인디언((Indian)의 전설 속의 달빛 아래 '외로운 늑대' (lone wolf; 자생적으로 생겨나서 소속 집단이나 배후 세력 없이 개인적으로 활동하는 테러리스트를 비유적으로 이르는 말)라는 말이 가장 어울리는 동물로, 늑대는 집단생활을 하기 때문에 그렇다고 외로움을 즐기는 것은 아니다.

늑대의 단점은 가끔 터무니없이 비현실적이며 고집스러우며 상대에게 상처를 받았을 때 오랫동안 잊지 못하고 마음속에 품고 있다는 점이다.

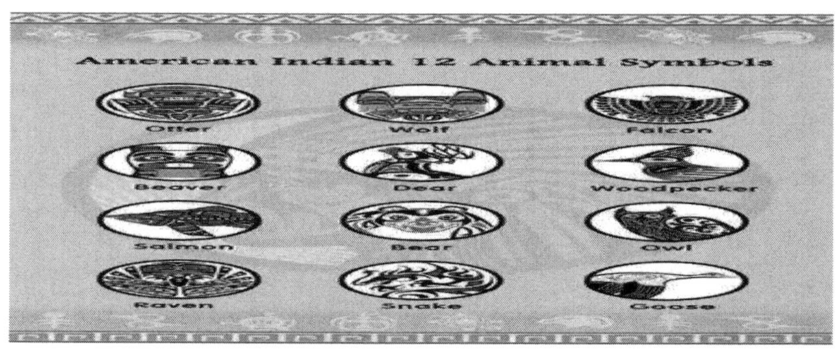

다. 사랑의 양면

『크레이머 대 크레이머(Kramer vs. Kramer)』[53]라는 영화가 있다. 여주인공 메릴스트립은 남편과 이혼하는데, 특별한 불만이 있어서는 아니다. 남편은 돈도 잘 벌어다 주고 폭력도 쓰지 않으며 아내와 아이에게도 자상했다. 그녀가 이혼한 이유는 단 하나! 자기 존재 이유를 확인하고 싶어서였다. 아마도 남편과 자식에게 묶여 있어서는 존재 이유를 찾을 수가 없었나 보다.

부부란 것은 참 묘한 것 같다. 서로 간섭하고 붙들지 않음에도 불구하고 자기도 모르게 속박되고 마는 것이다.

A는 부인에게 애원하다시피 부탁했다. 밖에서 혼자 좀 살게 해 달라고. 방 구하고 한 달 생활비는 100만원이면 족하다. 그렇다고 바람피우겠다는 것도 아니다. 부인은 이해가 안 됐다. 뭣 때문에 이 남자는 이렇게 절박한 걸까? 내가 별로 간섭한 것도 없는데.

B는 바람피우다 들켜서 지방으로 쫓겨났다. 지방에서 돈이나 벌어서 부치라는 것이다. 사람은 B의 부인을 말렸다. 그러다가 살림 난다고. 그러나 부인은 이제 지겨웠다. 바람도 하루 이틀이지 어떻게 사흘나흘 마냥인가, 나이도 50들에 들어선 사람이. B는 지방에서 일주일도 못 돼 다시 가정으로 돌아가겠다고 애원했다. 서울에서는 가정이 있음에도 불구하고 한껏 자유롭게 놀았지만 정작 모든 것이 보장되니까 가족이 못 견디게 그리웠다. 한 닷새 지나니 머리가 묵직해졌고 얼굴에서는 우울함이 떠나지 않았다. B는 비로소 깨달았다. 그의 생명과 현실의 뿌리는 가정에 있었음을. 집에

돌아오니 비로소 머리기 가벼워졌다. B는 그동안 오만했던 것이다. 가족이 있었기에 그의 자유도 가능했음을 간과한 것이었다.

보이지 않는 속박은 부부뿐만 아니라 연인 사이도 마찬가지인 것 같다.

C는 요즘 새로운 것을 깨달았다. 애인이 자기에게 고분고분해진 것이다. 애인과 몇 년 사귀면서 좋은 날도 많았지만 싸우는 날도 많았다. 싸움은 날로 거칠어져 폭력 수준까지 달했다. C는 도대체 이해할 수가 없었다. 저 여자가 왜 저렇게 난리일까? 그래서 아무런 통고도 없이 그녀를 떠났다. 좋은 남자 생기면 시집가라고 하면서. 그랬더니 그녀로부터 많은 그리움의 메일(mail; 컴퓨터 통신에서, 통신 회선을 이용해서 송수신하는 문서나 글)이 도착했다. 같이 있을 때는 죽일 듯이 난리치던 그녀가 한결같이 그리움으로 매달리는 것이었다. 그때 비로소 C는 깨달았다. 같이 있을 때 그녀도 어떤 속박을 느꼈음을. 그 속박이 그녀로 하여금 법석을 떨게 했던 것이다. 비록 연인 사이더라도 적당한 거리를 두고 서로의 자유를 가능하게 해야 사랑도 발전함을 느꼈다.

사랑하게 되면 자꾸만 같이 있고 싶어진다. 그러나 같이 있다 보면 자유로울 수가 없고, 그러다 보면 자기도 모르게 짜증이 나곤한다. 그렇다고 떨어져 있자니 괜스레 불안하다. 그러나 이 불안을 극복할 수 있어야 사랑을 키울 수 있다. 그때 비로소 서로의 자유를 허용할 수 있기 때문이다. 인간 생명의 핵심은 자유이기 때문에 자유를 존중할 때 사랑도 발전할 것이다.

불륜도 자유를 생각하면 의외로 쉽게 해결할 수가 있다. 자유롭기 위해 불륜을 저질렀다가 들키면 가정은 박살나기 직전이다. 그때 너무 죄책감에 사로잡혀 찌그러들지 말고 더 넓은 자유의 시각으로 보면 의외로 쉽게 해결할 수도 있다.[54]

"남자의 사랑은 섹스다. 남자의 섹스는 사랑이다"

성상담으로 진료실을 찾는 여성들은 남편에게 사랑을 받고 싶어 한다. 노력해봤지만 바라는 만큼 사랑을 못 받는 것 같아서, 최선을 다 하고 있는데도 남편이 바람을 피우는 이유를 몰라서, 남편은 왜 자신을 사랑하지 않는지, 자식도 잘 키웠고 시댁 식구들에게도 잘하는 데 왜 남편은 고마워하지 않는지 그 이유를 잘 모르겠다고 한다.

그녀들은 해결 방법이 떠오르지 않아서, 혹은 단기간에 결과물을 만들고 싶어서 원포인트 레슨을 받고 싶어 한다. 그녀들과 몇 마디 말을 해 보면 이유를 알 수 있다. 외 진료실을 찾아왔는지, 그리고 그녀들에게 무엇이 부족한지 알게 된다. 가장 흔한 공통적인 특징이 있다. 모두가 남성을 잘 모른다는 것이다. 자기 나름대로 남성을 사랑했지만, 그것이 그가 원하는 방식인지 잘 모르는 것이다. 남성에게 물어보지 않고 자신들의 방식으로 사랑을 한 것이다. 남성에게 물어보지 않고 자신들의 방식으로 사랑을 한 것이다. 남성은 여성이 자신을 사랑하지 않는다고 생각하고 있을지도 모른다.

남편이 부인과 같이 진료실에 들어왔다. 팟캐스트 '고수들의 성 아카데미'의 팬이라고 했고, 멀리서 찾아왔다. 남편은 공무원이고 부인은 식당에서 서빙을 한다고 했다. 남편은 성관계를 싫어하는 부인이 불만이었고, 그런 상태가 지속되자 부인이 관계를 피하면 폭력을 휘둘렀다. 요즘 세상에도 때리고, 또 맞았는데 참고 계속 살아가는 부부가 있다는 것이 놀라웠다.

부인에게 왜 성관계를 피하느냐고 물어봤다. 남편을 성관계를 하면 아파서 차라리 나가서 바람을 피우라고 예기했고, 남편은 바람을 피우는 대신 때려서라도 부인과 성관계를 한다고 했다.

"요즘 세상에 부인을 때려서 억지로 성관계를 맺는 것이 얼마나 위험한 줄 아세요" 부인에게 억지로 성관계를 하자고 하지 마시고, 부인의 마음을 열어 보세요. 마음을 열면 몸은 저절로 열려요. 몸을 억지로 열려고 하면 오히려 몸은 더 굳게 닫히고, 더군다나 폭력까지 쓰면 마음도 닫혀 버려요. 약간의 노력을 하면 부인의 마음을 열 수 있는데 왜 억지로 몸을 열려고 하세요? 그리고 외도하다가 평생 이룬 명예를 한순간에 잃어버리는 남자들이 얼마나 많은 줄 아세요? 부인의 마음을 여는 방법을 연구해 보세요. 여자는 사랑한다고 얘기를 하고 존중해 주면 마음이 열려요. 여자를 존중하는 방식은 여러 가지가 있어요. 먼저 여자에게 섹스해도 되겠느냐고 의견을 물어보고, 귀가할 때 꽃다발을 들고 들어오거나, 분위기 좋은 곳에서 외식을 하거나……. 섹스를 할 땐 오럴도 하고, 아프지 않게 천천히 시작하는 배려도 잊지 말고, 매일 사랑한다 말하고, 프러포즈할 때의 심정으로 아내를 부드럽게 대해 보세요."

"혹시 남편이 밖에서 성관계를 하는 여성이 생겨서 이혼을 하자고 하면 진짜 이혼할 생각이세요?"

"아니요. 성교통만 해결되면 가정을 지키고 싶어요."

호르몬 치료와 질레이저 시술로 부인의 성교통은 해결되었다. 그렇게 아내는 성교통을 해결하고 남편은 원포인트 레슨을 통해 아내를 배려하는 방법을 배웠다.

여성 대부분이 남성의 성욕이 얼마나 강한지 잘 모른다. 이성 조절을 잘못하고 본능적으로 행동하는 덜떨어진 인간으로 취급한다. 신이 남성에게 여성보다 10배나 높은 테스토스테론을 주었기 때문에 이런 비극이 생기는 것이다. 즉 남성은 여성보다 적어도 10배 이상의 성욕을 가지고 있다. 그것은 남자가 성욕이 높아야 씨를 뿌리고 2세가 태어나 계속 인류가 생존할 수 있기 때문이다. 옛날에는 지금처럼 의학이 발전하지 않아 많은 씨를 뿌려야 몇 명의 아이가 살아남을 수 있었기 때문에 남성의 성욕이 그렇게 진화한 것이다.

여자가 성욕이 없거나, 성교통 때문에 피하거나, 혹은 섹스가 없어도 둘 사이에 아무 문제가 없고 불편한 것이 없어서 섹스리스로 지냈다면 그것은 자신이 배가 고프지 않다고 남편을 굶기는 것과 같다. 예외는 있지만 대부분의 여성은 섹스 없이 살 수 있다. 하지만 대부분의 남성은 그렇지 않다. 해결하려는 의지만 있다면 현대 의학으로 모두 해결할 수 있다. 성욕도, 성교통도 해결할 수 있으니 전문가와 상담하면 된다. 먼저 생각을 바꾸고 나서 행동을 바꾸는 것이다. '남성의 사랑은 섹스다. 남성의 섹스는 사랑이다' 라는 것을 깨달아야 한다.[55)]

다. 몰래 하는 사랑

수연은 유부남과 몇 년 동안 진한 사랑에 빠졌다. 그러나 사랑의 감정이 넘치다 보니 그만 부인에게 발각되고 말았다. 그후 모든 것이 달라졌다. 빛은 어둠으로, 사랑은 그리움으로, 웃음은 울음으로 바뀌고 말았다. 그래도 수연은 예전처럼 사랑하고 싶었다. 영화도 보고 뮤지컬도 보고 여행도 하고 맛있는 음식도 먹고 섹스도 하고. 몰래몰래 하면 될 것 아닌가. 그러나 그는 고개를 저었다.

수연은 도대체 이해할 수가 없었다. 남들이 모를 때와 남들이 알 때가 왜 다른 걸까? 또다시 몰로 만나면 되는 것 아닌가. 수연은 계속 졸라 그와 다시 만나게 되었다. 그러나 만남은 예전 같지가 않았다. 물래 숨어서 만나는 것도 스트레스가 장난이 아니었다. 예전 같으면 다정하게 팔장 끼고 극장에 들어갈 것도 이제는 이리저리 주위를 살피며 들어가야 했다. 그는 예전처럼 시간을 낼 수도 없었다. 시간이 가면 갈수록 수연은 견디기 힘들었다. 이대로 가다가는 미쳐버릴 것만 같았다. 비로소 수연은 깨달았다. 왜 남자가 발각된 다음에는 헤어지자고 했는지. 발각된 다음에는 더 깊은 어둠 속으로 숨든지 관계를 깨끗이 포기하는 길밖에 없었다. 깊은 어둠 속의 만남은 정말 견디기 힘들 정도로 답답하고 자폐적이었다. 수연은 자기가 너무나 순수했다는 것을 깨달았다. 어둠의 관계는 어둠 속에서만 자연스러운 것이었다. 일단 어둠이 깨지고 나면 모든 것은 부자연스러워졌다.

한편 희선은 30대 초반의 남편과 아들, 시부모와 살고 있는 직장 여성이다. 희선은 처음에 회사에 들어갔을 때 상사가 무척 신경 써 주며 잘해줬다. 그는 희선보다 14살 많은 이혼남이었다. 6개월 후, 그는 희선을 좋아한다고 고백했다. 그러면서 희선이 유부녀라 많이 고민된다고 했다. 그러면서도 그들은 가끔 만났고, 새벽에 출근하는 날에 그는 집 앞으로 데리러 오기도 했다. 그러다가 육체적 관계까지 맺게 되었고, 희선 또한 그를 많이 사랑하게 되었다. 그러다 남편에게 들켰고, 한차례 고비가 지나갔다. 그러나 그 후에도 둘은 계속 만났다. 하지만 상사는 희선에게 회사를 그만두고 밖에서 몰래 만나자고 했다. 남편이 알게 된 이상 예전처럼 희선에게 잘해줄 수 없을 거고 그렇게 되면 서로 섭섭해서 싸움만 하게 될 거라며. 하지만 희선은 그의 곁은 떠나기 싫어서 계속 회사를 다녔다.

그는 포기한 듯 했고, 예전처럼 희선에게 잘해주지 않았다. 희선은 섭섭해서 화를 냈고, 결국 그로부터 헤어지자는 말을 들었다. 그는 이렇게 말했다. 희선을 처음 만나기 시작할 때는 그저 좋아하는 순수한 마음으로 서로 마음을 나누고 싶었는데, 남편이 알고 난 후 그건 단지 꿈에 불과하고 현실에서는 어려운 일이라고 깨닫고는 헤어져야겠다고 결심했다고 한다. 그렇게 좋아하고 사랑해주던 사람이 한순간에 변해버린 걸 보고 희선은 화가 났고 견디기 어려웠다. 어제도 모두 잠든 틈을 타 새벽 2시에 그를 찾아가 그를 만나 엉엉 울었다. 그는 희선의 눈물을 닦아주면서 말했다.

'지금 계속 만나면 너만 더 큰 상처를 받을 뿐이다. 나는 이미 모든 것을 포기했기 때문에 너보다는 쉽게 냉정할 수 있다. 나는 이제 나이가 들어서 몸이 성한 데가 없는 늙은 아저씨일 뿐이다.'

희선은 회사에서 그를 마주칠 때마다 예 생각이 나고 다시 그때로 돌아가고 싶어 미칠 지경이었다. 희선은 자기가 너무나도 한심하고 자기 마음을 이렇게 혼란스럽게 만들고 돌아서버린 그가 너무너무 미웠다. 그러다가 어쩌다가 통화하거나 잠깐이라도 만나면 그렇게 좋을 수가 없었다. 그는 희선에게 연락하지 말라거나 희선이 싫다고 절대 얘기하지 않았다. 남편에게도 큰 죄를 지었고 아이에게도 불륜을 저지른 엄마가 되었고 친정에서도 항상 우울해 있고 짜증을 내니 엄마도 걱정을 많이 하셨다. 이렇게 큰 죄를 짓고도 살아야 하는 건지……. 할수만 있다면 소록도나 꽃동네 같은 곳에서 어려운 이들을 돌보면서 죄를 씻어버리고 살고 싶다. 희선은 답답한 마음에 가까운 절에 가 스님을 만나 모든 것을 털어놓았다. 스님은 안쓰러워하며 이렇게 말했다.

"사랑의 인연은 전생부터 이어진 것이라 내가 예측한 것과 달리 흐를 수가 있습니다. 그걸 억지로 붙들 수는 없습니다. 현실에서 인연이 다했으면 선선히 놓아주고 바라보는 게 현명합니다. 인연이 다했는데도 계속 집착한다면 현실은 정말 감당하기 힘들게 뒤틀릴 수 있습니다. 가까운 사람이 죽거나 다칠 수 있구요. 지금 아무 일이 안 일어났다고 해서 방심할 게 아닙니다. 이제부터라도 욕심을 부리지 말고 순리에 따르십시오. 그러면 다시 평온을 찾을 수 있을 겁니다. 나무아미타블."[56]

"왜 남자들은 여자의 바람을 용납하지 못할까?"

남자들의 질투는 끔찍할 정도로 심하다. 여자들의 질투보다 훨씬 격렬하다고 말할 수 있다. 남자들은 상대에게 속았다고 생각하거나 배반당했다는 느낌이 아니라 자신의 남성성이 심하게 훼손되었다고 느낀다. 그래서 아내는 선의의 거짓말을 할 필요가 있고 절대로 자기의 과거나 외도 사실을 남자에게 얘기해서는 안 된다.

불륜이 발각될 경우 이별을 각오해야 한다. 보통 숨겨야 하지만 만약 발각이 되면 이별을 각오하는 것이 좋다. 외도 자체를 옳거나 그르다는 기준으로 평가할 수는 없다. 불륜을 씻을 수 없는 원죄처럼 취급하기 보다는 상대방에게 주는 고통을 기준으로 평가해야 한다. 또한 불륜으로 인한 관계의 악화에도 두 사람 모두에게 책임이 있다.

외도를 한 사람과 상처받은 배우자 사이에 동등한 책임이 있다고 할 수는 있지만, 관계 악화의 발단이 어디서 시작되었는지 서로가 돌아보지 않으면 신뢰를 회복하고 애정을 되찾을 기회를 마련하기 어렵다. 하지만 단순한 바람이라면 대화를 나눠야 한다. 사랑하는 사람을 포기할 수 있는지 없는지, 그 이유가 무엇인지, 또다시 외도를 저지를 가능성이 있는지 등에 대해 진지하게 얘기를 나눌 때 올바른 해결책이 나온다.

홧김에, 질투심 때문에 즉흥적으로 결정하면 자녀에게 큰 상처를 줄 수 있고 노후에 후회를 할 수 있다. 만약에 호기심이나 술김에 한 외도라면 한번쯤은 서로 눈감아 주는 것이 좋다. 또한 이혼 후에 후회할 일이라면 대화를 통해 문제점을 이야기 한 후에 화해를 하는 것이 좋다. 서로 약간 떨어져서 생활하면서 상대방의 가치를 따져보고 본인에 대한 반성의 시간을 가져보는 것도 좋다.[57]

낮 동안의 일

남길순(1962~)

오이 농사를 짓는 동호씨가 날마다 문학관을
찾아온다

어떤 날은 한아름 백오이를 따 와서
상큼한 냄새를 책 사이에 풀어놓고 간다

문학관은 날마다 그 품새 그 자리
한 글자도 자라지 않는다

햇볕이 나고 따뜻해지면
오이 자라는 속도가 두배 세배 빨라지고

화색이 도는 동호씨는 더 많은 오이를 딴다

문학관은 빈손이라
해가 바뀌어도 더 줄 것이 없고

문학을 쓸고

문학을 닦고

(하략)

사람만 집에 사는 것은 아니다. 때로는 문학도 집에 산다. 그런 집을 우리는 '문학관'이라고 부른다. 예전에 한 할아버지가 운영하는 문학관을 방문한 적이 있다. 작가는 세상에 없고 육필 원고, 작가의 책상 같은 것만 남아 있었다. 문자와 정신과 흔적이 주인이 되어 앉아 있었고 할아버지는 산지기처럼 지키고 계셨다. 내가 죽으면 문학관은 어쩌나 하며 우셨던 것이 기억난다. 숲이며 문학이며, 아름답고 오래된 것을 지키는 것이 어려운 시대다.

그래서 이 시에 마음이 오래 남는다. 쓸릴 리 없는 문학을 쓸고, 닦일 리 없는 문학을 닦는 행동을 우리는 '사랑한다'고 읽는다. 내어 줄 것이라고는 책 냄새밖에 없는 문학관에 오이를 날라 주는 사람을 '사랑하는 사람'이라고 읽는다. 대가 없이 사랑하고 내가 좋아 사랑하는 일은 참 자연스러운 것이었는데 언젠가부터는 그리운 일이 되어 버렸다. 그래서 백오이와 동호씨와 길순씨가 만드는 이 문학관 이야기는 무척 자연스럽고 그립게 읽힌다.

익숙하고 그리운 풍경이다. 나에게도 작은 문학관을 지키며 사는 아버지가 있고, 그 아버지를 지키며 문학관 마루를 쓸고 닦는 어머니가 있다. 이 시를 품고 그곳에 가고 싶다.[58]

"여자를 알아야지!"

여자는 남자랑 많이 다르다. 오죽했으면 '화성에서 온 남자, 금성에서 온 여자' 라고 했겠는가? 화성에서 온 남자랑 금성에서 온 여자가 지구에서 살고 있는데 서로 다른 말을 사용하고 있는 거다.

즉, 남자가 "너를 사랑해" 라고 말하는 것은 "너랑 자고 싶어" 라는 말이고, 여자가 "너를 사랑해" 라는 말은 "너와 키스하고 싶어" 혹은 "너랑 많은 시간을 보내고 싶어" 라는 말인데, 둘은 서로 사랑한다고 말을 하면서 다른 의미로 해석되는 것에 너무나 놀라워서 어쩔 줄을 몰라 한다.

여자에게 있어서 '사랑' 이란 잠자는 숲속의 공주가 바라는 진실된 마음의 '달콤한 키스' 인 경우가 많다. 남자는 여자가 키스를 하면 곧 섹스까지 하겠구나 하고 상상하지만 그렇게 생각했다가는 큰 코 다치게 되고, 그래서 남자는 절대로 생각이 앞서가면 안 된다.[59)]

"바람기 있는 남편과 사는 부인 이야기"

평생을 외도하는 남편을 가진 여성이 최근에 질건조증이 생겼다. 남편이 성관계를 할 때마다 질이 건조하다고 계속 구박해 그녀는 성적 자존심이 많이 떨어져 있었다.

남편은 평생 파람을 피웠다. 건축업을 하는 남편은 1~2년에 한 번씩 건설 현장이바귀니까 그때마다 오피스텔을 얻었고 두 사람은 평생 주말부불호 살았다. 어느 날 남편이 사는 오피스텔에 찾아가 방 청소를 하는데 쓰레기통에서 콘돔이 나왔다. 남편은 여러 사람이 오피스텔을 같이 쓰고 있고 자기가 사용한 콘돔이 아니라고 얘기했지만, 그녀는 거짓말이라는 것을 알았다. 여자의 직감은 거의 맞는다.

그녀는 남편이 자신을 사랑하지 않거나 무시해 배려 없는 행동을 하다고 생각했다. 그녀가 생각한 것이 진실인지 아니지는 모르지만 남편이 그녀를 사랑하지 않고, 부인으로서 의무만 하고 있고, 가정을 지키기 뉘란 최소한의 행동만 한다고 생각했다.

그녀는 이혼하고 싶지는 않았다. 평소에 남편은 그녀를 위해 정성을 보이지 않는다. 애무도 별로 하지 않고, 사랑한다는 말과 구강성교도 거의 하지 않았다. 남편은 바로 삽입부터 했고, 그래서 그녀는 항상 성관계를 할 때 아팠다. 최근 남편이 성관계를 할 때마다 질이 건조하다고 얘기했는데, 어떻게 해결해야 할지 몰라 그냥 무시했지만 이제는 그 문제를 해결해야겠다는 생각을 했다.

'남편과 처음 사귄다고 생각하고 연애하듯이 만나보라. 누군가와 만나서 바람을 피우고 싶다면 그 남자대신 남편을 선택해 연애를 해 보라. 주말에 남편을 만나서 데이트를 하고, 맛있는 것을 먹고, 술을 한잔 마시고, 영화를 보고, 남편에게 선물을 주고, 그리고 달달한 얘기도 하고, 그렇게 연애를 해 보라.'

초심으로 산다는 것이, 모든 부부의 권태기를 극복하는 가장 좋은 방법이다. 그렇게 노력하고 사는 것, 그렇게 처음처럼 대하고 처음처럼 만나고 처음처럼 말을 하는 것이 두 사람의 관계를 새롭게 만드는 방법이다.

한 남자가 한 여자를 오래 열정적으로 배려하면서 사는 것은 쉬운 일이 아니다. 하지만 불가능한 일도 아니다. 많은 노력이 필요하고 상대를 위해 창의성이 필요하다. 상대방이 열정을 가지고 노력할 수 있도록 밀고 당기기를 해야 한다. 방법을 찾으면 찾아질 것이다.

더 간절한 사람이 덜 간절한 사람을 위해 조금 더 노력하면 된다.[60]

6. 바람은 용서해도 사랑은 용서할 수 없다

너, 그것밖에 안 되니?

너는 외도(자신의 배우자가 아닌 다른 이성과 정을 통하는 일)를 하고도 하지 않았다고 할 정도로 그리 뻔뻔스러우니?

반복적으로 외도에 빠지는 남편에게 허탈해진 부인이 뱉은 말이다. 부인은 이혼을 생각해봤지만 현실적으로 자기만 힘들어지겠기에 그냥 아이들 보면서 자기 생활 열심히 살기로 결심했다. 평생 뒤치다꺼리만 하고 살았는데 이렇게 배반당하고 나니 남편이 역겹기만 했다. 그러나 부인은 남편의 외도를 처음 발견했을 때의 자기 기분은 망각한 듯했다. 남편과 사랑에 열중하던 어느 날 문득 부인의 마음에 지루함이 떠올랐다. 그러면서 다른 남자가 은근히 그리워졌다. 그때 부인의 마음에 떠오른 것은 혹시 남편도 그러하지 않을까 하는 것이었다. 그래서 남편의 뒤를 밟기 시작했고, 외도의 현장을 잡은 것이다. 남편은 다시는 안 그런다고 싹싹 빌었지만, 얼마 지나지 않아 남편의 외도는 다시 시작되고 만 것이다.

외도 용서했는데 또 함께 '스위스 여행'…남편 죽이고 내연녀에게 칼부림

(News1 김초희 디자이너)

몰래할수록 더욱 끌리는… 회사 일과 낚시에 빠져 사는 남편때문에 외롭고 무료한 나날을 보내는 수연. 어느 날 그녀의 옆집에 학창시절 친구였던 수지가 이사를 온다. 수지와 그녀의 남편 상민과의 정사장면을 몰래 훔쳐보며 억눌렸던 욕망을 주체하지 못하던 수연은 결국 수지가 출장을 간 사이 상민과 뜨거운 정사를 나눈다. 그날 밤, 수지와 함께 차에서 내려 다정하게 그녀를 챙기는 남편을 목격한 수연은 둘의 부적절한 관계를 의심하고, 다음날 수지를 불러낸 수연은 그녀에게서 충격적인 고백을 듣게되는데...[61]

외도를 한번 눈감아 줬지만 또 남편이 바람을 피운 것에 격분해 남편을 살해하고 내연녀까지 죽이려 했던 50대 여성에게 징역 10년형이 떨어졌다.

19일 대구지법 형사12부(000 부장판사)는 살인 및 살인미수 혐의로 기소된 A씨(여)에 대해 "남편을 잔혹하게 살해해 엄벌이 필요하고 유족으로부터 용서받지 못했다" 며 이같이 선고했다.

다만 "범행에 이르게 된 경위, (또다른) 범행이 미수에 그친 점, 두 아들이 선처를 탄원하는 점 등을 고려했다" 며 나름 선처한 형량임을 알렸다.

A씨는 지난해 7월 8일 오후 11시쯤 미리 준비한 흉기로 술에 취해 귀가한 남편을 찔러 숨지게 한 혐의로 재판에 넘겨졌다.

또 다음날 오전 9시 53분쯤 남편의 내연녀 B씨가 운영하는 자영업장으로 찾아가 흉기로 휘둘렀다가 B씨가 저항하자 미수에 그치고 달아난 혐의도 받는다.

A씨는 남편과 B씨가 2015년부터 이어오던 불륜관계를 정리한 줄 알았다가 남편이 B씨와 스위스 여행을 위해 1240만원의 경비를 결제한 사실을 알고 분노, 범행에 이른 것으로 조사됐다.

이날 재판에서 A씨 변호인은 가정을 위해 많은 부분을 희생해

왔던 A씨의 안타까운 사연을 전하면서 선처를 호소했다.

중학교 영어 교사로 재직하던 중 남편을 만난 A씨는 결혼과 함께 해외 유학의 꿈도 버렸고 시어머니가 손자 양육을 거절하는 바람에 교사 일까지 그만뒀다.

또 사업을 하다 파산한 남편을 대신해 파출부, 식당일 등을 하며 집안 살림을 이끌어 갔다.

그러던 중 2015년부터 남편과 B씨의 불륜 사실을 알게 된 A씨는 B씨에게 '관계 정리'를 요구했지만 오히려 '남편 간수나 잘해라'는 핀잔을 들었다.

가정을 깨기 싫었던 A씨는 'B씨와 헤어졌다'는 남편 말을 믿기로 하고 남편을 용서한 후 2022년 말 '상속세 납부를 위해 급전이 필요하다'는 남편 말에 자신의 이름으로 1억원을 대출받기까지 했다.

이런 상황에서 지난해 6월 남편과 B씨가 스위스 여행계획을 갖고 있다는 사실을 알게 된 A씨는 분노를 억누르지 못하고 일을 저질렀다.[62]

외도 심리는 내로남불(내가 하면 로맨스, 남이 하면 불륜의 줄임말)은 기혼자가 본인의 배우자가 아닌 사람과 서로 부적절한 관계를 맺는 간통 관계를, 내가 하면 로맨스지만 남이 하면 불륜이라고 생각하는 걸 비꼬는 용어다. 즉, 자신이나 자신과 가까운 편에게는 관대하지만 주로 자신과 사이가 좋지 않은 특정 인물이나 집단이 같은 행동을 하면 윤리적, 이성적으로 비판하는 이중잣대를 들이댄다는 것이다. 나는 해도 되지만 남은 하면 안 된다는, 남녀노소 동서고금의 심리적 행태를 적절히 나타낸 표현이다.

외도의 강한 본능적 러시(rush; 어떤 현상이 갑자기 왕성해지거나 무엇이 한꺼번에 세차게 몰려드는 일)를 실제적으로 통제하기 어렵다.

문명의 역사가 6천 년이라면 생명 본능의 역사는 35억 년, 자유를 지향하는 에너지의 역사는 300억 년이다. 외도는 좀더 자유로워지려는 우주의 본능 300억 년에, 자기 씨를 많이 뿌리고 좋은 유전자를 받으려는 35억 년의 생명의 본능이 합쳐진 것이기 때문에 6천 년 정도 발달한 문명의 역사로서는 그 강한 에너지의 관성을 막을 수 없다. 그렇다고 방치만 했다가는 인간으로서의 삶이 무너지기 때문에 더욱 슬기로운 지혜가 요구되고 있다.[63]

가. 관리하고, 감시하고, 확인하고

외도를 하다 들킨 사람에게 공격하는 말로 공통적인 것이 있다. "네가 짐승이지, 사람이냐?" 이 말을 다시 바꾸어 말하면 짐승은 외도를 해도 되지만 인간은 외도를 해서는 안 된다는 것이다. 인간은 만물을 이루면서 만물의 영장이 되었기 때문이다. 그래서 집단을 해치는 것은 인간을 배반하는 것이고 인간 사회에 어울려 살 자격이 없다.

집단이 살려면 집단의 규약을 지켜야 하는데, 그걸 못 지키니 인간으로서 가치가 없고 짐승 같다는 것이다. 그러나 인간은 인간으로서 산 기간보다 짐승으로 산 기간이 훨씬 길다. 진화의 역사를 봐도 인간의 역사는 생명의 역사에 비해 짧고도 짧을 뿐이다. 그래서 인간은 부단히 인간이기에 노력해야 하고, 또 인간이 될수 있도록 가르쳐야 한다. 그중에 하나가 바로 인간으로서 관리하는 것이다. 우리는 서로 믿고 마음을 열어야 한다고 배우면서 자랐다. 그러나 사회생활을 그렇게 하다보면 무수히 사기만 당하고 상처만 받아 인간에 대한 불신만 쌓일 뿐이다. 아직 인간은 믿을 만한 존재가 못 된다. 인간 사회를 이루기 위해 인간은 서로 믿어야 하지만 방심하고 내버려두어서는 안 되고 관리하고, 감시하고 확인할 필요가 있다.

믿고 관리하고, 감시하고 확인해야 인간다움을, 믿음을 비교적 오래 유지할 수 있는 것이다. 배우자 또한 마찬가지다. 사랑은 모든 걸 믿고 참고 용서하는 거라지만 무조건 믿고 참는 것보다는 관리하고 감시하고 확인하면서 믿고 참고 영서하는 게 훨씬 지혜스럽다. 배우자를 무조건 믿고 방치했을 때 외도의 싹은 트고 자라고 번창하니, 소홀하지 않고 관리하고 확인할 때 배우자를 좀더 오래 인간적으로 지키고 가꿀 수 있다.

나. 분노보다는 현실적인 이익을 택하라

어떤 남자가 바람을 피웠다가 부인에게 이혼을 당했다. 부인이 말하길, 바람을 피운 거라면 얼마든지 용서할 수 있지만 사랑을 한 것이기 때문에 용서할 수 없다고 했다. 그러나 사랑을 한 거라도 용서할 수 있다. 사랑이라는 게 그렇게 치를 떨 만큼 대단하고 영원한 것이 아니기 때문이다.

외도한 남편을 끝까지 참은 한 부인은, 옛날 그것 때문에 마음고생을 한 것이 우습지도 않았다. 남편은 그 옛날 애인을 끼고 영혼의 아내니 뭐니 하면서 호들갑을 떨었지만, 세월이 지나고 나니 그저 자기 눈치만 살피는 중늙은이에 불과하다. 자식이 일류대학에 들어가고 나니 평생 마누라 업고 살겠다고 호들갑 떨기까지 했다. 그때 분노 때문에, 배신감 때문에 가정을 깼다면 엄청 손해 봤을 것이다. 친정엄마 말이 무조건 맞았다. 그때 엄마는 분노에 치를 떨면서 이혼하겠다고 울부짖는 딸보고 이렇게 말했으니까. 그래봤자 그 여자만 좋을 뿐이다. 이혼 안 하고 잘사니 불쌍한 건 사랑에 농락당한 그 여자고 좋은 건 현실이 평안한 나다. 이혼해봐라. 애들이 이렇게 잘되나. 세상에 영원한 사랑이 어디 있어. 어차피 세 끼 밥 먹고 한두 번 싸우고 밤 되면 자는 게 인생인데…….

다. 놀아주는 데 소홀히 말라

사람은 혼자 있으면 짐승이 된다. 처음에는 원시인이 되다가 차츰 동물, 더 나아가 바퀴벌레까지 토행한다. 우리 안에 그들 요소가 너무 강하게 잠재하고 있기 때문이다. 일단 짐승 이하가 되면 그 사람이 무슨 짓을 저지르는지는 아무도 모른다. 짐승이나 곤충은 인간 질서나 법을 뛰어넘어 행동하기 때문이다. 대인관계나 사회관계를 안 하고 혼자 있는 사람의 머릿속에 들끓는 것은 오직 성적인 공상뿐이다. 가장 원초적인 본능에만 원초적으로 시달리는 것이다. 먹을 게 없다면 먹을 것도 그리겠지만 먹을 게 있으면 오로지 섹스만 그리게 된다. 그래서 배우자를 혼자 내버려두는 것은 위험한 일이다. 그는 짐승이 되어 짐승다운 짓을 할지 모르기 때문이다. 배우자하고는 적절히 놀아줘야 한다. 그것도 사회적으로, 문화적으로 놀아줘야 한다. 그래야 그는 짐승으로 퇴행이 안 되고 인간의 소중함을 알고 인간다움을 지키려 할 것이다.

결혼했다고 배우자와 놀아주는 것을 소홀히 하는 것은 어리석은 일이다. 대개의 외도는 놀고 싶은 가운데 일어나기 때문이다. 남편과 정기적으로 밖에서 만나 데이트를 하든가 좋은 공연이나 영화 등속(等屬; 두 개 이상의 사물을 벌여 말할 때, 그 마지막 명사 뒤에 쓰여, 그 명사들과 비슷한 부류의 것들을 묶어서 나타내는 말)을 악착같이 함께 보거나 스포츠 관람을 게을리 하지 않는다면 배우자가 굳이 외도할 이유가 없다. 딴 여자를 만나도 딴 남자를 만나도 사람은 다 그게 그거기 때문이다.

외도하다가 철장에 갇히게 된 한 남자가 찾아온 부인에게 내가 놀아주지 않아 그렇게 됐다고 말했다. 놀아주지 않는 부인들은 새겨들을 말이다.

남자도 슬프면 울고, 겁이 나는 상황에서는 도망가고 싶고, 피하고 싶다. 특히 절대로 해결할 수 없는 어려움에 빠지면 무서워서 살을 하는 사람도 있다. 너무나 무서워서 도피하고 싶은 것이다.

여자처럼 모질면 열심히 살 수도 있을텐데, 남자들이 오히려 여자보다 더 모질지 못하다. 남자도 여자처럼 자기 얘기를 들어줄 사람이 필요하고, 힘들 때 위로가 필요하다. 보호해 주는 역할에서 벗어나, 보호받고 싶어 한다. 칭찬도 받고 싶고, 작은 배려도 받고 싶어 하는 것이다.

하지만 대부분의 여자는 남자의 무능을 탓하며, 위로보다는 궁지에 내몰기 일쑤다. 남자가 위로받고 싶어할 때 위로보다는 잔소리가 답이다. 당연히 남자들은 여자의 잔소리가 듣기 싫어서 아예 여자와 의논하는 것을 포기한다.

정말로 위로가 필요할 때 마음의 귀를 열어 들어주고, 서로 도울 수 있는 일이 무엇인지 찾아봐야 하는데 여자는 무능한 남자를 떠나버리거나 자식까지 버리고 조금 더 능력 있어 보이는 남자에게 가 버리기도 한다. 그럴 때 남자는 어찌할 줄 몰라, 자살 같은 극단적인 해결책을 선택하기도 한다. 약하게 사는 것보다 짐짓 강한 체 죽음을 선택하는 것이다.

받기만 하고 살아온 여자는 남자의 그 마음을 알 리가 없다. 강해 보이는 그 이면에 약한 마음이 있다는 것을 모른다. 남자들은 항상 터프(tough)해야 한다는 '마초적 환상'을 이제는 깰 필요가 있다. 항상 남자는 여자를 보호해 주고, 먹여살려야 하며, 강해야 한다는 신화를 무너뜨리자는 것이다.

특히 중년이 지나면 서로 사랑받고, 위로받고 싶기 때문에 갈등이 생긴다. 이때 남자들은 테스토스테론(testosterone; 정소에서 만들어지는 남성 호르몬)[64] 수치도 떨어지기 때문에, 강한 체하고 싶어도 그럴 수가 없다. 몸에서 호르몬 수치가 떨어지면서 여자들과 비슷한 성격으로 변한다. 남자도 여자처럼 주는 것보다는 받고 싶어 한다. 그래서 받으려고만 하는 여자처럼 서운해 하고, 마음이 외로워진다. 그 때부터 남자도 주는 것보다 받고 싶어 하는 것이다.

남자들은 그래서 여자보다 더 외롭다. 그래서 쉽게 작은 사랑에 빠지는지도 모른다. 자신을 위로해 주거나, 칭찬해 주거나, 마음 속 이야기라도 들어주는 꽃뱀에게 쉽게 빠진다. 왜냐하면 남자도 여자처럼 작은 배려애 감동하고 사랑받고 싶어 하기 때문이다.[65]

성은 묘한 상대성이 있다. 정상도 비정상도 없고, 잘하는 것도 못하는 것도 가리기 힘든 세계다. 두 사람이 하는 게임이며, 결국 둘만 만족을 하면 되는 유희다. 또한 모니터링(monitoring)을 해 주는 사람도 없기 때문에 잘못 나가기가 쉽다. 처음 버릇을 잘못 들이거나, 잘못된 성 지식을 가지게 되면 그로 인해 서로 불만족하게 되고, 병도 생기고, 끙끙 앓게 된다.

그래서 처음에 잘 배워야 한다. 바이올린에 '과르네리' 나 '스트라디바리우스' 같은 명기가 있듯이 사람에게도 명기가 있다. 명기도 훌륭한 연주자가 필요하다. 연주하는 사람과 악기가 잘 어우러져야 좋은 소리가 난다. 파트너가 악기를 어떻게 연주하느냐에 따라 소리가 달라진다.

또한 아무리 연습을 많이 해도 악기가 좋지 않으면 좋은 소리가 날 수 없다. 즉 악기와 연주자 모두 중요하다는 것이다. 바이올린을 하나 배우려고 해도 몇 년의 피나는 노력이 필요하다. 하물며 사람을 연주하는 데에는 말해서 무엇하랴.

요즘 젊은이들은 인터넷의 '야동'을 보며 섹스를 배우고 결혼생활을 하게 된다. 그러나 포르노그래피의 섹스는 실제의 성보다 매우 과장되어 있고, 변태적 성행위도 많다. 변태 성행위는 그것 자체를 부도덕하다고 규정할 순 없지만 섹스틀에 대한 환상을 키운다는 점에서 비난받을 만하다. 남자들은 파트너에게 그런 섹스를 하고 싶어 하고 또한 파트너가 그렇게 해 주기를 바란다.

무슨 일이든 재미있어야 밤을 새워하듯이, 섹스도 재미가 있어야 밤을 지새운다. 왜 부인이 섹스를 하기 싫어하는지, 그리고 남편이 왜 한 체위만을 고집하는지를 반성적으로 되돌아 봐야 한다.

성은 자기표현이다. 성은 상대방과의 대화이다. 대화의 기법 자체도 중요하지만 육체적 대화를 통해 상대와 더 친밀해지고, 조화를 이루며 깊은 이해와 사랑에 도달한다. 섹스는 배워야 할 일종의 기술이지만 그게 전부는 아니다. 섹스의 본질은 생명과 자연에 대한 외경이다. 만약 섹스 리스로 사는 부부이거나 섹스를 더럽다고 생각하거나, 섹스를 형식적으로만 하는 부부가 있다면 생명과 자연이라는 섹스의 본질에 주목해야 한다. 왜곡된 시각을 가진 사람들도 성을 다시 생각할 기회가 될 수 있을 것이다.

섹스는 모든 사람에게 주어진 부부의 권리이자 의무이지만 사람마다 각자의 고민이 있고, 풀어야 할 숙제가 마노다. 즉 십인십색, 열명이 열 가지 고민을 가지고 있다는 말이다.

고민 없는 사람 없고, 완전히 만족하고 사는 사람도 거의 없다. 하지만 오줌이 안 나오거나, 대변이 안 나오면 사람이 아프듯이 섹스가 원활치 않으면 부부 사이가 아프다. 그것은 동서양을 막론한 진리다. 막히면 결국 병이 나게 되어 있다.

성은 신의 선물이다. 부부의 멋진 성생활을 하려고 노력하는 것은 성을 소중히 하고 건강하게 인생을 살아가려는 본능이기도 하다. 섹스란 자연스럽고 솔직한 인간 행위이지만 노력과 책임이 따른다. 섹스는 자연과 인공의 조화, 본능을 아름답게 가꾸려는 의지와 노력이 필요한 영역이다.[66)]

라. 이혼은 최후의 수단

배우자가 외도를 했다고 이혼까지 가는 부부 중에는 정신적・신체적 고통을 못견뎌 하는 경우가 많다. 배신감과 분노에 잠도 못 자고 먹지도 못하며 고통 받다가 급기야 그 고통이 악순환이 되면서 극단으로 치달아 아예 못 자고 아예 못 먹을 지경이 되고 심지어 피해망상, 환청, 환각까지 나타나게 되면 정말 살기 위해서라도 이혼하고 싶어진다.

그러나 이렇게 정신적・신체적 고통이 괴로워 이혼하게 되면 나중에 후회하게 된다. 현실적인 형명한 판단을 못했기 때문이다. 그럴 경우에는 일단 치료를 진지하게 받을 필요가 있다. 병원을 종류별로 다 이용해서 몸과 마음을 충분히 진정시키고 난 다음에 이익을 잘 따져 판단할 일이다. 내 젊은 시절 단물을 다 빨아먹고 배신한 상대니 나 역시 상대의 단물을 다 빨아먹을 궁리를 해야 한다. 재산은 가급적 내 앞으로 돌리고 평생 단물을 빨아먹을 것인지, 아니면 한 번에 왕창 빨아먹을 것인지를 슬기롭게 결정해야 한다.

대개 바람피우는 사람들은 현실감이 약한 철없는 경우들이 많으니 그들로부터 돈을 울궈내는 것은 비교적 용이하다. 철없는 사람들은 언젠가는 철이 나니 대개는 한 번에 우려내는 것보다 두고두고 부려먹으면서 우려내는 것이 더 현명할 것이다.

외도는 단순한 배신의 문제가 아니라 인간의 사회성과 생명본능,

우주본능과의 끊임없는 투쟁, 긴장관계다. 이 싸움에서 배우자가 졌다고 단순히 비난하고 돌아설 것이 아니라 힘을 합쳐 승리를 향해 나아갈 필요가 있다. 외도에서 현실적인 승리는 단순한 나의 승리뿐만 아니라 인간성의 승리, 가정의 승리, 인간사회의 승리로, 궁극적으로는 우리 아이들에게 가장 큰 승리를 선물하는 것이기 때문이다.[67)]

"남자의 바람은 선천적인가, 후천적인가"

우리는 남자와 여자가 다르다는 것을 살면서 알게 된다. 그런데 왜 그런 차이가 나는지는 그동안 잘 몰랐다. 요즘에 뇌과학이나 호르몬에 대한 연구가 활발하게 진행되면서 이런 의문점을 풀어놓은 과학자나 의학자들이 많아졌다. 우리가 의문을 가진 남녀 차이가 뇌와 호르몬을 통해 상당 부분 설명되고 있다.

많은 연구결과들을 참고로 말하면, 남자들은 일부다처에서 일부일처에 이르는 모든 다양한 행동을 보여준다. 뇌에는 바소프레신 수용기의 특정한 유형을 결정하는 유전자가 있다. 프레리 들쥐는 이 유전자를 가지고 있는 반면에 몬테인 들쥐에게는 이 유전자가 없다.

과학자들은 수컷 프레리 들쥐가 일부일처제를 유지하며 암수 힘을 합해 새끼를 돌본다는 것을 발견했다. 하지만 사촌인 몬테인 들쥐는 원나이트탠드를 즐기며 다양한 파트너와 문란한 성생활을 한다. 사촌지간 이 두 종류의 들쥐의 짝짓기 차이점은 뇌에서 비롯된다.

프레리 들쥐의 뇌에 있는 전시상하부(anterior hypothalamus/AH)는 자기 짝의 냄새와 촉감을 기억하고 있다가 다른 암컷의 접근을 거부한다. 평생 그 한 암컷에 대한 선호도가 지속된다. 또한 프레리 들쥐는 뇌 속에 일부일처제를 유지하는 데 필요한 바소프레신 수용기의 유전자 길이가 긴 데 비해, 난교하는 몬테인 들쥐의 바소프레신 수용기 유전자의 길이는 짧다. 과학자들은 난교하는 몬테인 들쥐에게 길이가 긴 바로프레신 수용기 유전자를 삽입하자 몬테인 들쥐 역시 일부일처제를 유지하게 되었다.

인간의 뇌생물학은 들쥐보다는 복잡하지만 인간도 바소프레신 수용기를 가지고 있다. 스웨덴에서 실시한 연구결과, 길이가 긴 바소프레신 수용기 유전자를 가진 남자는 평생 한 여자에 헌신할 확률이 높다고 한다. 즉 충실함이라는 관점에서 바소프레신 수용기 유전자의 길이는 '더 긴 게 더 좋다'.

다시 말하년 남자들의 일부일처 성향은 선천적으로 결정되며, 이것은 다시 대물림된다. 결국 헌신적인 아버지와 충실한 파트너는 태어나는 것이지 후천적으로 만들어지는 것은 아니라는 의미다. 앞으로 여자들이 최적의 파트너를 선택하기 위해서 바소프레신 수용기의 길이를 고려할지도 모르겠다. 혹은 그런 상품이 출시되어 나올지도 모른다.

남자 뇌는 파트너와의 결합, 그리고 부모 노릇을 위해 바소프레신을 사용하고, 여자 뇌는 주로 옥시토신과 에스트레신을 사용한다. 남자 뇌는 비소프레신 수용기를 여자 뇌는 옥시토신 수용기를 많이 갖고 있다. 침대에서 성관계를 시작하기 전에 남편의 일차적인 의무는 따뜻하게 안아줌으로써 옥시토신을 방출하게 하는 것이다. 이 두 호르몬은 도파민 수치를 증가시키는데, 도파민은 쾌락을 자극하는 호르몬으로 서로에게 몰입하고 평생 한 암컷과 짝을 이루게 한다.

옥시토신은 긴장을 풀어주고 두려움 없이 결합하고 서로 만족할 수 있게 해준다. 이런 효과가 장기적으로 유지하려면 애착의 신경회로는 친밀성과 접촉에 의해 자극되는 옥시토신을 통해 날마다 반복되고 활성화 될 필요가 있다. 빈번한 접촉이 없으면, 짝짓기가 뜸하면 뇌의 도파민과 옥시토신 수용기는 허기를 느끼게 된다. 특히 남자는 여자보다 2~3배 더 빈번한 접촉을 해야 여자와 동일한 수준의 옥시토신을 얻을 수 있다.68)

여성 역사학자 엘렌 K. 로트먼은 렐리지 사우게이트의 이런 말을 인용한다. "자신에게 누군가 호의를 가졌다고 확인하기 전에는 그 어떤 여인도 상대를 사랑할 수 있으리라고 헛된 믿음을 품지 않는다." 고 말한다.

어느 소녀의 사랑 이야기69)

내 인생에 반은 그대에게 있어요
그 나머지도 나의 것은 아니죠
그대를 그대를 그리워하며 살아야 하니까

그대를 만날 때면 이렇게 포근한데
이룰 수 없는 사랑을 사랑을 어쩌면 좋아요

내 인생에 반은 그대에게 있어요
그 나머지도 나의 것은 아니죠
그대를 그대를 그리워하며 살아야 하니까

이 마음 다 바쳐서 좋아한 사람인데
이룰 수 없는 사랑을 사랑을 어쩌면 좋아요
내 인생에 반은 그대에게 있어요

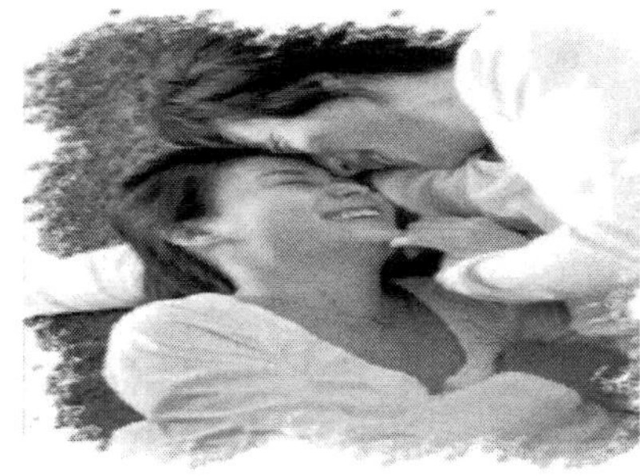

"너무 사납게 줄지 말자. 구맹주산(拘猛酒酸)"

중국 고사성어에 '구맹주산(拘猛酒酸)' 이라는 말이 있다. '주막에 개가 사나우면 손님이 없어 술이 시어진다' 라는 말로 한 나라에 간신배가 있으면 어진 신하가 모이지 않음을 비유한 것이다. 중국 전국 시대의 철학자 한비자(韓非子)는 외저설우(外儲說右)에서 아무리 옳은 정책을 군주께 아뢰어도 조정 안에 사나운 간신배가 있으면 정책 실현이 불가능함을 강조하면서 다음과 같이 비유하여 설명하였다.

송(宋)나라 사람 중에 술을 파는 자가 있었다. 그는 술을 만드는 재주가 뛰어났다. 그 술을 먹는 사람은 모두 맛있다고 칭찬했다. 모든 마을 어른들이 이 술을 만들어 팔아 보는 것이 어떻겠냐고 권해서 술을 만들어 팔기로 했다. 그는 손님들에게 공손히 대접했으며 정직하게 팔았다. 그런데 막상 가게를 열고 보니 다른 집보다 술이 잘 팔리지 않아 술이 쉬어 버리게 되었다. 그 이유를 몰라 걱정하던 그는 마을 어른에게 물어보기로 했다,그랬더니 마을 어른이 물었다.

"자네 집 개가 사나운가?"

"어떻게 아셨습니까? 그런데 개가 사나운 것을 왜 물어보십니까?"

"주로 술 심부름은 어린아이들이 하지 않나? 어린 자식을 시켜 호리병에 술을 받아 오라고 했는데 자네 개가 덤벼들어 그 아이들을 쫓는다네. 어린아이들은 자네 개가 무서워 자네 집에서 술을 사지 않고, 다른 집에서 술을 사는 것이라네. 술을 마시는 사람과 술을 사러 가는 사람이 다르지 않은가? 그래서 술이 아무리 맛이 있어도 안 팔리고, 만들어 놓은 술의 맛은 점점 시큼해지는 거라네!"

그는 술이 팔리지 않은 이유가 사나운 개 때문이라는 것을 알게 되었다.

아무리 부인이 똑똑하고 살림을 잘해도 성질이 사나우면 암편이 곁에 오지 않는다. 불감증으로 산부인과에 오는 여성 중에 지적으로 똑똑하고 일을 완벽하게 잘하지만 부부 싸움을 할 대 절대로 말 한마디도 지지 않는 여성이 있다. 그녀는 자신이 외롭다고 생각하지만 남편과 잘 지내지 못한다. 그런데 그녀는 그 이유를 알지 못한다. 마치 술이 팔리지 않는 아유를 알지 못한 것처럼, 그녀도 자신이 왜 남편에게 사랑을 받지 못하는지 잘 모른다.

남자를 편하게 해 주지 못하는 여성의 주위에는 남자가 없다. 말로는 모든 상황에서 이긴 것 같은데, 결과적으로 지는 느낌이 드는 삶을 살게 된다. 대부분의 남자는 사나운 여자를 싫어한다. 만약 술을 많이 팔고 싶으면 사나운 개가 집 앞을 지키면 안 되고, 남약내 남자가 나를 좋아하게 만들고 싶으면 여자의 사나움을 잠재워야 한다. 이긴 것 같은데, 이긴 것 같지 않으면, 정말로 이긴 것이 아니다.70)

엘렌 K. 로트먼(Ellen K. Rothman)은 이렇게 말하고 있다. "여인은 자신의 감정이 화답을 받으리라는 확신이 들 때까지 기다린다. 그런 확신이 들기 전에는 감정을 자기 자신에게도 고백하지 않는다." 사랑이 고도로 의례적이 되었다는 정황은 그렇지 않았다면 압도적 위력을 발휘할 감정의 왕국으로부터 여인을 지켜준다. 사실 『이성과 감성』이라는 작품은 전반적으로 심장이 하는 일에서 무엇을 우선시 해야 하는지 그 단계의 물음을 다룬 소설이다.

엘리너(Elinor)의 이성이 열정에 우선한다고 주장하지 않는다. 다만 이성은 의례화한 사랑의 육화(肉化)이자 보호자다.71)

사랑에 빠진 사람에게 도움을 주는 일은 아무나 할 수 없다. 외롭지 않거나 좋은 사람이 아니라서가 아니다. 선한 마음과 밝은 눈을 가지고 살더라도 세상에는 어떤 기회들이 늘 공평하지 않기 때문이다. 그것은 타인을 도울 기회고 마찬가지다. 그런 일들은 여러 조건이 맞았을 때 일어난다.

7. 마음이 아플 때 읽는 책

나는 어떤 때 마음이 아플까? 아무래도 애증에 시달릴 때이다. 증오보다는 사랑의 고통에 시달릴 때 마음이 더 진하게 아프다. 마음이 아플 때 나는 무엇을 할까? 우선 하염없이 드러눕는다. 내 몸에서 빠져나간 기운이 돌아오길 기대하며 그저 생각 없이 눕는다. 그래도 아픈 마음이 가지지 않고 공상이 끊이지 않으면 음악을 듣는다. 경쾌한 음악보다는 의미 있는 음악, 예를 들어 영화「화엄경」에 나오는 '이나의 노래' 등을 듣는다

> 달이시여, 달이시여. 그대는 모든 것을 잘 알고 있나니…… 외로운 저에게 말해주소서…… 제가 찾는 님이 어디에 계신지, 제가 그리는 님이 어디에 계신지, 행여 마음이 아프지나 않은지…… 행여 몸이 아프지나 않은지.

이 음악을 듣고 있노라면 어디선가 나만이 생각하고 그리워하는 나만의 여인이 눈물짓고 기다리고 있는 양 가슴이 서늘하게 위안을 받는다. 어디선가 기다리고 있는 나의 여인! 그녀는 누구고 언제쯤 나타날까? 그녀는 이 번민이 많은 세상, 애증이 교차하고 사랑을 서슴지 않고 심장에 박는 이 고해에서 나를 구원해 줄까?

음악이 끝나고도 다시 자기에게로 돌아오지 못하고 안절부절 못하면 누군가를 만나 마음껏 속에 있는 것들을 털어놓는다. "어리석은 자는 자기 마음을 혓바닥 위에 두고 현명자 자는 자기의 혀를 마음속에 둔다" 는 인도 격언도 있지만 나는 스스로 어리석은 자

가 되어 마음속의 아픈 것들을 마구마구 끄집어낸다. 이때 술은 좋은 동반자이다. 마음속의 깊은 것까지 다 토해 내게 만드니까. 그러면 마음은 다소 진정이 되어 나는 다시 자기를 돌아보게 된다. 사랑의 고통으로 마음이 아플 때 해결책은 단 한 가지다. 사랑에 의지하지 말고 더 이상 사랑하는 사람을 기대하지 말고 혼자 사는 것이다. 이때 내 손 가까이에서 자주 뒤적이곤 하는 책이 바로 서울대학교 정신과 이부영 교수님이 쓰신 『분석심리학』이다.

이 책은 심리학에 무지했던 나의 눈을 활짝 뜨게 해 주었고 무한한 신한한 심리의 세계로 들어가게 한 책이다. 이 책을 읽다 보면 무한한 심리의 바다에서 내가 부여잡고 있는 애증이 얼마나 작은 것이고 애증 때문에 인생의 아까운 시간을 허비하는 것이 얼마나 어리석은 것인지를 깨우쳐 준다. 바로 이 책은 우리가 기억하고 있는 의식과 자아(ego)보다도 무의식과 자기(self)가 얼마나 엄청나고 소중한 것인지를 조목조목 일깨워 준다.

노이로제는 바꾸어 말해서 자기 자신(self)으로부터 멀리 떨어져 나갔을 때 생기는 것이다. 그것은 일종의 자기 소외의 결과이다. 자아(ego)가 자기(self)와 멀리 떨어지면 떨어질수록 인격의 해리를 일으킬 위험은 커진다. 그러나 노이로제의 고통은 바로 떨어져 나간 자기 자신을 되찾고 인격의 해리를 지양하여 하나인 자신으로 통일되게 하는 목적을 가지고 있다. 그러므로 노이로제는 하나의 기회이다. 그의 인격의 변화, 성숙, 통일을 이룩할 수 있는 좋은 기회이다. 이것이 노이로제가 갖고 있는 의미이다.

무한한 심리의 바다에서 내가 부여잡고 있는 애증이 얼마나 작은 것이고 애증 때문에 인생의 아까운 시간을 허비하는 것이 얼마나 어리석은 것인가. 우리가 기억하고 있는 의식과 자아(ego)보다도 무의식과 자기(self)가 얼마나 엄청나고 소중한 것인가.[72]

카를 융(C.G. Jung)의 분석심리학은 성격에 대한 정신분석 이론보다 훨씬 덜 결정적인 입장을 취하며, 성이나 공격성을 덜 강조하는 반면에 신비하고 종교적인 역사나 문화적 배경을 강조하고 있다. 융은 개인적 무의식 외에도 집단적 무의식의 개념을 정립하고 신화나 상징적인 것들 속에 집단적 무의식이 표현되어 있다고 했다.

따라서 융의 분석심리학에 있어서는 개인의 경험이 무의식에 억압되어 있는 것을 의식화하는 것만이 아니라 집단적 무의식을 의식화하는 것을 중시하고 있다. 분석심리학에서는, 무의식에는 파괴적이고 공격적인 특징만이 아니라 건설적이고 창조적 측면도 있다고 주장하고 있다.

카를 융(C.G. Jung)의 『분석 심리학』을 읽노라면 마음의 고통을 앓고 있는 나에게 큰 위안이 된다. 마음의 고통이 몸의 고통같이 순전히 마이너스인 것만이 아니라 고마워 해야 할 기회라는 것은…….

이 책에는 우리 마음의 고통에 대한 깊은 이해와 무한한 무의식에 대한 정보가 있어 내가 좁은 소아의 벽에 갇힐 때 일깨워 주는 소중한 책이다.

마음 아플 때 읽는 역사책
박은봉 지음
"이런 역사책 하나쯤 있어도 좋지 않을까?"
밀리언셀러 『한국사 편지』의 저자 박은봉의
특별한 역사 이야기
서유재

다윈(Darwin, Charles Robert)이 그토록 오래 고통에 시달렸으면서도 심한 우울증에 빠지거나 자살 충동을 보이거나 하지 않았던 이유, 삶이 파괴되지 않고 유지될 수 있었던 비결이 거기 있는지도 모르겠다. 자신의 병을 꾸준히 관찰, 기록함으로써 병과 거리를 두고 병을 바라보며 객관화시킬 수 있었던 것 아닐는지.

다윈의 병에 대한 연구는 현재진행형이다. 앞으로도 인간과 질병에 대한 연구는 계속 전진할 것이고 다윈의 병에 대한 새로운 조명도 계속될 것이다. 결론이 날까? 알 수 없다. 어쩌면 영원히 결론나지 않을지도 모른다.

아홉 번의 찬사와 한 번의 야유를 받았을 때, 찬사 아홉 번은 제쳐 놓고 한 번의 야유만 떠올리며 몸부림치는 안데르센. 나이를 먹고 유명해진 뒤에도 이런 심리상태는 그를 붙잡고 놓아주지 않았다.

그들의 울타리에 들어가기. 안데르센은 평생 그것을 위해 싸웠다.

남은 시간이 얼마인지 알 수가 없으므로 뭘 해야 할지도 알 수 없었다. 기왕의 계획은 다 흐트러졌고 새로운 계획을 세우기에는 미래가 너무나 불확실했다. 남은 시간을 정확히 알면 좋을 텐데.

다음 날 3월 9일. 온 가족이 모였다. 폴은 부모님과 아내 루시에게 작별 인사를 했다. 감사와 사랑이 넘치는 인사였다. 그리고 자기 글을 꼭 세상에 내달라고 했다. 케이디가 아빠와 마지막 인사를 나누었다. 이윽고 폴이 조용하고 부드럽게 말했다.

"이제 되었어."

암 선고를 받으면 사람들은 대개 맨 먼저 분노를 느낀다는데 자신은 분노는 전혀 없고 반성만 떠올랐다고 했다. 그녀는 스스로를 가리켜 '반성 모드의 사람'이라 했다. 무슨 일만 생기면 내가 뭘 잘못했을까, 왜 잘못했을까 자신을 나무라고, 남한텐 너그러우면서도 자기 자신을 인정하는 데는 인색하기만 했다.

살아 있는 모든 것이 귀하고 가치 있고 의미 있게 다가왔다. 예전엔 눈에 들어오지도 않던 이름 모를 들꽃, 땅에 닿을 듯 키 작은 풀잎, 금방 떨어져 버릴 것 같은 쭈글쭈글한 열매… … 그 모든 것들이 그저 살아 있다는 사실만으로 소중하게 느껴졌다.

일상을 잃어 본 사람은 안다. 아침에 일어나 밤에 잠들고, 밥 먹고 설거지하고 일하고 차 마시는 일상을 할 수 있다는 것이 얼마나 대단한 일인지. 기적은 하늘을 날거나 물 위를 걷는 것이 아니라 하루를 사는 것이었다.[73)]

가. 찰스 다윈(Charles Darwin)

찰스 다윈(Charles Darwin)은 의사 집안에서 태어났다. 아버지의 권유로 의대를 가지만 마취도 없이 수술하는 장면을 보고 수술실에서 뛰쳐나온다. 차선책으로 좋은 성적으로 목사가 되었지만 안정된 직장을 버리고 과학을 연구하기 위해 남아메리카로 떠나는 탐험선에 탑승을 한다.

21세기 현재도 자연 과학은 물론, 인문 사회 과학 등 학문 세계 전반에서 강력한 영향력을 발휘하고 있는 19세기 영국의 생물학자이자 지질학자이며 박물학자인 찰스 다윈. 최재천 이화여대 에코과학부 교수가 이끈 다윈 포럼이 기획하고 감수한 한국 진화 생물학계의 역량을 결집한 다윈 선집 「드디어 다윈」 시리즈를 통해 다윈의 주요 저작의 번역 정본을 만나볼 수 있다.

「드디어 다윈」 제1권 『종의 기원』은 기독교 창조설의 기반을 흔들었고, 인간의 자연적 본질에 대한 사고를 송두리째 바꾸며

당대 지식 사회에 강력한 충격을 준 다윈의 진화 사상을 담은 책이다. 자연 선택을 통한 진화라는 개념을 도입함으로써 진화 생물학을 확립한 과학 역사상 최고의 고전 중 하나로, 자연 선택을 통한 진화라는 개념이 종의 다양성, 생물 개체의 복잡성, 종의 변화 및 분화라는 같은 생물계의 제반 현상을 궁극적으로 설명해 낼 수 있는 기본 개념임을 논증해 낸다.

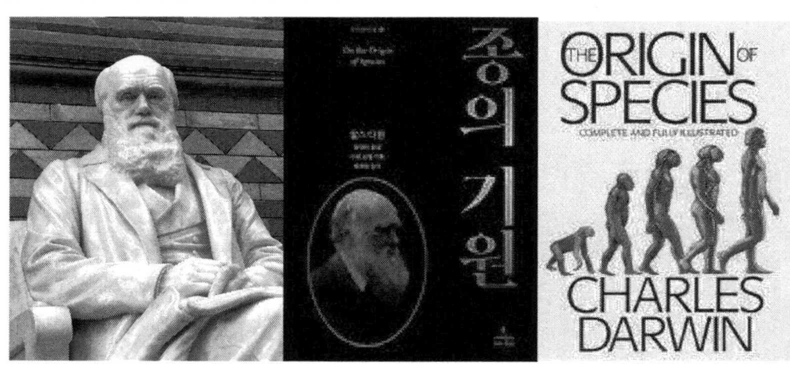

진화학자로서 기계 공학부터 영장류학과 생물 철학까지 다양한 분야를 넘나들며 연구하는 서울대학교 자유 전공학부의 장대익 교수가 『종의 기원』 초판을 번역 출간하면서 진화 생물학의 최근까지의 역사적 성과와 다윈 문헌에 대한 최신 연구를 바탕으로 다윈 사상의 원래 모습을 복원하기 위해 노력했다. 감수는 한국 진화 생물학계의 대표자이며, 행동 생태학의 세계적 대가인 최재천 이화여자 대학교 에코 과학부 석좌 교수가 맡았다.

다윈은 결국 학자로 성공을 하지만 28살부터 죽을 때까지 병명도 모르는 불치병에 걸려 고생을 한다. 〈종의 기원〉을 쓸 때는 20분 이상 지속해서 글을 쓰기도 어려웠다고 한다.

알 수 없는 병에 걸려 30대 초반, 젊은 나이에 은둔자가 되어 버린 다윈. 하지만 낙천적이었던 다윈은 늘 감사하며 살아왔습니다.

평생을 따라다닌 병마저도 감사했다고 한다.

병은 사교와 오락으로 집중이 흐트러지는 것을 막아 주었다. 비록 병 때문에 내 인생에서 몇 년이 사라지긴 했지만. 미친 듯이 긍정적인 멘탈이다.

저한테 찰스 다윈은 종의 기원, 진화론으로만 기억되는 단면적이고 평면적인 사람이었다. 사실 책에서 접하는 위인들은 모두 단편적인 경우가 많습니다. 사과나무 뉴턴, 민족운동자 간디, 강철왕 카네기 이런 식으로 말이죠.

책을 통해 잘 알지 못했던 찰스 다윈의 입체적인 모습을 알게 되어 좋았다. 한 줄로 가늘게 이어진 지식이 날실과 씨실로 촘촘하게 엮이는 듯한 기분이다.

나. 한스 크리스티안 안데르센(Hans Christian Andersen)

한스 크리스티안 안데르센(Hans Christian Andersen)은 낭만적이고 환상적인 이야기로 아동 문학의 최고로 꼽히는 수많은 동화를 남겼다.

〈미운 오리 새끼〉, 〈성냥팔이 소녀〉, 〈백조 왕자〉, 〈눈의 여왕〉, 〈벌거숭이 임금님〉, 〈인어공주〉. 이 동화들은 '아동 문학의 아버지'라 불리며 오늘날까지도 세계적으로 노소를 불문하고 사랑받고 있는 안데르센의 작품들이다. 안데르센은 기존의 민화적, 교훈적 요소가 강했던 동화 창작 방식에서 벗어나 불행하고 소외된 계층을 휴머니즘적인 시각에서 다루고, 단순한 이야기 구조에서 탈피해 일상적인 구어와 관용구를 과감히 도입하는 등 동화 창작 분야에 있어 혁신을 일으킨 작가이다. 동화 작가로 널리 알려져 있지만, 소설가이자 시인이기도 하다.

한스 크리스티안 안데르센은 1805년 4월 2일 덴마크 오덴세에서 태어났다. 아버지는 역시 한스라는 이름을 지닌 가난한 구두 수선공이었고, 아버지보다 열 살이 많던 어머니는 빨래나 허드렛일을 했다. 아버지는 초등교육만 간신히 마쳤고, 어머니는 거의 문맹이었다. 그러나 문학과 연극을 좋아했던 아버지는 어린 아들에게 《아라비안 나이트》나 루드비그 홀베르그의 희극 등을 읽어 주었다고 한다. 안데르센은 마을의 빈민층 아이들이 다니던 초등학교에 다녔으나, 11세 때 아버지를 여의고 어머니가 재혼하면서 초등학교도 마치지 못하고 공장에 들어가 일을 해야만 했다.

안데르센은 어린 시절의 외로움을 문학과 연극에 몰두하면서 극복했다고 한다. 14세 때 그는 연극배우가 되고 싶다는 열망을 품고 혈혈단신으로 수도 코펜하겐으로 갔다. 높은 소프라노 미성을 지니고 있던 덕분에 덴마크 왕립극장에 들어갈 수 있었지만, 곧 변성기가 찾아왔다. 그래서 그는 연극 대본을 썼으나 초등교육을 제대로 받지 못한 탓인지 맞춤법이 엉망이어서 극단 관계자들이 제대로 읽어 주지도 않았다고 한다. 그러던 중 극단 동료 한 사람이 시를 쓰는 게 어떻겠냐고 권유했고, 안데르센은 이 무렵부터 시를 쓰기 시작했다. 이에 왕립극장 감독이던 요나스 콜린이 그를 슬라겔세

문법학교에 보내 주었고, 안데르센은 이후 헬싱괴르 문법학교를 거쳐 코펜하겐 대학까지 진학할 수 있었다. 이 시기에 그는 몇 편의 시를 발표했으나 역시 맞춤법, 철자법 등 문법상의 오류가 많아 비평가들로부터 혹평을 듣곤 했다.

1829년, 안데르센은 〈홀름 운하에서 아마크 동쪽 끝까지 도보 여행기〉라는 짤막한 여행기를 발표하면서 작가로서 어느 정도 이름을 알리게 되었다. 1833년에는 국왕의 후원금을 받아 독일과 프랑스, 이탈리아, 스위스 등지를 여행하는 기회를 가졌다. 이때 그는 이탈리아에서 강렬한 인상을 받고 첫 소설 《즉흥시인》을 쓰기 시작한다. 이탈리아의 아름다운 풍광과 소박한 서민들의 일상생활, 예술적 풍취를 토대로 젊은 시인의 사랑과 모험을 묘사한 작품이었다. 이 소설은 출간 직후 큰 호평을 받으면서 그를 인기 작가의 반열에 올려놓았다.

오리와 백조 사이에서 평생 인정욕구와 콤플렉스에 시달렸던 안데르센.

안데르센이 유명한 배우가 되고 싶어 14살에 무일푼으로 덴마크의 수도인 코펜하겐으로 떠난 일화가 인상 깊었다. 재미있게도 반대하는 부모님이 그를 머나먼 코펜하겐으로 보낼 수 있었던 이유는 어머니가 믿던 점괘가 좋아서였다.

만약 부모님의 점괘가 좋지 않았더라면, 동화 작가가 아닌 유명 배우로 성공을 했더라면, 후원자인 요나스 콜린을 만나지 않았더라면.

어느 하나라도 어긋났더라면 우리가 아는 안데르센의 동화는 없었을 겁니다. 위대한 인물이 탄생하기 위해 얼마나 많은 인연과, 우연과 필연이 필요한지 새삼 느껴진다. 사실 안데르센과 같은 위대한 재능을 타고난 사람들 중 대부분은 어긋난 인연과 우울한 인과율 속에서 사그러져갔을 거라고 생각한다.

세상은 참으로 오묘하고, 신비로운 것 같다. 찰스 다윈과 안데르센 이후 소개되는 인물은 폴 칼라니티와 진수옥이다. 누군가 했는데 모두 암으로 시한부 인생을 살다 돌아가신 분들이다.

다. 카를 구스타프 융(Carl (Gustav) Jung)

카를 구스타프 융(Carl (Gustav) Jung)은 분석심리학의 기초를 세웠고 외향성·내향성 성격, 원형, 집단무의식 등의 개념을 제시하고 발전시켰다. 카를 융의 업적은 정신의학과 종교·문학 관련 분야의 연구에 지대한 영향을 미쳤다. 성직자가 많은 가문의 전통을 버리고 정신과 의사가 된 융은 지그문트 프로이트의 정신분석학에 영향을 받아 공동연구를 하기도 했다. 사람들은 융이 프로이트의 후계자가 될 것이라고 생각했으나 성격과 견해 차이 때문에 결별했다. 융은 사람들이 갖고 있는 공통의 정신영역을 집단무의식이라 칭하며 이 개념을 원형이론과 결합시킴으로써 종교심리학 연구의 방향을 제시했다. 융은 환자를 돌보는 한편 교수로 재직하는 동안 개인적 경험, 계속된 심리치료, 역사에 대한 폭넓은 지식으로 인해 시사논평에서도 독보적인 위치에 올랐다.

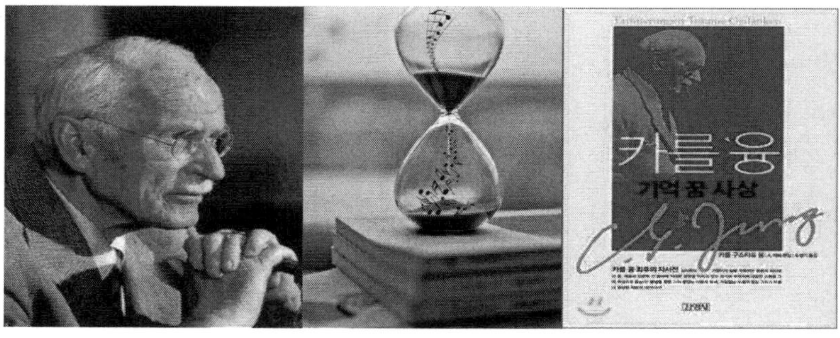

“행복한 삶도 어둠이 없으면 있을 수 없고, 슬픔이라는 균형이 없으면 행복은 그 의미를 잃어버린다.”

언어학자이자 목사의 아들로 태어난 카를 융은 어린시절에는 왕성한 상상력을 마음껏 펼쳤으나 외로움을 떨칠 수 없었다.

어릴 때부터 부모와 교사의 행동을 유심히 살피고 분석하려 했다. 특히 아버지가 종교적 믿음을 잃어가는 것을 걱정하여 자신이 경험한 신을 아버지에게 전하려고 애썼다. 카를 융의 아버지는 많은 점에서 친절하고 참을성 많은 사람이었지만, 두 사람은 서로를 이해하지 못했다.

융의 가족들 중에는 성직자가 많았기 때문에 그 역시 목사가 될 운명인 듯했다. 그러나 융은 10대에 접한 철학, 폭넓은 독서, 소년시절에 느낀 실망 등으로 인해 가문의 전통을 버리고 의학을 공부하여 정신과 의사가 되었다.

바젤대학교(1895~1900)와 취리히대학교(1902 의학박사)에서 공부했다. 1900년 카를 융은 취리히대학교 부설 부르크휠츨리 정신병원에서 일했다. 당시 이 병원의 원장이었던 오이겐 블로일러는 오늘날 정신병의 고전적 연구로 평가되는 심리학적 연구에 관심을 기울이기 시작했다. 부르크휠츨리에서 융은 이전의 연구자들이 시작한 연상검사를 매우 성공적으로 응용했다.

카를 융은 특히 자극어에 대한 환자의 독특하고 비논리적인 반응을 연구하여, 그러한 반응이 정서적인 내용이 포함된 일련의 연상 때문에 일어난다는 사실을 발견했다. 이 연상들은 불쾌하고, 비도덕적이며, 성적(性的) 내용을 담고 있는 경우가 많기 때문에 의식에서 억제된다.

융은 이 상태를 설명하기 위해 지금은 유명해진 콤플렉스라는 용어를 사용했다.

라. 신경외과 의사 폴 칼라니티(Paul Kalanithi)

열심히 인생을 살고 그에 따른 보상을 받아가며 성실히 살아가는 30대 신경외과의 남자의 이야기로 시작이 된다. 전적으로 의사의 관점에서 그려지는 평범한 병원에서의 의사 생활이야기이다.

실력을 인정받으며 탄탄대로가 기다리고 있는 폴이었다. 그런 그에게 0.0012% 의 확률이 걸려 30대에 폐암 말기를 진단받았다. 그리고 진단 후, 폴의 삶은 180도 뒤바뀌게 된다.

I began to realize that coming face to face with my own mortality, in a sense, had changed both nothing and everything. Before my cancer was diagnosed, I knew that someday I would die, but I didn't know when. After the diagnosis, I knew that someday I would die, but I didn't know when. But now I knew it acutely. The problem wasn't really a scientific one. The fact of death is unsettling. Yet there is no other way to live.

폴은 말했다. 암선고를 받은 그 순간조차도 내 인생이 얼마나 남았는지 알 수가 없었다고 한다. 그저 죽음이 내가 생각했던 것보다 더 가깝게 내 눈앞에 다가온 느낌이었을 것 같다. 얼마나 공포스러웠을까. 내 인생이 얼마나 남았는지 알 수 있다면 무엇을 해야 할지 명확해지지만 그렇지 않기 때문에 이 불확실성은 내가 가장 중요한 것이 무엇인지 생각하게 하고 생각해내야만 하는 과제를 준다.

폴이 말한 것처럼 내 인생에서 전부인 것 혹은 아무것도 아닌 것으로 극단적 이분법이 활용되어 정리가 될 것 같다. 내가 폴이라면 나 역시 폴처럼 내가 사랑하는 사람과 그리고 사랑하는 일을 하며 마지막을 보낼 것 같다.

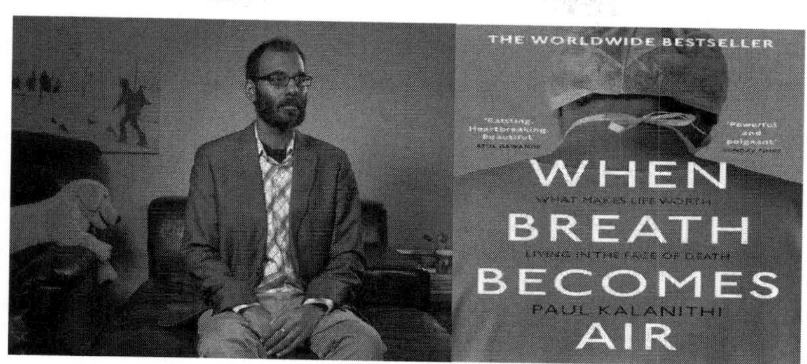

폴 칼라니티(Paul Kalanithi)는 1977년 인도 출신의 기독교 가정에서 태어나 미국 뉴욕에서 열 살까지 살다가 애리조나의 킹맨으로 이사했다. 그곳에서 고등학교에 다녔고, 수석으로 졸업했다. 스탠퍼드 대학에서 영문학 학사와 석사, 인간 생물학 학사를 취득했다. 그 후 케임브리지 대학 다윈 칼리지에서 '과학과 의학의 역사와 철학' 석사 학위를 취득했다. 처음에 영문학 박사 학위가 목표였지만, 예일대 의대를 다녔으며, 뚜렛(Tourette) 증후군 연구로 2007년 뛰어난 논문을 쓴 졸업생에게 수여하는 나훔(Nahum)상을 수상하며 졸업했다. 예일대에서 아내가 될 동료 의대생 루시 고더드(Lucy Goddard)를 만났다.

의과 대학을 졸업한 후 스탠퍼드 대학으로 돌아와 신경외과 레지던트 수련과 신경과학 박사후 펠로우십을 마쳤다. 그동안 스무 편 이상의 논문을 발표했으며 미국 신경외과 학회에서 레지던트 연구부문 최우수상을 받았다.

십 대와 이십 대에 신앙적으로 잠시 흔들릴 때도 기독교의 핵심 가치인 희생, 구속(救贖), 그리고 용서에 삶의 가치를 두었다. 또한 젊었을 때 조금 더 종교적이었다면 목사가 되었을 거라고 스스로 회고할 정도로 독실했다.

레지던트 6년 차인 2013년 5월, 레지던트 과정 수료를 일 년 앞두고, 전이성 4기 비소세포 상피세포 성장인자 수용체 양성 폐암 진단을 받았다. 질병에도 불구하고 계속해서 최선을 다해 환자를 돌보았다. 또한 글로 죽음에 맞섰다. 이년 후 서른일곱 살에 숨을 거두었다. 여덟 달 후, 스탠퍼드대학 병원 내과 의사이던 아내 루시 칼라니티는 『숨결이 바람 될 때(When breath becomes air』를 자신의 후기를 달아 랜덤하우스에서 출판했다. 널리 읽히면서 뉴욕타임즈 논픽션 베스트셀러 목록에서 8주 연속 1위를 차지했다.

의학은 칼라니티로 하여금 삶에 관해 더욱 명징하게 깨닫게 하였다. "나는 성적을 더 얻으려 애쓰기보다 의학을 좀 더 진지하게 이해하려고 노력했다. 무엇이 인간의 삶을 의미 있게 만드는가? 문학은 삶의 의미를 다채로운 이야기로 전해주었고, 신경과학은 그 이야기를 짓고 전달해주는 뇌의 규칙을 알게 했다." 그는 문학적 창의성과 의학적 사실의 멋진 배분을 잘 알고 있었다. 의학 경력과 문학 열정의 마뜩한 균형이야말로 말기 폐암과 치열한 전투를 치른 용기와 그 용기를 문학으로 담아낸 원동력이었다.

삶의 가장 큰 신비 중 하나인 죽음, 이승의 삶 뒤에 오는 엄연한 미스터리. 신경외과 의사로서 또한 폐암 환자로서 칼라니티는 놀라운 산문으로 이 주제와 맞섰다. 그는 책의 서두에 영국의 시인 풀크 그레빌(Fulke Greville) 남작의 시 「천상(天上)의 83(Caelica 83)」을 인용하며, 둘째 행에서 제목을 따왔다.

"죽음 속에서 삶의 의미를 찾는 그대, / 이제, 그것은 한때 숨결이었던 바람임을 / 알 수 없는 새 이름들, 사라져간 옛 이름들: / 세월에 육신이 끝나고 영혼이 남을 때까지. / 독자여! 시간을 내라, 지금 살아있지만, / 그대의 영원까지 몇 걸음."

삶의 숨결은 삶 이후의 바람으로 이어져 분다. 칼라니티의 숨결 역시 그렇다. 그의 글에선 여전히 가슴 저미는 꿋꿋한 바람이 불고, 예일대학 신경외과에선 2016년부터 매년 '폴 칼라니티 신경외과 전문적 탁월상(Dr. Paul Kalanithi Award for Professional Excellence in Neurosurgery)' 을 수여하고 있다. 신경외과 의사, 작가, 치유자로서 끊임없이 노력했던 칼라니티를 기려 연민, 공감, 끈질긴 헌신 등의 특성을 보인 예일대 신경외과 레지던트에게 주는 상이다.

봄, 바람이 분다. 언제 어디선가 만났고 헤어졌을 이들의 숨결. 모든 호흡이 훨씬 더 소중하게 느껴지는 거리로 나선다.74)

"불치병을 헤쳐 나가는 방법은 서로 깊이 사랑하는 것이다. 자신의 나약한 모습을 보여주고, 서로에게 친절하고 너그럽게 대하며, 감사의 마음을 품어야 한다"

-폴 칼라니티-

마. 사랑은 지독한, 너무나 정상적인 혼란

울리히 벡(Ulrich Beck)은 독일의 사회학자이다. 1944년 독일 포메른의 슈톨프에서 태어났지만 이 지역이 2차 세계대전 종전 이후 폴란드에 귀속되어 그의 일가족은 추방당하였고, 그 후에는 하노버에서 어린 시절을 보냈다.

대학원 시절 같은 과 여학생에게 사랑을 고백했다가 보기좋게 퇴짜를 맞고 연구실에 돌아와 내가 한 일은 칸트를 읽는 것이었다. 실연을 당하고 칸트를 읽는다? 일종의 심리적인 회피전술이랄 수 있겠지만 내가 생각해도 좀 이해가 안가는 시추에이션이기는 하다. 나는 술을 좋아하지만 슬프거나 기분 나쁠 때 절대로 마시지 않는다. 내 감정이 증폭되는 것이 두렵기 때문이다. 실연당했을 때 철학책을 읽으며 딴전을 피운 것도 나름대로 삶의 지혜(?)였다고나 할까.

나는 이제까지 한 번도 사랑하는 법에 대한 책을 읽어본 적이 없다. 그런 것은 책으로 배우는 게 아니라고 생각했기 때문이다. 그런 내가 얼마전에 〈사랑은 지독한, 그러나 너무나 정상적인 혼란〉(새물결)이라는 책을 집어들었다.

이 책은 〈위험사회〉로 유명한 독일의 사회학자 울리히 벡이, 역시 사회학자인 그의 아내 엘리자베트 벡 게른샤임과 함께 쓴 책이다. 제목이 무척 낭만적인 책이지만 어디까지나 현대인의 사랑과 결혼, 육아에 대한 성찰을 담고 있는 사회학 저서이다.

연애론과는 전혀 다른, 최근 사회학 분야에서 주목하고 있는 '친밀성(Intimacy)' 을 다루고 있다. 현대인들은 왜 친밀성의 위기를 겪는가, 그것의 사회적인 배경은 무엇인가 하는 것들이 이른바 '친밀성의 사회학'의 주된 관심사라 할 것이다.

그러고 보면 지금도 나는 딴전을 피우고 있다. 사랑의 묘법서를 읽어도 시원찮을 판에 사회과학책이나 뒤적이고 있으니 말이다. 하지만 이제 나는 안다. 사랑은 지독한 혼란이지만, 지금 다시 그 혼란 속에 나를 집어던지기로 마음먹고 있다는 것을.[75][76]

"결혼 이후의 사랑이 더 중요하지 않을까"

오십 이후의 삶에도 사랑이 문제일까. 젊었을 때의 사랑이란 상대의 사랑을 확인하고 싶고, 내 사랑이 받아들여졌으면 좋겠고, 지금의 사랑이 영원했으면 싶은 마음에 휘둘리는 정서적 긴장 상태였다. 이런 사랑은 점잖은 중년의 삶과는 거리가 멀듯 싶다. 그렇지만 오십 이후의 삶에도 사랑은 문제다. 더욱 문제다.

"사랑은 개인화의 위험에 저항할 수 있는 최상의 이데올로기이기도 하다. 이는 사랑이 다름을 강조하지만 모든 외로운 개인들에게 함께함을 약속해주기 때문이다. (…) 연인들 자신이 입법자이며, 서로에게서 기쁨을 느끼며 자체의 법을 제정한다." 울리히 벡과 엘리자베트 벡-게른스하임 부부가 쓴 〈사랑은 지독한 그러나 너무나 정상적인 혼란〉(1990)의 한 구절이다.

☞ 오늘날 가정 '두 개의 노동시장 일대기'

여기서 '개인화' 는 개인이 자신의 삶을 결정하고 그 주도권을 갖는 것, 다시 말해 자신의 일대기를 능동적으로 구성하는 것을 의미한다. 오늘날 현대사회를 살아가는 이들의 모습이다. 이 개인화가 순전히 개인의 선택인 것만은 아니다. 그것은 자기 확신과 소비의식의 혼합물이다. 이 개인화는 산업사회의 삶의 방식인 핵가족이 갖는 남녀의 성별 역할로부터의 해방을 의미하기도 한다. 노동시장·훈련·이동성 때문에 자기만의 삶을 가지려면 어쩔 수 없이 가족과 인간관계와 우정을 희생할 수밖에 없게 하기도 한다.

문제는 각자의 '개인화된 일대기'다. 개인화된 일대기는 사랑·결혼·가족에 강력한 영향을 미친다. 19세기에 기반을 잡은 산업화는 핵가족의 형성을 조장했고, 핵가족은 '집안에서의 무보수 노동'과 '집 밖에서의 시장'으로 조직되었다. 따라서 전통적인 핵가족 모델은 '하나의 노동시장 일대기'와 '평생의 가사노동 일대기'로 이뤄져 있었다.

그런데 오늘날 가정은 점차 '두 개의 노동시장 일대기'로 변해간다. 따라서 한 배우자가 직업을 갖고 돈을 벌어오며 다른 한 배우자가 집안일을 하고 정서적 돌봄을 제공하던 핵가족과는 다른 생활방식이 필요해진다. 이제 모든 것이 타협과 협상의 대상이 되고 전통적인 핵가족 모델은 크게 흔들리고 있다.

개인화 시대를 맞아 남성과 여성은 수많은 가정에서 '실망과 죄의식을 번갈아 치르며 세기의 전투'를 벌인다. '퇴근 후 아이를 누가 데리고 오느냐'부터 시작해서 '누가 쓰레기를 버리느냐'에 이르는 익숙한 전투다. 남편과 아내가 나빠서가 아니다. 양성평등은 양성 간의 불평등을 전제하는 제도들 안에서는 이루어질 수가 없기 때문에 함께 살기로 한 사랑하는 사람들이 치사한, 그러나 어쩔 수 없는 전투를 벌이게 되는 것이다.

현대가 시작되면서 개인화는 전적으로 남성의 특권이었다. 그런데 19세기 후반 이후 표준적인 여성 일대기도 급격히 변한다. 이제 양성 모두가 옛날의 역할 모델과 새로운 현실 사이에서 혼란스러워하고 있다. 여기서 저자들은 심리학자 밀러의 연구를 끌어온다. 밀러에 따르면 1970년대 내담자들이 결혼과 육아로 자기가 얼마나 많은 것을 포기했는지를 자각한 중년여성인 데 반해 이제 삶에서 충족되지 않는 감정적 욕구를 발견한 성공한 전문직 여성들이 상담을 받고 있다.

〈사랑은 지독한 그러나 너무나 정상적인 혼란〉은 서구사회를 분석한 책이다. 그러나 현재 우리 사회가 겪고 있는 가족의 변화와 크게 다르지 않다. 산업사회의 핵가족 모델을 '정상 가족'으로 보고, 그 외의 다른 가족을 '비정상'으로 보는 건 폭력적 시각이다. 현실과 맞지도 않다.

1인 가구는 이미 30%대이고, 비혼율은 늘고 있고, 출산율은 계속 낮아지고 있다. 한부모가족, 조손 가족, 재혼 가족, 성적 결합이 아닌 동거가족 등 다양한 가족의 형태가 점차 늘어나고 있다.

이제 가족이라는 제도는 사라지는 게 아닐까. 미래는 알 수 없는 일이다. 하지만 현재를 돌아보면 신기하게도 가족은 살아남아 있다. "가족은 내적 고향 상실을 좀 더 견딜 만한 것으로 보일 수 있게 만들어 주는 피난처가 되었으며, 낯설고 적대적인 것으로 되어가는 세계 속에서 하나의 항구가 되었다."

저자들은 마을공동체 같은 오래된 결속이 의미를 잃어갈수록 가족과 같은 바로 곁에 있는 결속이 정체성을 찾고 물질적·정신적 안녕을 유지하는 데 더 필수불가결한 것이 된다고 말한다. 안정적 관계를 가지려는 인간의 욕구는 여전한 셈이다.

☞ 중년 이후 훨씬 길어진 '빈둥지 기간'

오십 이후의 삶에서는 어떨까. 저자들에 따르면, 사회의 변화는 결혼에 있어 중년의 위기를 낳게 된다. 그 까닭은 일반적인 추세로서의 개인화, 특히 여성의 개인화, 기대수명의 연장에 있다. 오스트리아의 경우, 1870년에 결혼한 커플이 평균적으로 23.4년을 살았다면 1970년에 결혼한 커플은 43년을 함께 살게 된다. 또한 늘어난 기대수명에다 자녀수까지 줄어들어서 여성의 자녀양육 기간이 짧아졌다. 훨씬 길어진 '빈둥지 기간'을 갖게 된 것이다.

결국 아이들은 모두 떠날 것이다. 노동의 세계에 속했던 한 배우자가, 또는 두 배우자가 가정으로 귀환한다. 여태까지 전통적인 핵가족의 분업으로 살아왔던 부부라도, 각자 노동시장에 참여했던 부부라도 이제 과제는 같다. 부부는 새로운 공생의 협약을 맺어야 한다. 달리 말하자면 잘 지내기 위해 서로 노력해야 한다.

그래서 오십 이후의 삶에서 사랑은 여전히 문제다. 아니 더 중요한 문제다. 결혼도, 가족도, 친밀 공동체도 딛고 설 게 결국 사랑일 수밖에 없어서 그렇다.

저자들은 사랑이라는 강력한 힘이 자신의 고유한 규칙에 따라 사람들의 기대·불안·행동패턴 속에 자신의 메시지를 새겨넣는다고 말한다. 사람들은 사랑이 이끄는 대로 결혼하고 이혼하고 또 재혼한다. 또한 사랑은 우리가 자신과 다른 누군가와 접촉할 수 있는 유일한 곳이며, 살아 있음을 느끼게 해준다고 저자들은 말한다.

"당신 평생의 사랑이라고? 그것은 두 사람이 자신들의 인생 전체를 위해서 서로를 그럭저럭 참아낼 때 이루어진다고 나는 생각해." 〈사랑은 지독한 그러나 너무나 정상적인 혼란〉을 읽으면서 따로 적어놓은 구절이다. 오십 이후의 사랑에 꼭 어울리는 말이다.

로맨스 소설은 연애하고 결혼하는 데서 끝이 나지만 삶은 그 후에도 계속된다. 결혼 이후의 사랑이 더 중요한 것 아닐까. 사랑이 아니고서야 자신만의 일대기를 써가는 사람들이 어떻게 함께 살아갈 수가 있을까. 세상이란 전장에서 어떻게든 함께 늙어가는 것, 내 몫의 짐을 지고 짐을 진 동반자를 격려하며 함께 걸어가는 것. 오십 이후의 사랑은 이런 벅찬 모습으로 다가오는 것 아닐까.[77]

"오십 이후의 삶 빛낼 보물, 독서로 찾아보세요"

20년 동안 주부로 살며 세상과 단절된 채 맞이한 50대. 후회와

막막함과 맞닥뜨렸을 때, 자신을 위로한 건 책이었다. 50대에 들어 읽은 책 50권을 뽑아 삶의 의미를 성찰한 책 '어른의 인생 수업'을 펴낸 성지연씨.

학창시절, 도서관에서 책 읽는 것을 좋아하던 문학도였다. 대학에서 시인 김수영 연구로 석사학위를, 소설가 최인훈 연구로 박사학위를 받았다. 시간강사로 잠시 일했다. 육아와 살림에 매진하면서 2003년 생업을 떠났다. 딸아이가 어느덧 어른이 되고, 살림이 손에 익어버렸을 때 쉰을 맞이했다. 공허감이 엄습했다. '이대로 살아도 될 것인가.'

최근 출간된 에세이 '어른의 인생 수업(인물과사상사)' 은 그런 삶의 빈 자리에서 나왔다. 저자 성지연 씨는 이를테면 '고학력 경력단절 여성' . "나름 열심히 살지 않은 건 아니었는데, 사회에서 일찌감치 퇴장했다는 단절감이 컸죠." 백세시대라 치면 이제 겨우 인생의 반환점을 돌았을 뿐이지만, 텅 빈 마음이 들었다. 그때 만난 것이 미국의 사회활동가 파커 파머가 쓴 '삶이 내게 말을 걸어올 때' 의 한 구절이다.

" '우리가 닫힌 문 두드리기를 그만두고 돌아서기만 하면 뒤쪽에 있는 다른 문에 다다른다. 그러면 넓은 인생이 우리 영혼 앞에 활짝 열려 있다' 는 문장을 보고, 과거에 대한 후회에 머물기보다 지금 현재에서 다시 시작해야겠다고 마음먹었어요."

그때부터 '오십 이후의 삶' 이라는 주제에 맞춰 읽고 썼다. 20년 동안 세상에서 한 발자국 물러선 주부로 살던 그에게 독서와 글쓰기는 끊어진 절벽에 길을 내는 다리였다. 그 다리가 닿는 곳은 역시 인생의 반환점에서 삶을 돌아보는 이들일 터였다.

고전 '파우스트(1831)' 에서 현대 여성 작가의 에세이 '우아하고 호쾌한 여자 축구(2018)' 까지 50권의 책을 골라 인생 후반부를 빛낼 수 있는 사유와 위로를 담담하고 다채롭게 풀었다. 얀 마텔의 소설 '파이 이야기' 에서 의미를 부여하는 삶의 태도를 읽고, 사회학자 울리히 벡과 엘리자베트 벡게른스하임 부부가 쓴 '사랑은 지독한, 그러나 너무나 정상적인 혼란' 에서 사랑의 본질과 가족 제도를 고찰한다.

과거에 읽었을 때와 감상이 달라진 책도 있다. 1952년 발표된 어니스트 헤밍웨이의 '노인과 바다' 를 예전에 읽었을 때는 결국 물고기를 잡지 못하고 돌아오는 노인을 '패배' 의 시선으로 바라봤다. 하지만 지금은 승패와 무관한 삶의 태도로 읽힌다. "나이 들어보니 노인이 바다를 사랑했던 것처럼, 성공이나 실패와 무관하게 내 삶에서 나만의 이야기를 길어내야겠다 싶더군요."

각종 쇼트폼 영상 콘텐츠나 OTT 신작 시청만으로도 시간이 부족한 시대다. 여전히 책이 우리를 구할 수 있을까. 인생 후반부의 의미를 책에서 찾은 그가 말했다. "삶이 보물 찾기 과정이라면 보물을 찾는 건 자신의 몫이에요. 스스로 주체가 돼 나의 이야기를 찾는 데 독서만큼 유용한 게 없다고 자부합니다." [78)79)]

당신의 사랑은 안녕하신가요? 사회학자들이 밝히는 사랑

세계화에 의해 모양새가 달라지고 있는 가족과 사랑에 대한 사회학 보고서다. 독일의 사회학자 울리히 벡 뮌헨대 교수와 그의 아내 엘리자베트 벡-게른스하임 에어랑엔대 교수가 하루가 다르게 바뀌는 현대의 가족 형태를 분석했다. 개인화된 현대인의 사랑 방식을 분석한 이들의 전작 '사랑은 지독한, 그러나 너무나 정상적인 혼란' 의 속편 격이다.

지리적으로 멀리 떨어진 사람 간의 감정 작용을 장거리 사랑이라고 이름 붙인 저자는 비육체성과 인터넷의 익명성이 사랑을 찾는 행위의 낭만성을 고양시킨다고 설명한다. 책은 세계 가족이나 장거리 사랑이 또 다른 갈등을 가져올 수 있다고 지적한다. 이국 땅에서 다른 가정의 아이들 돌보며 일하다가 고향에 돌아온 어머니를 정작 자녀가 받아들이지 못하는 상황이 발생하기도 한다는 것이다.[80][81]

바. 지금 이 순간을 살아라

에크하르트 톨레 (Eckhart Tolle)는 독일태생의 영성 지도자로 자기계발에 관한 작가이다. 저서로는《지금 이 순간을 살아라》,《새로운 세상 : 당신의 인생의 목적을 일깨워라》,《존재의 보호자들》등이 있다.

그는 1977년 어느 저녁, 그의 나이 29살 때, 만성적인 우울증을 겪다가 "내적 변혁" 을 경험했다고 말한다.

"죽이는 나는 누구이고 죽는 나는 누구인가."

에크하르트 톨레는 20대에 지독한 우울증을 앓았다. 중증이었다. 톨레는 어느날 자살을 결심했다. 이윽고 스스로 목숨을 끊으려는 순간이 다가왔다. 그 순간 톨레는 마치 계시를 받은 듯 '죽이는 나는 누구이고 죽는 나는 누구인가' 라는 돌연한 의문에 휩싸이게 된다. 그와 동시에 삶과 죽음에 대한 깊은 각성의 순간을 체험한다. < 지금 이 순간을 살아라 > (양문)는 그 때의 깨달음을 기록한 책이다. 저자는 마음의 평화를 얻을 수있는 방법을 자신의 체험을 통해 쉽고 명쾌하게 설명해준다.

톨레에 따르면 사람의 마음은 생각으로 연결되고 생각의 대부분은 '에고' 에 대한 집착이다. 그 집착은 고립, 분열, 두려움, 불안,

우울 등 부정적 에너지로 향하고 사람을 파괴적으로 이끈다. 에고는 바다에 비유하자면 파도의 물거품이다. 사람들은 물거품에 집착하며 산다.

톨레는 '본질적인 나' 는 신 또는 우주에너지 그 자체라고 말한다. 지금 이 순간 전체성(全體性) 속에서 나를 찾으면 우주에너지와 자연스레 합일되고 궁극적인 평화를 느낄 수 있다는 것이다. 그러나 매 순간 '본질적인 나' 로 살기 위해서는 끊임없는 각성이 필요하다. 내 마음과 생각이 무의식적으로 에고에 이끌리고 있지 않는지 늘 주시해야 한다.

톨레는 영성(靈性)을 발달시키는 것이야말로 현대 문명이 풀어야 할 과제라고 주장한다. 현대인이 갖고 있는 많은 병리 현상도 '지금 이 순간을 사는 훈련' 으로 해결될 수 있다고 말한다. 그리고 이런 연습이 반복되면 사랑과 같은 궁극적 평화를 맞이하게 될 것이라고 제언한다. 광기에 사로잡힌 물질문명의 파괴성도, 극단적 이기주의도 이를 통해 해결할 수 있다는 것이다. 종교와 이념에 관계없이 마음의 평화를 갈구하는 모든 현대인에게 추천하고 싶은 책이다.[82][83]

인간은 하루에 오만가지 이상의 생각들을 하면서 산다. 과거와 미래를 왔다 갔다 하면서 생각의 늪 속에서 살아가는 사람들이 대부분이다. 특히 좋지 않은 일의 경우, 생각의 늪은 감정까지 끌어들여 자신을 괴롭히고 고통을 안겨 준다. 이런 것들이 모두 스트레스에 속하며 심해지면 건강까지 해치게 된다.

자기 자신이라고 생각하는 마음이나 생각 그리고 감정의 늪인 ' 에고'는 진짜 자신인 '참자아' 를 느낄 수 없게 한다.

「지금 이 순간을 살아라」는 이러한 오만가지 생각과 다양한 감정으로부터 자신을 구출해 주는 지침서와 같은 책이다.

저자 에크하르트 톨레는 세계적인 선지식 중 한 명으로 과거 극심한 우울증으로 괴로움과 고통 속에서 하루하루를 보내게 된다. 그러던 어느 날, 고통을 느끼는 주체와 이 고통을 알아차리는 주체가 따로 있음을 알아차린다.

'고통을 느끼는 나는 누구지? 고통스러워하고 있다는 걸 아는 나는 누구지?' 이 물음과 동시에 고통을 느끼는 나와 알아차리는 나가 따로 있음을 깨닫게 된다. 이 후 다양한 선각자를 통해 마음 공부를 한 후 세계적인 영적 지도자로 거듭났다.

보통 서양인들은 어느 날 단박에 깨달음을 얻게 되고, 동양인들은 오랜 수행으로 깨달음을 얻게 된다고 김홍근 교수가 말했다.

아무튼 이날부터 저자는 이 의문점을 발판으로 하여 다양한 영적 공부를 하게 된다. 일종의 마음공부라고 보면 되겠다.

사. 제인 오스틴(Jane Austen) '오만과 편견'

제인 오스틴(Jane Austen)은 영국의 작가이다. 일상 속의 평범한 사람들을 다룸으로써 현대적 성격을 지닌 소설을 최초로 썼다. 대표작으로 〈오만과 편견〉, 〈노생거 수도원〉, 〈설득〉 등이 있다.

제인 오스틴은 〈분별과 다감(多感) Sense and Sensibility〉(1811) · 〈오만과 편견 Pride and Prejudice〉(1813) · 〈맨스필드 공원 Mansfield Park〉(1814) · 〈에마 Emma〉(1815) · 〈노생거 수도원 Northanger Abbey〉(1817, 사후 출판) · 〈설득 Persuasion〉(1817) 등의 소설에서 당시 영국 중산층의 풍속희극을 창조해냈다.

오만과 편견(Pride and Prejudice)은 영국의 소설가 오스틴이 지은 장편 소설로 시골의 지주 베네트가(家)의 딸 제인과 엘리자베스가 우여곡절 끝에 사랑을 성취한다는 내용이다.

사람은 누구나 사랑을 한다. 어떤 이들은 사랑이 아름답다 하고 어떤 이들은 사랑은 고통이라 한다. 사람들마다 다른 형태로 찾아오는 사랑이지만 상대방의 마음을 얻기까지는 반드시 밀고 당기며 재고 따지는 시간을 갖게 마련이다. 그리고 무수히 많은 오만과 편견을 만들어내지만 결론적으로는 사랑에 빠진다.

'오만과 편견' (민음사)은 바로 그 사랑의 얄궂음에 대처하기 위한 명쾌한 해법서다. 제인 오스틴만큼 사랑과 결혼의 길이 평행할 수 없다는 그 간단하면서도 명확한 진실을 이토록 마음에 와닿도록 알려주는 작가도 드물다.

작가는 작품에 자신의 이야기를 투영한다고 한다. 하지만 사랑과 결혼이라는 감정과 과정에 대해 그렇게 해박했던 제인 오스틴은 아이러니하게도 독신으로 생을 마감했다. 자신과 달리 자신의 작품 속 주인공에게는 해피엔딩을 선물했다고 한다. 그리고 단 한 명만을 가슴에 품고 그 사랑을 잊지 못해 10년 동안 절필까지 했다니 역시 사랑이란 잘 알고 있어도 쉽게 풀리지 않는 숙제인가 보다. 그 사랑이 어찌 보면 아픔이지만, 또 한편으론 그녀를 세기의 작가로 만들어 주었으니 그 역시 행복이지 않았을까?

혹자는 사랑에 대한 이야기를 가볍고 진중하지 못하다고 하지만 사랑이야말로 사람이 가진 감정 중 가장 솔직한 감정이 아닌지. 냉정하게도 사랑은 말로 표현하기가 어렵다. 사랑의 열병을 앓는 사람들에게 가혹한 일이긴 하지만 사랑이라는 감정을 또 말로 표현할 수 있는 것이라면 얼마나 싱거울까. 따스함이 그리워지는 계절이다. 낙엽 지는 가을 거리를 사랑하는 사람과 함께 걸어보는 건 어떨까.[84)85)]

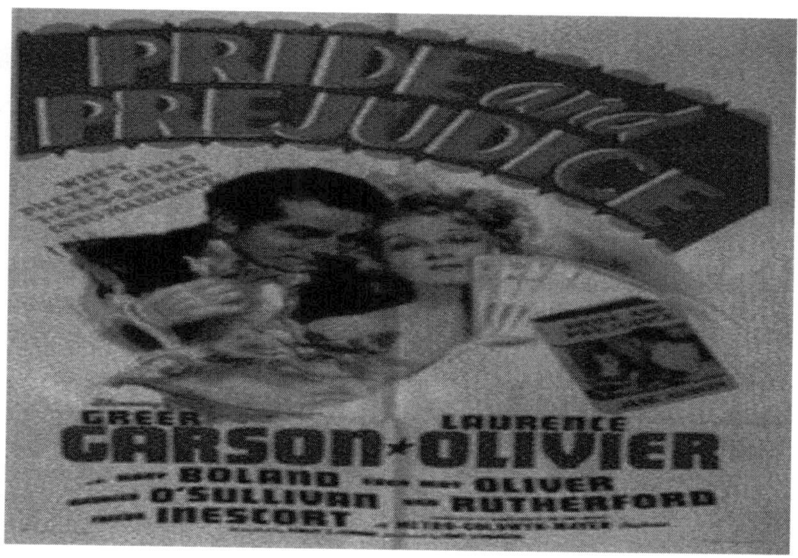

아. 토니오 크뢰거— '베네치아에서의 죽음' 中

토마스 만은 1875년 북독일 뤼베크에서 태어났다. 아버지 토마스 요한 하인리히 만은 곡물상이자 시의회 의원이고, 어머니 율리아는 반은 포르투갈계이고 반은 크레올계인 남부 출신으로, 그는 아버지로부터 북독일적인 이성과 엄격한 도덕관을, 그리고 어머니로부터 남국인의 정열과 예술적인 재능을 물려받았다. 유년 시절은 부유하고 행복했으나 아버지가 죽고 회사가 정리되면서 가세가 급격히 기울었다.

1983년 자신이 발간한 '봄의 폭풍우' 지에 처음으로 글을 실었으며 뮌헨 공과대학에서 미학, 예술 문학, 경제 및 역사 강의를 들었다. 1901년 첫 장편소설 '부르덴브르크 가의 사람들' 을 발표하면서 국내외적으로 이름을 알리게 되었으며, 단편집 '토니오 크뢰거' (1903)를 출간하였다. 1905년 뮌헨대 교수의 딸과 결혼하여 3남3녀를 낳았으나 행복한 삶을 누리지 못했다. 두 여동생이 자살하고, 아들 클라우스 만이 자살했으며 막내 미하엘 만도 신경안정제 과용으로 의문사했다. 1912년 폐병 증세가 있었던 부인이 다보스 요양원에 입원했는데 이후 그곳의 체험을 바탕으로 12년 만에 '마(魔)의 산' 을 완성했다.

1914년 제1차 세계대전이 발발하자 창작을 중단하고 정치 평론을 발표했다. 전쟁 초기 사상적인 이유로 형 하인리히 만과 불화를 겪다가 평론 '독일 공화국' (1922)을 통해 민주주의와 시민계급에 대한 옹호 입장을 표명했다. 1929년 '부덴브로크 가의 사람들' 로 노벨문학상을 수상하였다. 나치 정권의 박해, 공산주의자라는 누명을 쓰고 미국과 스위스로 이주지를 옮겨가며 지내다 1955년 취리히에서 심장병으로 사망했다. 1910년부터 쓰기 시작한 '사기꾼 펠

릭스 크룰의 고백' 은 1954년 '회상록 제1부' 라는 제목이 덧붙여져 출간되었으나 결국 미완성으로 남았다.

'토니오 크뢰거' 는 평생 작품 활동에 전념하면서 인류에 대한 사랑과 인간적 삶을 추구해 온 작가, 토마스 만의 간절한 열망이 고스란히 반영돼 있다. 평범하고 행복한 생활들에 대한 동경과 사랑, 환멸의 아이러니가 에로틱하게 그려진 이 작품은 예술과 시민이라고 하는 양 극단의 사이에서 방황하며 존재하는 인간, 토니오 크뢰거의 이야기를 통해 인간 실존에 대한 통찰을 가능케 한다. 또한 그는 이 작품을 통해 예술가와 시민 사이의 갈등을 정신과 삶의 갈등으로 한 단계 승격시켰다는 평가를 받았다.

작품의 주인공 토니오처럼 작가 토마스 만은 양극적인 정체성을 띤 작가였다. 시민적 윤리의 표본인 아버지와 예술적 소양을 갖고 있었던 이국 혈통의 어머니에게 영향을 받았던 그는 정신과 관능의 대립 양상을 통해 극단성이 지닌 위험요소와 예술가로서의 불안 심리를 '토니오 크뢰거' 를 통해 탁월하게 펼쳐 보인다. 또한 예술성이 시민적 사랑에 의해 보다 성숙해지는 결말을 암시함으로써 인간은 예술을 통해 결속할 수 있다는 괴테의 세계관을 그대로 전수하고 있다.

Caspar David Friedrich - Wanderer Above the Sea of Fog (1818)

☞ 자고 싶다, 그리고 춤추고 싶다

그 영혼은 푸른 별을 갖고 있었다. 그리고 시간의 갈피에 끼워 놓은 아침들을. 어쩌면 에스파냐의 시인인 로르카는 토니오 크뢰거를 알고 있었는지도 모른다. 열정의 환영들로 괴로워하고, 슬픔이 없는 기억들과 오래 익어버린 과일 같은 그 남자, 토니오 크뢰거를.

"넌 우울한 시 따위를 보느라 밝은 눈을 흐리게 해선 안 돼! 어리석은 꿈에 잠겨서도 안 돼!" 가파른 파도를 타고 배가 흔들렸다. 구름이 무서운 속도로 달을 스쳐 지나갔다.

"왜 안 되지? 죽음을 맛보고도 그만두지 못하는 그 달콤한 일을 왜 하지 말라는 거지?"

"인식의 저주와 창작이 주는 고통 때문이야."

나는 심한 구역질을 느꼈다. 바다는 두 팔을 휘둘러 미친 듯 날뛰며 물거품을 사방으로 내동댕이쳤다. 내 목소리가 물거품과 함께 부서져 차가운 대기 속으로, 포말의 혼돈 속으로 날아가 흩어졌다.

"올바르고 즐겁고 소박하게, 규칙과 질서에 맞게, 신과 세상 사람들의 동의를 받으며 자라나 아무런 악의가 없는 사랑을 받기엔 나도 이미 늦어버렸어. 다시 시작할 수 있을까? 그 저주에서 벗어나 사람을 사랑하고 또다시 인생을 찬미할 수 있을까."

"다시 시작한다고? 또다시? 그래 봤자 아무 소용이 없을 것이다. 어차피 이렇게 되고 말 것이고, 모든 것이 지금과 똑같이 되고 말 테니까."

《어떤 사람들이 어쩔 수 없이 잘못된 길을 걷는 까닭은 이들에겐 올바른 길이란 아예 존재하지 않기 때문이야.》

그렇다고 몰입하는 관계가 완벽해질 거라곤 생각하지 말라. 한평생을 함께해도 채워지지 않는 게 있을 테니까.

☞ 가장 많이 사랑하는 자는 패배자이다

그는 외로웠고, 정상적이고 평범한 사람들에게서 따돌림을 받고 있었다. 열네 살, 토니어 크뢰거는 겨울 해가 애처로운 빛으로 떨어지지는 오후, 싸라기눈이 내리는 교정을 지나가고 있었다. 교문을 나와 차도에 한참 서 있던 토니어의 눈빛이 반짝 빛났다. 건너편에 강철빛 푸른 눈동자를 지닌 헌헌장부(軒軒丈夫), 한스 한젠의 모습이 보였기 때문이다. 한스는 리본이 달린 덴마크식 선원모자를 쓰고, 넓고 푸른 칼라가 양 어깨와 등 뒤에 펼쳐져 있는 고급스런 해군복 상의를 입고 있었다.

한스와 토니오의 아버지는 각기 공직에 몸담고 있으면서 큰 사업을 하는 도시의 유력 인사들이었다. 한젠 집안은 이미 여러 세대 전부터 강변에 매우 널찍한 목재 적재장을 소유하고 있었다. 토니오의 아버지는 영사였다. 매일같이 크뢰거 영사가 경영하는 상회에서는 곡물자루를 실은 마차가 빠져나와 거리로 흘러갔다.

토니오는 약속을 지키지 않은 한스로 인해 마음의 고통을 느꼈다. 그러나 기다려줘서 고맙다는 말에 그 고통은 거품처럼 사라졌다. 토니오는 알고 있었다. 그 정도의 고통은 혼자 사랑하는 자가 마땅히 감수해야 할 운명이라는 것을. 토니오는 예민했다. 자신의 주변에 있는 모든 것들, 이를테면 집의 정원에 있는 분수와 오래된 호두나무, 자신의 손때 묻은 바이올린과 멀리 있는 발트해의 울음소리를 들었다. 그리고 그것들을 다시 정교한 활자로 조각해 공책에 옮겨 놓았다. 그러다 어느 날, 실수로 시를 적어 놓은 공책을 들키는 바람에 친구들과 선생님으로부터 눈총을 받게 되었다. 아무도 토니오를 이해하지 못했다. 그것은 토니오 역시 마찬가지였다. 이 때문에 그는 누구와도 어울리지 못하고 시간을 헛되이 보내는 날이 많아졌다. 크뢰거 영사는 아들의 한심한 성적표를 받아들고 불같이 화를 냈다. 반면 이국적인 외모의 어머니 콘수엘로는 크게 염려하지 않았다. 토니오는 그런 어머니가 마음에 들었다. 그는 그랜드 피아노와 만돌린을 기막히게 연주하는 어머니 콘수엘로를 깊이 사랑했으나 한편으론 자신을 대하는 태도에 무책임함이 있음을 알고 서운해했다.

그런 토니오와 달리 한스 한젠은 완벽한 사랑을 받았다. 한스는 승마와 체조, 수영 등 못하는 운동이 없었고 학업성적까지 뛰어나 뭇사람들의 관심 속에 성장했다. 토니오는 한스에게 질투심 섞인 동경을 느꼈다. 한스의 사랑을 얻기 위해 토니오는 더 많이 노력해야 했다.

잉에보르크 홀름! 금발의 푸른 눈, 잉에는 토니오의 첫사랑이었다. 잉에 홀름은 의사 홀름의 딸로 토니오와 한스가 속해 있는 최상류층 그룹의 일원이기도 했다. 열여섯 살 때 잉에가 한스의 눈앞에 나타났다. 춤과 예절을 배우는 교습시간이었다. 따스한 여운이 울리는 목소리와 웃고 있는 두 눈, 주근깨가 있는 부드러운 윤곽의 콧마루를 지닌 잉에의 얼굴은 그날 영원히 토니오의 가슴에 새겨졌다. 그는 잉에, 금발의 잉에, 오직 사랑스러운 잉에만을 응시했다.

그러나 토니오는 그녀에게 너무 열중한 나머지 여학생들만 추는 '숙녀들의 풍차' 에 나서서 망신을 당하고 만다. 다시 음악이 흐르고 춤이 시작되자 토니오는 홀로 블라인드가 내려져 있는 창가로 갔다. 무엇 때문에 자신이 오래된 호두나무가 보이는 창가를 떠나 이곳에 와 있는 것인지 알 수 없었다. '아무리 그래도 너, 잉에 홀름은 춤추는 것을 멈추고 나, 토니오 크뢰거를 향해 다가오지 않을 것이다.' 그러다가 토니오의 심장은 다시 고동쳤다. '변치 않는 마음! 내가 살아 있는 한 변치 않고 너, 잉에보르크를 사랑할 거야!' 그는 속으로 외쳤다.

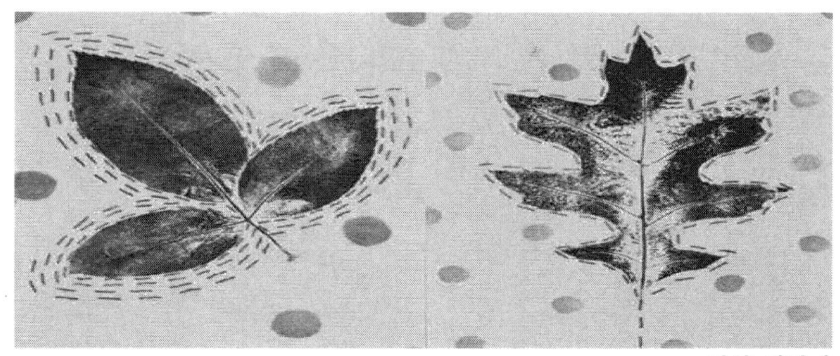

판화=장길재

☞ 길을 잘못 든 시민

그러나 얼마 안 가 토니오는 사랑의 불꽃이 영원하지 않음을 깨달았다. 어떻게든 사그라드는 불씨를 살려보려고 가슴속의 불탄 자리를 휘저었지만 불씨는 사라지고 없었다. 대신 생은 토니오가 열정을 바쳐 사랑한 것을 선물로 주었다. 그로부터 앗을 수 있는 모든 것을 다 앗아가 버린 후였다. 그는 여러 대도시에서 살았다. 그리고 태양이 자신의 예술을 좀 더 풍요롭게 성숙시켜 줄 것이라 기대하며 남쪽나라에 정착했다. 토니오를 그쪽으로 끌어당긴 것은 어쩌면 어머니의 피였는지도 모른다. 콘수엘로는 크뢰거 영사가 죽고 난 후 남쪽나라 출신의 예술가와 함께 하늘이 푸른 먼 남쪽나라로 떠나버렸다. 토니오는 양극단 사이, 얼음장 같은 정신성과 관능의 화염 사이를 불안하게 오가며 피로한 삶을 이어갔다. 지성은 자신의 이름이 가리키는 것처럼 토니오를 남쪽으로, 크뢰거를 북쪽을 향하게 했다. 몸이 쇠약해짐에 따라 예술적 재능은 더 날카로워지고 더욱 섬세하며 극도로 예민해졌다. 남쪽에 대한 질투심과 북쪽에 대한 환멸, 양 극단을 향한 동경과 회한을 동시에 느낄 때마다 그의 심장은 다시 격렬하게 고동쳤다. 특유의 근면함으로 그는 온전히 열정을 쏟아부어 완성한 작품을 세상에 내놓았다. 그리하여 토니오 크뢰거, 그 아이러니한 이름은 당당히 세상 사람들의 마음을 얻었다.

어느 날 토니오는 격의 없이 지내는 또래의 친구, 리자베타 이바노브나를 방문했다. 천창(天窓)으로 금빛 햇살이 쏟아지는 그곳은 정착액이며 물감 냄새가 진동하는 화가의 아틀리에였다. "리자베타, 우리 예술가들은 인간이 아닌 존재가 되거나 비인간적으로 될 필요가 있습니다. 인간이 되어 느끼기 시작하자마자 그것으로 끝장입니다."

《인간적인 것에 동참하지 않으면서 인간적인 것을 서술하느라 나는 가끔 죽도록 피곤합니다.》

토니오는 자의식이 극도로 예민해져 있었다. 소심함과 불안감 속에서 그는 비탄에 잠겨 있었다. "햄릿은 알도록 태어나지 않았으면서 알도록 소명을 받는다는 것이 무언지 알고 있었습니다. 눈물에 젖은 감정의 베일을 뚫고 통찰해야 하고, 인식하고 주의 깊게 살피며 관찰해야 합니다. 감정에 눈이 멀어 인간의 시선이 흐려지는 순간에도 관찰을 멈출 수가 없습니다. 그것은 울화가 치미는 일입니다." 토니오는 격렬한 감정에 사로잡혀 저주하고 분노하며 고백했다. "문학을 통해 구원을 받았지만 삶은 조금도 굴하지 않고 계속 죄를 저지릅니다. 정신의 눈으로 볼 때는 모든 행동이 죄악이기 때문입니다……. 그러나 리자베타, 나는 삶을 사랑합니다." 리자베타는 차분한 음성으로 대답했다.

"토니오, 나도 해답을 알려드리지요. 당신은 누가 뭐래도 한 사람의 시민이라는 사실입니다. 당신은 '길을 잘못 든 시민' 입니다."

☞ 창 너머 호두나무는

가을 무렵, 토니오 크뢰거는 13년 만에 북쪽으로 여행을 떠났다. 비웃음을 품고 떠나왔던 도시, 뾰족한 첨탑들이 회색 하늘을 향해 우뚝 솟아 있는 중세풍의 그림 같은 도시였다. 호텔에서 하룻밤을 머물고 난 뒤 그는 거리로 나섰다. 정답고도 쓰라린 향내를 실은 세찬 바람이 얼굴에 부딪쳐 왔다. 그는 회한에 찬 시선으로 슬픈 꿈길 같은 거리를 걸었다. 어느덧 그는 자기도 모르는 사이 고향집을 향해 걷고 있었다. 가슴이 불안하게 두근거렸다. 그는 '공공도서관' 이라고 쓰여진 문 앞에 멈춰 섰다. 천장에 닿을 듯한 높이로 어두컴컴한 서가에 책이 줄지어 꽂혀 있었다. 각 방마다 행색이 초라한 사람이 한 명씩 앉아 무엇인가를 쓰고 있었다. 토니오는 책을 한 권 뽑아 보는 시늉을 하며 창가에 가서 섰다. '여기는 아침 식사를 하는 방이었다.' 속으로 생각하며 그 방에서 함께 식사를 했던 가족들을 한 사람씩 떠올렸다. 자기 방이었던 공간 역시 어떤 사람이 앉아 지키고 있었다.

그가 최초로 쓴 시를 보관해 두었던 책상, 창 너머 호두나무. 찡한 애수가 온몸을 훑고 지나갔다. 정원의 호두나무는 바람에 힘겹게 우두둑거리고 솨솨 소리를 내며 여전히 그 자리에 서 있었다. 잠시 후 그는 발소리가 쾅쾅 울리는 마루를 지나 자신이 살던 집을 떠났다.

덴마크의 한적한 해변, 바다가 보이는 호텔에 머물며 토니오는 깊디깊은 망각의 상태에 빠져들었다. 가끔씩 어떤 유래를 알 수 없는 슬픔이 몰려오곤 했으나 그는 여러 날 동안 아무 생각도 하지 않았다. 그 사건은 태양이 중천에 떠 있던 날, 느닷없이 일어났다.

☞ 난 자고 싶은데, 넌 춤을 추겠다는구나

한스 한젠과 잉에보르크 홀름이 그의 눈앞에 나타난 것이다. 그가 식당에서 늦은 아침을 먹고 있을 때였다. 화사한 옷차림을 한 금발의 잉에와 금단추가 달린 반코트를 걸친 한스가 토니오의 시야 안으로 들어왔다. 오전 열한시 반에 일어난 일이었다. 그들은 바다를 배경으로 토니오의 눈앞을 스쳐 지나갔다.

호텔에 무도회가 열리던 날, 토니오는 다시 두 사람을 만났다. 강철빛 푸른 눈과 금발의 머리칼을 한두 사람은 부부가 되어 있었다. 토니오는 고통 속에서 얼굴이 비틀리는 것을 느끼며 어둠 속으로 숨었다. '내가 너희들을 잊은 적이 있었던가? 아니, 한 번도 없었어! 한스, 너도, 금발의 잉에, 너도 결코 잊은 적이 없었어!'

토니오는 자신이 간절히 짝사랑했던 두 사람을 바라보며 심장이 찢기는 고통을 느꼈다. 나는 어둠 속에서 속삭였다. "그들 앞에 나가서 당당하게 인사를 하는 거야."

토니오는 겁에 질린 눈빛으로 홀을 바라보며 말했다.

"용기가 나지 않아. 저들은 내게 대답하지 않을 거야. 미소로나마 대답을 해준다면 좋을 텐데."

"하지만 네가 글을 쓰게 된 건 바로 저들 때문이잖아."

"그래, 그랬지. 잉에를 아내로 삼고 한스 같은 아들을 두고 싶었어. 하지만 이제 그 모두가 불가능한 일이란 걸 알지."

새로 춤이 시작될 모양이었다. 토니오는 끔찍했던 옛 기억을 떠올리고 얼굴을 붉혔다. 그 옛날처럼 카드리유가 시작될 것이다. 토니오의 몸은 더 작게 움츠러들었다.

"금발의 잉에, 넌 나를 비웃었지. 넌 나를 보고 마구 비웃었어. 지금도 그렇겠지. 너희들은 너희들의 생각이 영원히 옳다고 생각할 것이다."

그는 오랫동안 기억에 떠올린 적 없었던 시구를 읊조렸다.

"난 자고 싶은데, 넌 춤을 추겠다는구나."

한 차례 춤이 끝나자 토니오는 눈물 젖은 눈으로 그들을 응시했다. 기쁨에 들떠 만발한 꽃처럼 타오르고 있는 그들의 생기 넘치는 모습을. 토니오 크뢰거는 어둠 속에서 말했다.

"아, 옛날과 똑같구나. 난 너희들 행복한 생활인들의 환심을 사려고 괴로워하다가 결국 그 자리를 떠났지. 금발의 잉에, 너는 내가 가버린 것을 알아채고 뒤쫓아 나와, 내 어깨를 붙잡고 '이리 들어와, 힘내. 너를 사랑해' 라고 말해야 했다. 그러나 너는 결코 오지 않았다. 그런 일은 끝내 일어나지 않았지."

실내에는 삶의 달콤하고 통속적인 4분의 3박자가 물결치듯 흐르고 있었다. 나는 토니오 크뢰거의 어깨를 붙잡고 말했다.

"괜찮아. 너는 충분히 사랑했어. 삶 전체를 사랑했지."

내가 남모르게 깊이 사랑하는 사람들은 금발에 푸른 눈을 지닌 사람들, 밝고 생기에 넘치며 행복한 사람들, 사랑스럽고 평범한 사람들입니다.》 86)87)

자. 내안의 기적을 만나라

"진정한 당신의 행복, 이미 마음속에 있다."

지난해도 그렇고, 올해도 매우 힘든 해가 될 것 같다. 힘들고 지칠 때면 내가 제일 좋아하는 책과 함께 하며 시름을 달래곤 하는데, 그중에서도 지난해 발견한 보물 같은 책이 바로 < 내안의 기적을 만나라 > (안젤름 그륀 지음, 전옥례 옮김)였다.

털보 신부님이라는 애칭으로 유명한 안젤름 그륀(Anselm GrunAnselm Grün)은 독일의 정신적 아버지로 세계적 명성을 지닌 신학자이다. 특히 이 책은 역자인 전옥례씨의 매끄러운 번역도 단단히 한몫하고 있다.

이 책은 '행복은 내 안에 있으며, 기적은 바로 그곳에서부터 시작된다' 고 말하며 수세기에 걸쳐 인종과 종교를 초월해 전해지는 현자들과 철학자들의 지혜를 바탕으로 진심 어린 조언을 하고 있다.

삶에서 기적을 믿는 사람은 날마다 견뎌야 하는 부정적인 영향력들을 강건하게 버텨낼 수 있다. 마음을 오염시키는 상처와 분노와 고통 속에서 기적은 우리의 삶을 지켜주기 때문이다. 영적인 세계를 추구하는 사람들이 지금 우리가 겪고 있는 많은 일에 대해 유사한 지혜로 깨달음을 주는 것이 신기할 따름이다.

진정으로 행복해지고 싶은 사람이라면 자신의 내면에 있는 반대되는 두 가지 요소를 잘 다스릴 줄 알아야 한다. 육체와 영혼, 빛과 어둠, 장점과 단점 등 두 가지 면을 하나이면서 둘인 은행잎처럼, 하나로 잘 융합할 수 있는 사람이라면 참으로 현명한 사람이며, 성공한 삶이다.

매우 어려운 때이다. 하지만, 마음 먹기에 따라 어떤 상황에서도 귀중한 교훈을 얻을 수 있다. '성공과 성숙' 이라는 선물은 '시련과 고통' 이라는 포장지로 싸여 배달된다고 한다. 이 책을 곁에 두고 읽는다면 시련과 고통에 싸여 배달되는 '성숙' 이라는 선물을 받아볼 수 있을 것이다.[88][89]

"1950년대 연애"

50년대 연애는 자유연애 사상과 가부장제 경합 구조에서 적절한 타협점을 찾아 나가던 중이었다. 연애를 서로 이해하고 사랑을 키워 가는 하나의 과정으로 인식하고 그 과정을 연애 당사자 간 사적 영역으로 존중하려는 초진보적 의식이 발견되기도 했지만 한계는 뚜렸했다. 연애의 종착지는 결혼이어야만 했다. 50년대 자유연애는 자유결혼과 같은 의미를 지닌다. 전통 사회 풍습과 마찬가지로 결혼은 중매가 전제된다.

서구 문물을 소비하는 모습은 50년대에도 조금씩 발견되었다. 소비주의적 데이트 문화를 통해 확보되는 사랑의 낭만성은 현대의 연애에도 지속된다.[90]

"성인병(成人病)[91]과 섹스"

건강은 건강할 때 지켜야 한다. 만약에 질병에 걸리면 그때는 이미 늦은 경우가 많다. 성인병 질환(당뇨병, 고협압, 심근경색, 뇌경색, 뇌졸중, 치매, 발기불능, 비만, 고지혈증)과 암은 특히 그렇다. 그 중에서 예방 가능한 것도 있고, 다시 노력해서 좋아질 수도 있지만 대개는 만성으로 가게 되고 결국은 그로 인해 사망하게 된다.

남성들의 성기능도 그렇다. 남자의 페니스는 성의학적용으로 보면 작은 심장이다. 즉 심장이 혈관으로 이루어졌듯이 페니스도 혈관으로 이루어졌다는 것이다. 그래서 심장의 기능이 떨어지면 제일 먼저 증상이 나타나는 것 중에 손발저림과 두통, 그리고 발기불능이다. 이 기관은 심장에서 가장 먼 기관으로 혈액순환에 이상이 생기면 가장 먼저 영향을 받는 조직이다.

특히 발기불능은 혈액순환과 밀접한 관계가 있다. 만약에 젊었을 때 매일 술을 마시고 담배에 쩔어 살고 운동은 하나도 하지 않았다면 거의 대부분 30대 후반부터 발기불능이 나타날 수 있다. 처음에는 가끔 발기불능이 되다가 점차 그 빈도수가 많아진다면 그때는 이미 모세혈관에 적신호가 온 것이다. 이때를 놓치면 안 된다. 만약에 이때를 놓치면 거의 대부분 7~8년 후에는 심근경색이나 심장마비가 온다.

그래서 젊었을 때, 술 담배를 하더라도 혈액순환이 잘되게 운동을 주기적으로 해야 한다. 적어도 일주일에 3번 이상 숨이 찰 정도로 유산소운동을 해야 한다. 만약 술, 담배를 과하게 하면 매일 운동을 해야 한다. 술, 담배를 않더라도 운동은 해야 한다. 발기불능이 찾아오면 본인도 불행해지지만 파트너는 매우 불행해진다. 만약에 페니스에 문제가 생겼다면 암선고를 받은 것처럼 식습관, 술문화, 금연 등 건강을 해치는 모든 행동을 자제해야 한다. 그렇지 않으면 서서히 모세혈관에서 시작된 병이 몸 전체로 퍼지게 된다.

또한 이것은 여성에게도 해당된다. 자신의 몸매관리, 피부관리, 자궁관리, 혈액순환관리 등등 관리해야 한다. 남자들 발기에 장애가 오듯이 여성들도 냉증이 생기거나 갑자기 오르가슴이나 성욕에 문제가 생긴다. 또 손발이 차지거나 고지혈증, 비만이 생기면 이때가 여자들에게 적신호다.

건강이든 사랑이든 행복이든 있을 때 잘해야 한다. 가족, 건강, 사랑은 유리공이다. 깨지면 그만이다. 하지만 일, 돈, 명예 등은 고무공이어서 깨지지 않는다. 그래서 유리공인 것들은 있을 때 잘 관리해야 한다. 만약에 유리공과 고무공을 선택하는 상황이 오면 반드시 유리공을 선택해야 한다.[92)]

부부가 건강하게 오래 살려면 섹스를 정성껏, 재미 있게 즐긴다는 생각으로 임하는 것이 좋다. 매일 돈 안들이고 할 수 있는 운동인 섹스를 열심히 하다보면 살도 빠지고 부부간의 애정이 돈독해져 행복한 가정을 유지하는 초석이 된다.

8. 당신에게 보내는 내 마음

그리스어로 사랑은 에로스·아가페·필리아라는 3개의 단어로 표현된다. 에로스는 정애에 뿌리를 둔 정열적인 사랑이며, 아가페는 무조적적 사랑으로 대표되는 것으로 사람과 사람 간의 독립적 존재를 바탕에 둔 사랑이다. 필리아의 사랑도 독립된 이성간에 성립되는 우애를 의미하는 데 상대방이 잘 되기를 바라는 순수한 마음의 상태를 쌍방이 인지하고 있는 상태를 가리킨다.

사랑만큼 정의하기 어려운 것도 드물다. 남자가 여자를, 여자가 남자를, 때로는 남자와 남자가, 또 여자와 여자가 사랑을 한다. 연인이 되면 서로 껴안고 입술을 맞대거나 몸을 섞기도 하는데 사람들은 그런 행위를 보고 또 사랑을 나눈다고 한다. 그런데 가만 보면 그것만 사랑이 아니다. 부모가 자식을, 자식이 부모를 아끼는 걸 보고도 사랑한다고들 한다.

누구는 아가페적 사랑과 에로스적 사랑을, 또 누구는 플라토닉 사랑과 에로스적 사랑을 구분한다. 그런데 그 구분을 따라 다시 들어가 봐도 사랑이 도대체 무엇인지는 정의하기 어렵다. 아가페와 에로스, 플라토닉과 에로스가 얽히고설키며 뒤섞이다 나눠지는 게 사랑이란 것이기 때문이다. 그러니 누군가 나를 사랑한다고 말할 때 그것이 내가 아는 사랑과는 꽤나 멀리 있는 것일 가능성도 충분하다고 하겠다.

사랑이란 이처럼 복잡다단한 것이지만 사람들은 사랑에 식지 않는 애정과 관심을 보인다. 아무리 시시껄렁한 술자리라도 누군가 사랑을 말하면 확 불타오르곤 하는 것이다. 학창시절 관심 가는 선생님에게 첫사랑의 기억을 묻는 것도, 예능과 드라마와 가요 중 사랑이 빠지는 작품을 찾아보기 어려운 것도 이 때문이다. 인류가 아무리 진화할지라도 끝끝내 완전히 극복하지 못할 것, 그것이 사랑이다.

가. 알랭 드 보통의 낭만적 연애와 그 후의 일상

롤러코스터를 탄 듯 하루도 안온하지 않고 지뢰밭을 걷는 듯 위기의 연속이다. 어떤 날은 '미친 여자와 결혼했다' 는 공포가 영혼을 잠식하고, 어떤 날은 '영혼의 짝' 을 '잘못된 인연' 으로 결론내기도 한다. '일상의 철학자' 알랭 드 보통이 들여다본 결혼의 적나라한 민낯이다.

그의 새 소설 '낭만적 연애와 그 후의 일상' (은행나무)에서 결혼은 이처럼 낙관보다 비관이 넘쳐 흐른다. '나는 왜 너를 사랑하는가' , '우리는 사랑일까' , '키스 앤 텔' 등 연애 3부작 이후 21년 만에 쓴 소설은 작가가 결혼 이후 쓴 첫 소설이기도 하다. 그래선지 작가는 결혼이라는 '도박' 에 나선 이후 진행되는 모든 사건 다툼들을 특유의 성찰과 위트를 첨가해 능숙하게 해설해 나간다.

주인공 라비와 커스틴의 시작은 상대에 대한 매력과 열망으로 뭉친 '낭만주의' 그 자체였다. 하지만 결혼이라는 활시위가 당겨진 이후 두 사람 사이에는 서서히 균열이 일어난다. 잘 때 창문을 닫느냐 마느냐, 이케아에서 어떤 컵을 사느냐로 사활을 건 싸움을 시작한 부부는 육아에 매달리면서 섹스의 활기를 잃고 불륜까지 저지른다. 결혼 16년 차, 신용카드 대금을 두고 말다툼을 벌이던 두 사람은 의자를 부수면서 부부 상담을 받기에 이른다.

보통은 소설과 에세이가 거듭 교차하는 특유의 화법으로 결혼 생활에 대한 예리하고도 위트 넘치는 통찰을 전한다. '대부분의 러브스토리를 기준으로 본다면 우리 자신의 실제 관계는 거의 다 하자가 있고 불만족스럽다' 고 전제하는 그는 '가끔은 서로 죽이고 싶은 마음이 들고, 몇 번은 자기 자신을 죽이고 싶은 마음이 드는 것이 바로 러브스토리' 라며 현실을 일깨운다. '사랑은 감정이라기보다 기술' 이라며 '낭만주의를 박차고 나오라' 는 그의 주문은 그런 현실에 땅을 디딘 만큼 설득력 있게 다가온다.

이야기 사이 불쑥불쑥 등장하는 그의 잠언은 남편인 라비의 시선으로 쓰인 만큼 여성 독자들에겐 불편할 수도 있겠다. '사랑과 섹스의 분리가 친밀함이 만든 무거운 짐들을 완화시키는 데 도움이 된다' 거나 '배우자에게 깊은 관심이 있기 때문에 불륜을 벌인다' 는 식의 주장들이다. 결말은 오랜 시간 축적된 앙금과 부풀려진 균열을 급히 봉합하는 느낌이 짙지만, '그럼에도 불구하고 살아내는 일' 이 또 결혼이 아니던가. 때문에 작품을 "낭만주의에서 현실주의로의 이행" 라고 압축하는 역자의 말에 고개가 끄덕여진다.[93]

블로그, 트위터, 인스타그램, 페이스북 등 소셜미디어의 위력이 갈수록 커지고 있습니다. 이제 상품 생산자들은 자신이 만든 상품(대상)에 대한 인간의 관심(어텐션)을 얻으려는 데 혈안이 되어 있습니다. 이른바 '어텐션 이코노미' 의 시대입니다. 이런 시대에 책이라고 다르지 않습니다. 스토리텔링이 뛰어난 책이라 할지라도 책을 둘러싼 다양한 이야기를 만들어내지 못하면 책은 곧 독자의 관심에서 벗어나게 마련입니다. 즉 콘텍스트의 시대이기도 합니다.

소셜미디어는 '공감의 장치' 입니다. 가슴이 통하는 이들이 함께 활동하는 소셜미디어 공간 속의 커뮤니티를 통해 콘텐츠에 대한 공감을 이끌어낼 수 있는 확실한 콘텍스트를 만들어내면 소비자(독자)들의 폭발적인 반응을 이끌어낼 수 있습니다. 올해 콘텍스트의 중요성을 일깨워준 것은 '맨부커상 인터내셔널'을 수상한 <채식주의자>(한강)의 인기와 '강남역 살인사건'이 발생한 이후 페미니즘 도서의 판매가 급증한 사례일 것입니다.

특히 '강남역 살인사건'은 우리 사회에서 페미니즘 담론이 다시 득세하게 만들었습니다. 처음에는 이 살인사건이 '여성혐오'인가 아닌가에 대해 논란을 벌인 것에 불과했습니다. 그러다가 한 성우가 여성주의 커뮤니티인 메갈리아에서 구입한 2만원짜리 티셔츠 사진을 소셜미디어에 올린 것이 계기가 되어 사태는 걷잡을 수 없이 번져 갔습니다. 한 평론가는 방송에 출연해 이제야말로 우리 사회에 페미니즘이 진정으로 만개할 수 있는 세상이 된 것이라고 목소리를 높였습니다.

메갈리아는 여성억압적인 한국 사회의 진면목을 드러내기 위해 '미러링'이라는 방법을 사용했습니다. 남성들의 일상적인 여성혐오 표현을 그대로 패러디해 거울처럼 보여주는 방식입니다. 남성 일반에 대한 미러링으로 출발한 메갈리아는 점차 장애인, 성소수자, 아동 등 사회적 약자에 대한 혐오 발언으로 영역을 확장했습니다. 일부 행위에 대한 비판이 없지 않았지만 이런 노력들이 세를 얻어가는 가운데 '강남역 살인사건'이 불을 붙이는 바람에 페미니즘 담론이 크게 폭발한 것이 아닌가 싶습니다.

<여자다운 게 어딨어>(창비)는 영국 지상파 채널인 ITV의 <디스 모닝>에 출연해 18개월 동안 제모하지 않은 겨드랑이를 당당히 뽐내서 세계적인 명성을 얻은 페미니스트 에머 오툴이 자신의 삶을 철저하게 '미러링'하면서 "생물학적 성에 적합한 성역할 바깥에서 행동할" 진정한 자유가 무엇인가를 일깨워주는 책입니다. 아

리스토텔레스와 "낭만적 사랑과 성적 욕망"에 대해 가상토론을 벌이기도 하는 저자는 남장, 삭발, 제모 거부, 동성애, 남녀공통의 일상언어 쓰기 등 '여자다움'이라는 고정관념에 도전하는 유쾌하고 도발적인 실험을 감행하는 이유를 다음과 같이 설명합니다.

"하루는 여성스러운 외양으로 다음날은 남성스러운 외양으로 출근하면서, 나는 젠더가 의상일 따름이라는 사실을 부각시키고 남성적이든 여성적이든 똑같이 대우해달라고 요구한다. 털이 난 다리를 내보임으로써 나는 여성의 체모만 수치스럽게 여기는 것이 성차별적이라고 말한다. 삭발한 머리로써 나는 이것이 어째서 여자가 아닌 남자만의 헤어스타일인지 생각해본 적이 있느냐고 묻는다. 월요일에 화장을 하지 않음으로써 나는 내 얼굴을 꾸미는 걸 좋아한다고 말한다. 나는 내가 입는 의상들이 무엇을 상징하는지 이해하며, 그것이 해석되는 방식까지는 통제하지 못하더라도, 적어도 내가 전하고자 하는 젠더와 공연에 대한 이야기를 들려주고자 시도한다."

결혼에 대해 "자신이 사랑한다고 주장하는 사람에게 가하는 대단히 기이하고 궁극적으로 불친절한 행위"일 뿐이라는 정의를 제시하는 알랭 드 보통의 장편소설 <낭만적 연애와 그 후의 일상>(은행나무)은 원제가 'The Course of Love'인 것에서 알 수 있듯이 궁극적인 사랑과 가족의 의미를 캐묻고 있습니다. 여자는 남자에게 첫눈에 반합니다. 그러니 키스와 섹스, 결혼까지는 일사천리로 진행됩니다. 그러나 물건을 사러 처음으로 함께 갔다가 다툰 이후 두 사람은 "돈 때문에 자주 걱정하고, 딸과 아들을 차례로 낳고, 한 사람이 바람을 피우고, 권태로운 시간을 보내고, 가끔은 서로 죽이고 싶은 마음이 들고, 몇 번은 자기 자신을 죽이고 싶은 마음"을 갖게 됩니다.

"겉으로는 편리하게도 단일한 관계처럼 보이지만 그 밑에 수많은 진전, 단절, 재협상, 소원한 기간, 감정적 회귀가 깔려 있어 사실상 그는 적어도 열두 번은 이혼과 재혼을 겪" 다가 결혼한 지 16년이 지나서야 드디어 결혼할 준비가 되었다고 느낍니다. 그가 결혼할 준비가 되었다고 느끼는 것은 자신의 완벽함을 포기했고, 타인에게 완전히 이해되기를 단념했고, 자신이 미쳤음을 자각했고, 아내가 까다로운 것이 아님을 이해했고, 사랑을 받기보다 베풀 준비가 되었고, 항상 섹스는 사랑과 불편하게 동거하리라는 것을 이해했고, 서로 잘 맞지 않는다고 가슴 깊이 인식했고, 대부분의 러브스토리에 신물이 났기 때문이라고 말합니다. 작가는 이런 위기를 극복하려면 열정이 아니라 사랑의 기술이 필요하다고 하네요. 이런 가족이 과연 필요할까요?

지금 방영되고 있는 tvN의 다큐멘터리 <판타스틱 패밀리>(4부작)에서는 로봇도 가족이라고 말합니다. 2편 '신상가족' 에서는 1인 가구, 부부이면서 따로 사는 LAT(Living Apart Together) 가족, 90대의 스승과 60대의 제자가 모녀처럼 사는 가족, 여러 사람이 함께 사는 셰어하우스 등을 제시했습니다. 어쩌면 가족과 사랑이라는 개념을 넘어서서 이제 인간 정체성 자체에 대한 고민이 필요한 시대인 것 같습니다.[94]

나. 섹스 · 사랑 · 돈 · 직업.. 삶에 대한 조언

2008년 영국 런던에서 처음 문을 연 '인생학교' (The School of Life)는 작가 알랭 드 보통과 그의 지인들이 만든 프로젝트 학교다. 인생학교는 '배움을 다시 삶의 한가운데로' 를 모토로 삼고, 일상의 크고 작은 문제들부터 삶의 의미까지 함께 고민하고 토론하자는 취지로 만들어졌는데, 혹자는 '어른들을 위한 학교' '학교에서 굳이 가르쳐주지 않는 것들을 가르치는 학교' 라고 부르기도 한다.

<인생학교> 시리즈는 인생학교 강의 중 가장 핵심적이고, 또한 청중들의 열광적인 반응을 얻었던 6가지 주제, 곧 시간 · 세상 · 정신 · 일 · 돈 · 섹스를 뽑아 단행본으로 엮은 것이다. 6가지 주제는 모두 인간 삶에서 빼려야 뺄 수 없는 주제들임에 틀림없다. 알랭 드 보통은 시리즈 전체 기획자이자 에디터로 참여했다. 그는 <섹스>를 주요 주제로 다루면서 "사랑과 욕망, 모험과 헌신 사이에서 21세기적 섹스는 어떻게 균형을 잡을 것인가" 를 묻는다. 그렇다고 섹스에 대한 고담준론만 읊조리지 않는다. 에로티시즘과 섹시함에 대해 논하는가 하면 이성에게 거절당한다는 것, 포르노 · 외도 등 사소해 보이지만 실제적인 문제들을 정면으로 다룬다.

작가이자 시사평론가인 톰 채트필드는 <시간>에서 "디지털 시대의 속도와 밀도 속에서 깊이 있는 삶이 지속될 수 있는가" 를 묻는다. '시간' 을 주요 주제로 삼았지만, 그 속에서 삶의 정체성과 자존감을 지키며 이웃과 더불어 살기 위한 소통에 대해서도 고민한다. 시간의 본질을 아는 것이 인간다움을 잃지 않는 지름길임을 잘 알고 있기 때문이다. 그런가 하면 <정신>을 쓴 심리치료사이자 작가인 필리파 페리는 자기 관찰과 타인과 관계 맺기, 유익한 스트레스 등 현대인들의 정신 건강에 유익한 실제적인 지침들을 제시한다.

돈과 일은 인생과 떼려야 뗄 수 없는 것이어서, <인생학교> 시리즈에서도 중요하게 다뤄진 주제다. 문화사상가 로먼 크르즈나릭은 <일>에서 지겨운 밥벌이가 아닌 천직으로서의 일을 어떻게 찾을까 고민한다. 그는 "천직은 찾기 어렵다" 고 인정하면서도 '무엇이 당신을 일하게 하는가' '일이 속박인가, 자유인가?' 에 대한 답을 찾을 수 있도록 "먼저 행동하고 나중에 고민하라" 고 권한다. 또 하나, "천직은 찾는 것이 아니라 키워가는 것" 임을 명확히 한다. 한편 철학자 존 암스트롱은 <돈>에서 모든 악의 근원으로 치부되고 있는 돈을 "해방감과 행복감을 주는", 곧 좋은 삶을 만들기 위한 가치로 환원시켜야 한다고 강조한다. '부자도 괴롭다' 와 '가난의 미덕' 을 다룬 대목에서는 현대인들에게 돈이 어떤 의미인지 고민한 흔적이 역력하다.

저널리스트인 존 폴 플린토프는 <세상>에서 '작은 실천으로 세상을 바꾸는 법' 을 이야기한다. 그는 단도직입적으로 묻는다. "이 세상에서 당신은 어떤 구실을 할 것인가?" 그리고 이내 우리 주변에 있는 삶의 실마리들을 적절하게 이용해 "세상을 바꾸는 구체적인 전략" 을 세우고, "아주 작은 실천에 나서라" 고 말한다. 작은 실천이란 비인간적인 것과 과감히 결별하기, 평화 갈망하기, 차이를 극복하는 공통의 관심사 만들기 등이다. <인생학교>가 다룬 6가지 주제는 각자 따로 놀지 않는다. 그것들은 하나의 부신(符信)처럼 쪼갠 조각들을 맞추며 인생의 문제들을 다각도로 조명한다. 그렇다고 해서 <인생학교>의 주제와 내용들을 맹신할 것까지는 아니다. 거기서 발전된 또 다른 고민과 질문, 생각들이 사방팔방으로 펼쳐지는 것이 인생학교의 본래 취지이기 때문이다.[95)]

책의 제목인 '인생학교' 는 세계적인 베스트셀러 작가로 우리에게도 매우 친숙한 알랭 드 보통이 만든 학교 이름이다.

"배움을 다시 삶의 한가운데로!" 를 캐치프레이즈로 내세우며 보통이 지난 2008년 영국 런던에 세운 이 학교는 인생을 살아가다가 부딪히는 크고 작은 문제들에 대한 생각을 나누며, 삶의 의미와 살아가는 기술에 대해 함께 더 깊이 고민하고 토론하자는 취지에서 만들었다.

그런 만큼 이 학교의 강의 주제들은 다양하고 독특하다. 더 좋은 친구가 되는 법, 후회 없이 죽음을 맞이하는 법, 평생 사랑할 수 있는 직업을 찾는 법, 돈과의 관계를 변화시키는 법, 쿨하게 사는 법 등이 있다. 그런가 하면 창의적으로 혼자 노는 법, 전처나 전남편에 대한 도덕적 책임 등 여느 학교나 강좌에서는 쉽사리 찾아볼 수 없는 강의도 있다.

보통이 맡은 강의는 '섹스에 대해 더 깊이 생각해 보는 법' 이다. 섹스가 주제라고 해서 혹 '더 격정적으로, 혹은 더 자주 성관계를 가질 수 있는 요령' 등이 담겨 있으리라고 생각하면 오산이다. 섹스라는 주제에 대해 철학적인 사색을 펼쳐 보고자 하는 사람들을 위한 강의이기 때문이다.

보통의 강의는 섹스와 일상의 격차, 성적 취향을 결정하는 심리적 내력, 외도의 욕구와 본질적 문제, 포르노의 함정 등 섹스와 관련된 일상의 여러 주제를 넘나든다. '인생학교' 시리즈는 보통의 강의를 포함해 여섯 개의 강의를 단행본으로 구성한 것이다. 나머지는 '돈에 관해 덜 걱정하는 법' '온전한 정신으로 사는 법' '일에서 충만함을 찾는 법' '디지털 시대에 살아남는 법' '작은 실천으로 세상을 바꾸는 법' 이다.

보통에 따르면 부부 사이에 잠자리가 소원한 것은 무엇보다 일상과 성애의 영역 사이를 원만하게 이동하지 못해 애를 먹기 때문이다. 결혼을 하고 나면 가정을 꾸리고 자녀를 양육해야 한다. 가끔은 작은 기업체라도 운영하고 있다는 생각이 들 만큼 관료적이고 절차적인 기술이 필요하다.

그런데 섹스는 어떤가. 섹스는 정반대의 덕목들, 다시 말해 자유로움, 상상력, 유희, 통제력 상실 등이 중요하다. 그래서 본질적으로 통제와 자기억제를 특징으로 하는 일상생활을 방해할 수밖에 없다. 보통은 "우리가 섹스를 회피하는 이유는 그것이 재미없어서가 아니라 섹스가 주는 쾌락이, 그 이후에 부과될 가정생활과 일상의 까다로운 요구들을 견뎌낼 인내력에 방해가 되기 때문이다" 고 말한다.

6권의 '인생학교' 시리즈는 유기적으로 연결돼 있다. 섹스와 돈은 욕망으로 묶여 있고, 일과 세상은 변화로 연결되며, 정신과 시간은 자존감과 인간다움으로 이어진다.

인생에 대한 근원적 탐구와 철학적 사유를 제안하는 '인생학교' 시리즈는 삶의 질을 높이고, 일상의 깊이를 더해 주기에 부족함이 없다.[96][97]

'유쾌한 현자' 알랭 드 보통은 섹스에 관해 철학적으로 고찰한다. '연애학 박사' 라는 별칭답게 연애의 점진적 발전 단계를 따라가며 섹시함의 본질을 밝히고 그 속에 담긴 개인의 내밀한 심리에 대해 상세하게 설명한다.

필립파 페리는 '정신' 편에 온전한 정신으로 사는 법을, 존 폴 플린토프는 '세상' 편에 작은 실천으로 세상을 바꾸는 법을 썼다. 톰 체트필드는 '시간' 편에서 디지털 시대에 살아남는 시간 개념을 들려준다.[98]

만남은 인연이지만 관계는 노력입니다

세상은 노력 없이는
관계가 이루어지지 않는다.

사람의 관계란
우연히 만나 관심을 가지면
인연이 되고,
공을 들이면 필연이 된다.
우연은 10% 노력이 90%이다.

아무리 좋은 인연도
서로 노력 없이는 오래갈 수 없고,
아무리 나쁜 인연도
서로 노력하면 좋은 인연이 된다.
그러기 위해서는
서로를 이해하고 배려하는
마음이 있어야 한다.
그리고 사랑하는 사람이 되어주고,
따뜻한 사람이 되어주어야 한다.

좋은 사람으로 만나
착한 사람으로 헤어져
그리운 사람으로 남아야 한다.

꼭 쥐고 있어야
내 것이 되는 인연은
진짜 내 인연이 아니다..
잠깐 놓았는데도
내 곁에 머무는 사람이
진짜 내 인연이다.

인생은 아무리 건강해도
세월은 못 당하고 늙어지면 죽는다.

예쁘다고 흔들고 다녀도
70이면 봐줄 사람 없고
돈 많다 자랑해도
80이면 소용없다.

치아가 성할 때
맛있는 것 많이 먹고
걸을 수 있을 때 열심히 다니고
베풀 수 있을 때 베풀고
즐길 수 있을 때 마음껏 즐기고
사랑할 수 있을 때 사랑하며
살아가는 것이 행복의 길이다.

처음 만남은 하늘이 만들어 주는 인연이고, 그 다음부터는 인간이 만들어가는 인연이라 하지요. 만남과 관계가 잘 조화된 사람의 인생은 아름답습니다. 만남에 대한 책임은 하늘에 있고, 관계에 대한 책임은 사람에게 있습니다.

좋은 관계는 저절로 만들어지지 않습니다. 서로 노력하고 애쓰면서 좋은 관계를 맺으려고 해야 결과적으로 원하는 바를 이룰 수 있습니다.

오늘도 당신을 믿습니다. 많이 넘어지는 사람만이 쉽게 일어나는 법을 배웁니다. 살다보면, 지금보다 더 많이 넘어질 일이 생길지도 모릅니다. 갈피를 잡지 못하고 마음이 흔들릴 때가 있을지도 모릅니다. 그렇다고 축 처진 어깨로 앉아 있지 마세요. 일어나세요! 넘어진 자리가 끝이 아닙니다. 오늘도 힘차게 시작합시다!

이디스 워튼(Edith Wharton)의 유명한 작품『순수의 시대(The Age of Innocence)』에서 주인공 뉴랜드 아처는 엘렌 롤렌스카와의 격정적 사랑을 포기하고 메이 웰랜드와 결혼하기로 했던 의무를 지키기로 결심합니다.

소설에 펼쳐 보이는 드라마는 메이와 결혼해야만 한다는 뉴랜드 아처의 의무감과 엘렌 롤렌스카를 위한 열정을 남김없이 불사르고 싶다는 그의 은밀한 갈망, 심지어 제도와 인습을 거부하려는 열망 사이의 갈등과 모순으로 생동하는 생명력을 얻습니다. 의무를 중시하는 결혼모델에서 당사자의 내면에 자리잡은 감정은 무시될 따름입니다. 어쨌거나 감정은 결혼에 따른 결합이라는 유일한 정당성마저 외면합니다. 오히려 감정은 익숙한 역할, 그리고 평생 동안 이 역할을 일관되게 감당하는 능력으로 대체될 뿐입니다. 특히 이런 결혼의 가치와 품격은 부부가 각자 진정한 자아를 표현하느냐, 자신의 숨겨진 내면을 남김없이 체험하며 살 수 있느냐로 결정되는 게 아닙니다. 좋은 결혼은 자신이 맡은 역할을 성공적으로 연기하는 능력에 지나지 않습니다.

이 능력이란 역할에 알맞은 감정을 느끼고 과시하는 것입니다.

이런 연기 연출을 이끄는 일반의 문화적이고 도덕적인 테두리는 서로 약속을 지키라는 의무감의 명령입니다. 그러니까 맡은 사회적 역할에 충실한 연기를 하고 그 역할에 맞는 감정을 느끼라고 하는 사회 일반의 명령이다.[99)]

"섹스 다이어트(diet)" [100)]

"날씬해지고 싶다" 는 욕망은 요즘 사람들의 공통된 희망 사항이다. 특히 임산과 출산을 거치면 갑자기 살이 찐 주부들과 뱃살로 고민하는 중년 남성들에게 다이어트는 건강과 직결된 문제이기도 하다. 섹스를 제대로 하면 살도 빠지고 몸도 건강해진다는 건 결코 과정이 아니다.

서양에서 첫 손에 꼽는 스포츠가 바로 섹스다. 서양에서 섹스가 사랑을 확인하는 방법이기도 하지만, 사회생활 또는 집안일을 하면서 쌓인 스트레스를 푸는 즐거운 오락으로 여기고 있다. 섹스에 관한 동양과 서양의 견해 차이 중 가장 큰 것은 섹스를 운동으로 생각하느냐 안 하느냐다. 부부가 섹스에 흥미를 느끼지 못해 섹스리스로 생활하게 되면 신체적으로나 정신적으로 여러 가지 문제가 생긴다.

육체적인 대화의 통로가 막히면 입으로 하는 대화도 단절되고, 부부 사이에 애틋한 감정도 사라지게 된다. 우리나라와 일본은 섹스리스 부부가 점차 늘어나고 있는 추세인데, 이런 현상은 부부의 정신적인 건강 외에 육체적인 건강에도 악영향을 미친다는 연구보고가 있다. 섹스를 자주, 즐겁게 하는 부부가 그렇지 않은 부부에 비해 건강하다는 것은 이미 널리 알려진 사실이다.

섹스를 '제대로' 하면 다이어트에 큰 도움이 된다. 섹스 시 콜레스테롤이 분해되고 근육이 단련되며, 몸 구석구석까지 혈액순환이 될 뿐 아니라 칼로리 소모도 많다. 개인차가 있어 소모량이 다르기는 하지만 대체로 섹스 1회 시 200~1,000kcal가 소모되는 것으로 알려져 있다. 이는 많게는 여성이 섭취하는 하루 열량의 절반 정도에 해당되는 운동량이다. 30분간 열정적인 섹스를 할 경우 최소 800kcal의 열량이 소모되고, 특히 오르가슴을 느낄 때는 112kcal가 더 소모된다.

다양한 체위로 섹스를 하면 다이어트 효과를 극대화할 수 있다. 남성 상위는 윗배의 군살 제거에 가장 도움이 된다. 여성이 자신의 위에 있는 남성의 등이나 엉덩이를 양 다리로 강하게 조이는데다 누운 자세에서 허리 회전운동을 하게 되어 복부 근력이 강화된다. 또 남녀 모두 허벅지 안쪽 근육을 많이 사용해 체지방 분해 효과도 높다. 비만인 여성이 살을 빼기에 적합한 체위가 남성상위이다.

후배위는 여성의 사슴 선을 아름답게 하고 등의 군살을 빼준다. 여성이 엎드린 상태에서 남성이 삽입하기 때문에 스트레칭(stretching) 효과가 큰 체위이다.

여성의 허벅지와 엉덩이 군살 제거에 탁월한 여성상위 체위는 여성이 남성의 위에서 쪼그리고 앉는 자세를 취하기에 여성의 체력소모가 많은 편이다. 여성이 피스톤 운동을 하게 되면 허벅지 실이 저절로 빠진다. 살을 빼고자 하는 여성은 여성상위 체위를 많이 하는 게 좋다. 이 체위는 무릎 관절의 스트레칭 효과가 높을 뿐 아니라 복부 근력 강화, 뱃살 빼기에 가장 알맞은 체위다.

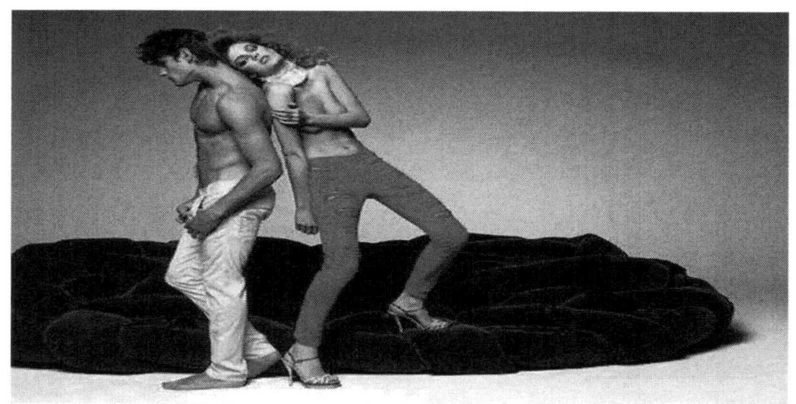

남녀가 서로 얼굴을 마주보는 체위는 상체를 곧게 세운 상태에서 이루어지는 섹스다. 여성이 상체를 뒤로 젖힐 경우 질 전체가 고루 자극을 받기 때문에 섹스가 권태로워진 중년 부부들이 시도하기에 적합한 체위다.

이 체위는 상체를 유지할 만한 근력을 필요로 할 뿐 아니라 복부 근력을 필요로 하기 때문에 이 체위를 자주 하게 되면 유연해지고, 남녀 모두 복부의 근력이 강화되는 효과를 덤으로 얻을 수 있다. 종아리의 군살 제거와 빼어난 각선미를 만들기 위해서는 남녀가 서 있는 자세로 섹스를 하는 것이 좋다.101)

"우리 그냥 사랑하게 해주세요"

신자유주의 한국 사회에서 어떤 잠재적 힘과 상상력을 가질 수 있을까. 근대 자유 연애가 처음 등장했을 때 그것이 닌 정치적 힘은 막강했다. 기존 강압적인 가부장제 결혼 제도를 폐지하고, 국가나 교회로부터 결혼과 출산을 해방시켜 성숙하고 자유로운 소통을 가능케 했다.

낭만적 사랑이 지나간 자리에 연애 주체들이 남아 신장유주의 논리를 체득하고 그것을 타협하며 새로운 관계를 맺는다. 개인을 상춤화 하고 연애를 자본화하는 방식은 다소 냉혹하다. 그러나 이것 또한 개인 주체성의 발현이다. 개인의 고유한 가치가 받아들여지지 않는 사회 체계에서 약자로 희생당하기 보다는 생존의 논리를 체득해 관계를 맺어 나가는 모습이야말로 신자유주의적 주체라 할 수 있다. 연애는 인간관계를 물화시키는 세상의 논리에 맞설수 있는 관계 맺기의 가능성을 보여 준다. 관계 맺기 방식은 노력과 의지를 기반으로 삼는다. 등 떠미는 세상에 주눅 들지 않고 연애를 최후의 보루로 삼아 마주 버티는 청년들의 연애를 과연 바람직하고 건강한 관계로 볼 수 있을까.

사회가 마땅히 제공해야 할 안정적 조건의 공백을 개인이 기를 쓰고 채워 나간다. '적자생존이니 각자도생하라' 는 구호가 메아리치는 가운데서도 청년들은 연애를 통해 개인의 고유한 가치를 인정하고 타자와 유대 맺는 법을 배운다.102)

아침 편지

가을이 무르익어갑니다
하늘은 쾌청하고 큰 일교차에
혈관질환및 감기에 더욱 조심하시고
건강 잘지키시어 즐겁고 보람된 날 보내세요

유난이 더웠던 여름도 저만치 물러가고
산과 들에는 오곡들이 황금물결을 이루며,
길가에는 코스모스가 아름답게 수놓은
좋은 계절이 우리의 곁으로 다가왔습니다

이 좋은 계절에 삶도
더 풍성하고
향기를 발하는
아름다운 삶이 되시길 진심으로 빌어봅니다.

또한 사랑은
받는 것 보다
주는 사랑
베푸는 사랑이
더욱 아름답다라고
말을 합니다.

누군가에게
상처를 주는 것과

자신이 상처를
받는 것은

사실 똑같은
심리 상태에서
비롯 되는 것입니다.

상처 받기 쉬운 마음은 누군가에게
상처를 주기 쉬운 마음이기도 합니다.

왜냐하면 상처
입기 싫다는 마음이
간절할수록

자신을 과잉보호하려는
마음이 앞서기 때문에
자기도 모르게 상대를 공격해 버립니다.

오늘도 좋은하루.
새로운 하루가 시작 되는 의미있는
날입니다.

벗님들도 가슴을 활짝열어 사랑을
나누시면서 이웃을 돌아보며,

함께하는 아름답고 행복하게 보내시고,

즐겁고 보람된 날 되시길 바랍니다.

"오르가슴(orgasme)[103]이란 무엇인가?"

오르가슴을 느낄 때 남성과 여성 사이에는 분명한 차이가 있다. 과학자들은 이런 형상을 '오르가슴 갭(orgasm gap)' 이라고 부른다.

여성의 오르가슴은 지난 1세기 넘게 과학, 정치, 문화적 논쟁의 주요 주제였다. 우리가 오르가슴을 느낀다는 건 과학적으로 입증됐으나, 오르가슴이 어떻게 생기는지는 여전히 잘 모른다.

마스터스와 존슨이 1966년 인간의 성 반응 4단계에서 오르가슴에 대해 처음 언급한 이후로 성의학자들은 측히 여성의 오르가슴을 연구했다.

1966년 이전에는 여성의 오르가슴이 무엇인지도 몰랐는데, 두 성의학자 부부가 여성의 성기가 수축하면서 오르가슴을 느낀다는 것을 직접 실험을 통해 밝혀낸 것이다.

우리가 성행위를 통해 추구하는 오르가슴은 감각적 희열의 절정이자 가장 완벽한 행복이다. 인간의 다른 감정 농도와 비교했을 때 성적 황홀경(오르가슴)을 능가하는 경험은 없다.

그런데 왜 신은 다른 동물들에게는 주지 않고 인간에게만 오르가슴을 주었을까? 음식물을 먹을 때 인간에게 쾌감을 선사함으로써 필요한 영양분을 섭취해 육체를 유지할 수 있게 하고(식욕), 오르가슴의 행복감을 줌으로써 종족보전의 최고의 보상(성욕)을 준 것이다.

진화생물학에서는 성적 욕망이 정신적 창조 활동의 가장 중요한 원동력이라는 것을 밝혀냈다. 즉 오르가슴은 자손 번식뿐 아니라 창조 활동을 위해서 꼭 필요한, 만물의 아버지인 셈이다. 하지만 오르가슴이 영원히 지속된다면 인간은 수분 결핍증에 걸려 죽음에 이르거나 아무 일도 하지 못할 것이다. 그래서 절정 상태의 성적 쾌락이 끝없이 지속되지 않는 것도 자연의 섭리다. 하지만 그럼에도 불구하고 모든 남녀는 오르가슴을 느끼고 싶고, 특히 동시 오르가슴에 오르고 싶다. 어떻게 해야 할까?

사람마다 느끼는 만족감은 다를 수밖에 없다. 따라서 당신과 파트너가 무엇을 원하고 있는지가 가장 중요하다. 동시에 오르가슴을 느끼려면 팀워크가 필요하다. 쾌락이나 즐거움을 느끼는 방법, 파트너의 성감대가 어디인지 알 수 있는 방법, 어떻게 자극해야 좋은지, 파트너에게 친밀한 관계의 다른 많은 중요한 면을 전달하는 방법을 배우면 더 자주 오르가슴에 도달할 수 있다.

특히 100세 시대를 살면서 50세 이후의 성에 대해서는 가르쳐주는 곳이 없다. 갱년기를 살아가는 부부에게 이 시기는 새로운 삶을 다시 배워야 할 시기이다.

부부가 동시에 오르가슴을 느끼는 섹스는 정복해야 할 에베레스트산과 같은 존재이다. 어려울수록 해결책을 찾으면 환희를 느낄 수 있다. 당신의 인생을 호기심과 즐거움으로 채워 보시기 바란다.[104]

디딤돌

삶은 당신에게
온갖 종류의 흙더미를 집어던진다.

우물에서 나오는 비결은 흙을 떨어뜨려
그것을 밟고 올라오는 것이다.

모든 문제들이
오히려 디딤돌이 되는 것이다.

포기하지만 않는다면
우리는 아무리 깊은 우물에서도
빠져나올 수 있다.

흙을 떨어뜨리고
그것을 밟고 올라설 수만
있다면 말이다.

- 마벨 카츠의 '호오포노포노, 평화에 이르는 가장 쉬운 길' 중에서 -

길을 가다가 돌이 나타나면 약자는 그것을 걸림돌이라 하고 강자는 그것을 디딤돌이라고 말한다. "토마스 카알라일의 말입니다."

세상을 살아가면서 우리는 하루에도 몇 번씩 수 많은 삶의 돌을 만납니다. 그때마다 그 돌을 대하는 마음가짐에 따라 결과는 달라지는데요,

오늘도 걸림돌이든 디딤돌이든 장애의 요소와 같은 돌을 곳곳에서 만나게 되겠지요. 그런 돌들은 생활에 무수히 널려 있습니다. 하지만 가장 중요한 것은 깔려있는 돌이 아니라 우리 마음의 자세가 아닐까 싶습니다.

연애가 불가능하고 포기된 세대로 호명되는 청년들이지만 강렬한 연애의 갈망이 목구멍으로 솟아오르는 것을 누구도 먹지 못한다. 구름의 가장자리에서 새어나오는 빛처럼, 연애를 향한 그들의 욕구와 희망은 청년 세대를 둘러싼 비판적 담론과 물적 조건에 맞서 긍정적 미래를 비춘다.[105]

제게 무어라 편지를 쓰셨나요, 내 소중한 이여?
제가 어떻게 당신에게 가오리까?
사람들이 수군거리지 않을까요, 내 귀여운 귀머거리여?
마당을 가로질러 가면 같이 사는 사람들이 분명 알아차리고
뒷조사를 벌이려 할 거예요. 낄낄거리며 수다를 떨겠지요.
분명 엉뚱한 의미를 끌어댈 겁니다.
아니에요. 내 천사여, 내일 저녁 미시에서 당신을 보는 게 나아요.
그게 우리 두 사람에게 해가 없는 현명한 선택입니다.
—표도르 두스토옙스키(Fyodor Dostoevsky_

단풍 너를 보니

법정 스님

늙기가 얼마나 싫었으면
가슴을 태우다 태우다
이렇게도 붉게 멍이 들었는가

한창 푸르를 때는
늘 시퍼럴 줄
알았는데

가을바람 소슬하니
하는 수 없이
너도 옷을 갈아 입는구나

푸른 옷 속 가슴에는
아직 푸른 마음이
미련으로
머물고 있겠지

나도 너처럼
늘 청춘일 줄 알았는데

나도 몰래
나를 데려간 세월이
야속하다 여겨지네

세월따라 가다보니
육신은 사위어 갔어도

아직도 내 가슴은
이팔청춘 붉은 단심인데

몸과 맘이 따로 노니
주책이라 할지도 몰라

그래도 너나 나나
잘 익은 지금이
제일 멋지지 아니한가

이왕 울긋불긋 색동옷을

갈아 입었으니
온 산을 무대삼아
실컷 춤이라도 추려무나

신나게 추다보면
흰 바위 푸른 솔도
손뼉치며 끼어 들겠지

기왕에 벌린 춤
미련없이 너를 불사르고
온 천지를 붉게 활활
불태워라

삭풍이 부는
겨울이 오기 전에...

새로운 역사가 시작되고, 사랑이 다시금 피어오른다. 진심을 느끼는 난 마음도 흔들리고 두 사람은 연인이 되는 길에 들어선다. 그러다 보면 특유의 승부욕이 발동하여 빼앗기지 않기 위해 안간힘을 쓰게 되는 데, 그리고 집착과 더불어............

"기형도, 질투는 나의 힘"
아주 오랜 세월이 흐른 뒤에
힘없는 책갈피는 이 종이를 떨어뜨리리
그때 내 마음은 너무나 많은 공장을 세웠으니
어리석게도 그토록 기록할 것이 많았구나
구름 밑을 천천히 쏘다니는 개처럼
지칠 줄 모르고 공중에서 머뭇거렸구나
나 가진 것 탄식밖에 없어
저녁 거리마다 물끄러미 청춘을 세워두고
살아온 날들을 신기하게 세어보았으니

그 누구도 나를 두려워하지 않았으니
내 희망의 내용은 질투뿐이었구나
그리하여 나는 우선 여기에 짧은 글을 남겨둔다
나의 생은 미친 듯이 사랑을 찾아 헤매었으나
단 한 번도 스스로를 사랑하지 않았노라

화자는 아주 오랜 세월이 흐른 뒤의 시점을 가정하여, 너무나 많은 공장을 세운 마음과 어리석게도 기록할 것이 많았던 현재의 삶을 먼발치서 바라본다. 희망의 내용은 오로지 질투 뿐이고, 사랑을 그토록 찾아 해맨 삶 끝에 남은 것은 스스로를 사랑하지 않은 초라한 자신일 뿐이지만, 그럼에도 이 시가 절망적이지만은 않은 건 화자가 완연히 다른 공간에서 스스로를 바라봤다는 것에 있지 않을까.

자조적이나 그와 동시에 성찰적이다. 젊은 날의 방황과 어리석었던 자신을 탓하고 질책하면서도 한 걸음 멀리 떨어져서 그의 모습을 보고 있기에 사랑 없이 사랑을 찾아 헤맨 스스로를 반성하고 회고한다. 절망이 가득하나, 그 안에는 희망이 있다.

"묵은 잎을 떨궈야 새잎이 싹튼다"

가는 곳마다 길이 막히고 솟아날 구멍마저 보이지 않을 때가 있다. 나도 여러 번 눈앞이 캄캄한 적이 있었다. 한번은 어둠 속에서 희미한 별을 보고는 눈물을 쏟았다. 나는 버틸 실력도 없었고 어둠을 헤쳐나갈 능력도 없었다. 세상에 기댈 사람 없고 나 혼자뿐이라는 걸 알았을 때 빛이 날아와 나를 어루만져 주었다. 눈앞이 캄캄하다는 건 아무것도 생각나지 않는다는 것이다. 마치 배선이 끊어져 전기가 들어오지 않는 것처럼. 사람은 빛에 익숙해서 잠시라도 어둠을 만나면 당황한다. 나도 그랬다. 그때 마음속에 새잎이 있었다면 그렇게까지 당황하지는 않았을 것이다. 지금까지 내가 살아온 건 그야말로 '하늘이 보우하사'라고 할 수 있다. 나는 종교가 없다. 하지만 누군가가 나를 도왔다. 눈앞에 보이는 빛만 빛이 아니다. 마음속에서 나를 어루만져 주는 새잎도 빛이다. 산에서 길을 잃고 헤맨 적이 있었다. 산에서는 해가 금방 진다는 걸 알면서도 길을 믿었다가 어둠을 맞이했다. 옷이 찢어지고 손에서 피가 나는 줄도 모르고 숲을 헤쳐나갔다. 북극성은 북극성일 뿐, 두려움은 좀처럼 떨어져 나가지 않았다. 아무도 살지 않는 폐가를 발견하고는 긴 한숨을 쉬었다. 동틀 무렵 저 멀리 새잎처럼 돋아나는 해를 바라보는데 눈물이 고였다. 나는 언제쯤 나를 용서할 수 있을까! 내 마음은 왜 이리 황폐할까? 언제쯤 내 마음에 새잎이 돋아날까? 목놓아 울지는 않았지만 목놓아 소리쳐 보았다.[106)107)]

"육체는 마음의 노예이다"

마음은 육체와 함께 공존하면 머릿속을 휘젓고 다닌다. 그래서 육체는 마음의 노예인가. 마음이 육체의 노예인가.

사랑에 모든 것을 걸었다고, 그녀를 위해 모든 것을 품었다고, 그래서 놓아주어도 괜찮다고, 하지만 열병처럼 충분히 아파야 강물처럼 자연스럽게 흐르는 것을 못내 아쉬워 발버둥 치며 시간을 보내고 있다.

'미완성인 사랑이 가장 행복하게 한다.'

'마지막 사랑이 가장 행복하게 한다.'

'끝없는 사랑이 가장 행복하게 한다.'

나는 가끔 누군가를 그리워하는 이 순간이 살아 있다는 의미가 가능하다고 믿는다.

꼭 무언가를 성취하기 위해 땀을 흘려야만 살아 있음을 느끼는 건 아니다. 그리움의 감정을 오롯이 느끼는 것만으로도 살아 있다고 느끼기에 충분하다.

누군가를 깊게 그리워하다가 홀로 울며 밤을 지새우기도 하고 예상치 못한 이별에 가슴 아파하겠지만 그로 인해 삶에 또 다른 무늬가 새겨지리라.

서로 사랑하고 그리워하며 만들어진 인생의 굴곡은 뿌리 깊은 감정의 기억으로 남아 풍성한 행복의 밑거름이 된다.

다양한 사람을 만나며 한 명 한 명에게 마음을 다하다가도, 나의 인연이라 생각한다면 내 사람이라 여겨진다면 온 마음을 다해 믿어 주고 끝까지 끌어안아야 한다.

사람이 희망이라 한다. 인연이 행복이라 한다. 사람의 관계는 그냥 스쳐가는 풍경이 아니다. 추억을 곱씹으며 회상할 수 있는 오래된 사진처럼 귀한 것이다. 그러니 내 사람에게만큼은 위로가 되고 믿음이 되어야 한다.108)

국가가 나서서 인생의 반려자를 찾아 준다니, 고마워라도 해야 하나. 청년들은 국가가 직접 나서 자신들의 작을 맺어 주기를 바라는 것이 아니다. 최악의 상황에서도 청년들은 어떻게든 연애를 해나가고 있다.

연애마저도 기를 쓰고 노력해야 하는 사회다. 연애 가능한 사회, 결혼 가능한 사회를 만들기 위해서는 현재 연애와 결혼에 문제를 겪고 있는 사대를 살펴야 한다. 청년이 시작점이어야 하는 이유다. 정부 정책은 노력에 합당한 소득을 얻을 수 있는 상식적인 사회, 일과 가정이 양립할 수 있는 사회, 여성이 출산과 육아에 자신의 삶을 저당 잡히지 않아도 되는 사회를 향해야 한다. 그리고 이런 사회를 요구할 줄 아는 청년 세대가 되어야 한다.

자유롭게 사랑하고 연애할 수 있는 건강한 사회를 꿈꾸며, 부디 당신의 연애에 안녕을 빈다.[109]

가시나무를 보며

내 속엔 내가 너무도 많아
당신의 쉴 곳 없네
내 속엔 헛된 바람들로,
당신의 편한 곳 없네

내 속엔 내가 어쩔 수 없는 어둠
당신의 쉴 자리를 뺏고
내 속엔 내가 이길 수 없는 슬픔
무성한 가시나무숲 같네

바람만 불면 그 메마른 가지

서로 부대끼며 울어대고
쉴 곳을 찾아 지쳐 날아온
어린 새들도 가시에 찔려 날아가고
바람만 불면 외롭고 또 괴로워
슬픈 노래를 부르던 날이 많았는데

내 속엔 내가 너무도 많아
당신의 쉴 곳 없네

그렇지만
당신 속엔 내가 너무 적어,
내가 쉴 곳 있어 보이네
당신 속엔 많은 사람들로,
내가 편한 곳 없네
당신 속엔 내가 어쩔 수 없는 태양,
나의 쉴자리 남기고
당신 속엔 내가 어쩔 수 없는 환희,
유정한 꽃길 같네
그렇게 되길 바라는 마음으로
오늘도 하루를 보낸다.

가시나무라고 하면 으레 가시가 삐죽삐죽 나온 험상궂은 나무를 떠올린다. 중국 고사에 나오는 '형차포군(荊釵布裙)'은 비록 박색이지만 가시나무 비녀를 꽂고 무명치마를 입고서 남편을 따뜻이 맞이하는 전형적인 현모양처를 가리키는 말이다.

가시나무에 얽힌 이야기는 그리스 신화에 나온다. 제우스가 아들

헤르메스와 함께 필레몬의 집을 찾았을 때 그 집이 너무 겸손하고 예절이 발라 남편 펠레몬을 가시나무로, 아내 바우키스는 보리수나무로 변신시켜서 오래 살도록 했다고 한다. 그래서 서양에서는 가시나무가 예절 바르고 착한 사람을 의미한다고 한다.

봄인가 싶어 문득 고개를 들었더니 시야가 어둡다. 나무 잔가지 사이의 빈틈이 하루가 다르게 채워진다. 그에 따라 화려한 사재재인 꽃은 사위어 가거나 어둠 속에 잠긴다. 한 이 십년도 더 된 어느 봄날 나는 내 인생의 또 다른 봄을 보았다. 봄은 채워짐이었다.

야트막한 산에는 가을이면 떨어질 운명인 이파리들이 그야말로 만개가 상태였다. 새로 돋는 활엽수 이파리들은 꿈처럼 눈부셨다. 그 뒤로 나의 봄은 늘 저리 어둡고 밝았다.

봄날 산책은 계속된다. 이문재의 시 '나는 걷는다' 를 왼쪽 가슴에 품은 채 발걸음을 내딛는다.

"국가는 걷지 않는다/기업은 걷지 않는다/경전은 걷지 않는다/문명은 걷지 않는다/인류는 걷지 않는다/나는 걷는다/내가 걷는다."

이 봄날, 온몸에 햇살을 받으며 홀로 걷는다.

카톡을 보내지 않으니 허전하다. 보내야 답장이 오는 겐가. 이렇듯 인생을 살면서 연민 없이 마음을 달래는 길을 차지 못했다. 2년 전으로 돌아가자고 맹세의 맹세 속에서 도다시 방황하는가. 2년 전에 뭔데. 그때 욕심 없이 내 집에 있는 책을 한 권 한 권 읽으면서 버리고 버리자고……. 이에 인간이 살아가는 노후의 비책이라도 되듯 곱씹으면서 하루를 보냈다. 그래 그게 낫겠다.

창녀의 사랑처럼 그녀들은 새롭게 몸단장을 하고 거리로 나서 봄꽃을 찾아 나비가 될 테니까. 뭘 망설이는가. 번민을 잊고 책을 읽고, 그리고 쓰자.

술을 한 모금만 마셔도 얼굴이 빨갛게 달아오른다. 조금만 긴장을 하여도 이마에 땀이 송골송골 맺힌다. 기분 나쁜 이야기를 들어도 바로 표정이 굳어진다. 기쁜 일이 생기면 웃음을 감출 수 없다. 이렇게 바로 티가 나는 얼굴 때문에 곤란할 때가 참 많다. 나의 상태를 알려 주기 싫어도, 얼굴은 주인의 마음을 모르고 내 모든 것을 보여주고 있다.

이제는 반대로 나의 얼굴에서 이렇게 붉은 얼굴로 화내고 싶다. 제발 좀 가만히 있으라고!

"현실적이고 직선적이다" 라고. 그 또한 좋은 생활방식이긴 하지만, 때론 비수가 될 가능성이 있음에 유의해야 하는 데......

새소리 듣는 재미에 들려 요즘은 아침에 깨면 창밖의 새소리부터 듣는다. 이른 아침 새소리에 하루를 여는 생기가 넘친다. 새는 잘 모르지만 박새와 지빠귀 종류의 새소리 같다.

재잘대는 소리를 좇아 공원의 나무들을 살펴보는 데 운이 좋으면 가지에 앉아 있는 새를 보기도 한다. 손바닥만 한 새가 부리를 여닫으며 지저귀는 모습은 앙증맞지만, 소리를 내느라 온몸을 불룩거리는 걸 보면 숙연한 느낌도 든다.

새들도 밤에는 어디선가 잠을 자느라 조용하다가 새벽이 되면 다시 지저귄다. 비가 오면 어디선가 비를 피하느라 조용하다가 비가 그치면 다시 날개를 편다. 관심을 가지고 새를 보니 공원의 나무가 새가 사는 '집' 으로 보이기 시작한다.

그 말이 생각난다.

" 이 세상에 살면서 뭐 그리 어렵게 생각하느냐" 고 "쉽게 대수롭지 않게 살면 되는 것을" "모든 일에 개의치 않아요"

그 말이 맞을런지도 모른다. 난 너무 소심했던가, 아니면 아직도 선생의 굴레를 벗어나지 못하고 있는지도 모른다.

자꾸 멀어져 가는 느낌이다. 아니, 밀어내는 듯한 감이 자꾸 불안하게 만든다. 뭔가 획기적인 것은 있다. 카톡에서 얼굴 사진만 남겨놓고 모두 지워버린 것을 보면, 화분 정리를 하였다. 깨끗하게, 제법 모양이 그럴듯하다.

회상—삼팔선!.

12시경에 전화가 왔다. 점심식사를 같이 하자는 것이었다. 점심을 거의 준비하고 먹으려는 때였다. 몇 번이고 식사 요청이 있었지만 마음이 내키지 않아 번번히 성사가 이루어지지 않은 그런...

우린 집 앞 시당에서 만둣국을 먹었다. 그리고 삼팔선을 향했다. 얼마만인가. 여성 분을 곁에, 승용차를 태우고 짧은 여행을 한 시간이...

"당신과 같은 여자 친구가 있다면 얼마나 좋을까? 에이......."

우린 삼팔선에 도착하여 바다 구경을 하면서 휴대폰에 몇 커트의 사진을 찍었다. 사실 내 얼굴은 너무 늙어 보였다.

나는 나대로 내 차로 가면 굳이 우리 동네까지 오지 않아도 될 듯하여 선의적인 방법이었는데... 그녀는 '본인의 차로 갔다 온 것이 좋았을 텐데' 하는 말에 도무지 어떤 의미가 있는지 알 수가 없었다.

돌아오는 도중 '벤허' 라는 커피숍에서 한 잔의 커피를 마시고 기분 좋은 하루를 보냈다.

'오늘 기분 좋은 하루였어' '저도요'

이 고독한 심정을 녹이기 위해 손이라도 잡아볼 걸.

이 고독한 심장을 녹이기 위해 키스라도 시도할 걸.

이 고독한 가슴을 녹이기 위해 포옹이라도 해 볼걸.

낭만적인 글이 보인다.

"오래간만에 하루 종일 집에서 아무것도 안 하면서 쉬었습니다.

아침에는 창으로 들어오는 햇빛에 눈부셔서 잠이 깨었고, 밤에는 창밖에 떠 있는 달을 보며 잠이 들었습니다. 낮에는 열린 창으로 들어오는 후끈한 열기를 느끼며 뒹굴거렸고, 저녁에는 시원한 바람을 맞으며 술 한 잔했습니다. 집 바깥에서 보기엔 조그마한 창문이지만, 집 안에서 보는 창문에는 온 동네가 다 들어와 있습니다. 조그마한 창으로 얼굴을 내밀고 동네 구경을 해봅니다. 놀고 있는 아이들과 산책하는 사람들 그리고 바쁘게 다니는 배달 오토바이들. 모두들 열심히 놀거나 일하고 있습니다. 이제 푹 쉬었으니 다시 창을 활짝 열어젖히고 세상 밖으로 나가봐야겠습니다." [110)]

무늬둥굴레의 새싹이 다시 솟아났다. 그 동안 뿌리를 분양한 게 몇 번이던가, 야생화의 끈질긴 생명력이다. 봄이 온 것이다.

텃밭이 감자를 심고, 겨울을 이겨낸 쑥을 뜯고 쪽파를 캐 먹을 때다.

냉이는 벌써 앙증맞은 흰꽃을 피운다. 식물들의 생명력, 그 소리 없는 아우성이 새삼 신비롭다.

삶의 작품처럼, 인생은 소풍처럼 즐거운 하루와 행복을 만끽하십시오.

알 프레도는 토토에서 엘리나와의 사랑을 이루지 못하게 하면서 진한 사랑의 아픔을 주는데 바로 토토가 그 아픔으로 꽁지에 불이 붙게 열심히 살게 하기 위함입니다. 만일 토토가 엘리나와의 사랑을 이뤘으면 그는 행복에 겨워 시골의 영사기사로 일생을 마쳤을 것입니다. 가장 소중한 사랑을 이뤘는데 그 이상 욕심부릴 것이 없기 때문이지요.

알프레도는 사랑을 잃고 아파하는 토토를 객지로 보내면서 "절대로 이 고장으로 다시 돌아오지 마라. 돌아와도 난 너를 안 보겠다" 라고 마지막 탯줄을 끊습니다. 그 후 토토는 마음은 뻥 뚫렸지만 사회적으로 대성공을 거둡니다. 사랑 외에는 관심이 없었기에 사랑이 없어진 마당에는 오로지 자기 일에만 몰두할 수 있었던 것입니다. 그것이 마지막 남은 자기의 유일한 사랑이기에.

아마도 세계를 이끌어 간 수많은 영웅들 중에는 사랑의 깊은 상처를 입은 후 열심히 달려서 위대한 성취를 이룬 사람들이 많을 것입니다.

낭만적 사랑의 신화가 해체된 자리에 새로운 연애의 이상향이 정립됩니다. 현대 로맨틱 코미디 영화는 우리에게 새로운 이상향의 단서를 제공합니다. 아이러니하게도 영화는 운명과 환상이라는 전통적 사랑의 가치를 플롯의 주요 장치로 삼습니다. 물론 운명과 환상의 레토릭은 과거의 그것과는 다른 형태를 띱니다. 어느 지점에선가 변형되어 새로운 관습과 서사를 만들어냅니다. 바로 여기서 오늘날 연인들의 사랑을 지속시키는 새로운 가치를 찾을 수 있습니다.[111]

"모든 인연이 무해하기를!"

많은 책을 옮길 때 어떻게 하는가. 다다다다 쌓아서 노끈으로 묶으려면 십자 매듭을 지으려다가 한 번쯤 자신의 멍청함을 웃어넘겨 봤을 것이다. 위에서 아래로 내려왔으면 십자매듭을 위해 누군가가 책을 들어줘야 하고 밑에서 위로 올라왔으면 매듭짓고 다시 내려가 묶어야 한다. 어느 쪽도 혼자서는 힘들다. 손발에 턱까지 다 사용해서 낑낑대다가 우르르 무너지는 책들. 책들을 하나로 연결하기는 힘든데 끊기는 쉽다. 싹둑. 가위로 1초. 쓱. 커터칼로 1초.

밥 먹고 사는 거, 평범하게 사는 거, 웃고 사는 거, 그거 다 힘들다. 때려치우고 싶지만 끊을 수가 없다. 끊는 것. 싹둑. 쓱. 쉬워 보인다. 그러나 사람사는 일, 특히 관계에서는 간단하지 않다. 꽤 어렵고 신중해야 하는 일이다.

백 명의 새로운 사람과 관계를 맺는 것보다 한 명의 유해한 사람을 끊는 것이 옳다는 것을 나이 들어서야 알게 되었다. 유해한 사람이 되지 말아야지 생각한다. 유해하지는 말아야지. 굳이 내가 그런 사람이 되지 않아도 세상엔 너무 많으니까.

나는 매년 잘라야 할 사람을 고른다. 이기적인 욕망으로 가득한 사람, 만날 때마다 난 욕하는 게 습관인 사람, 다른 사람의 취향이나 상황을 고려하지 않는 사람, 바닥에서 사는 사람들을 비웃는 사람. 그들이 어떤 권력을 가지고 있든 상관없다. 잘라야 하는 사람들은 늘 생겼고 자르고 나면 마음이 가벼워졌다. 관계를 잘라내지 못했던 시절에는 그들에게 휩쓸리거나 마음이 늘 불편했다. 빈자리가 생겨야 새로운 인연이 들어온다는 것을 몰랐던 시절의 일이다.

어떤 방식으로든 새 인연이 들기 마련이었다. 그 인연 중에서도 잘라내야 할 사람이 있을 수 있지만, 그건 나중에 생각할 문제다. 인연을 받아들이는 자세는 늘 겸손해야 하지 않을까. 내가 먼저 무해한 사람으로 남을 때, 더 나아가 소중한 사람으로 남을 때는 인연의 방향이 좋게 흘러간 것 같다. 새롭게 깃드는 모든 인연이 무해하기를 바란다. 우리가 서로에게 잘리는 일이 없었으면 좋겠다.112)

결혼연가

정덕희

당신과의 만남
당신과의 기쁨
당신은 나이어요.
당신 속에 나 당신을 지켜보며
당신이 방황할 때
당신을 잡아 주고
당신이 절망할 때
당신을 세워 주며
당신이 멈출 때
나 채찍 되어
당신의 아픔
나 나누어 아파하리오.
나는 당신이어요.
내 속에 당신은 지주 되어
나 모르는 것
당신이 알려 주고
내 나쁜 것은
당신이 고쳐 주어
내 약한 마음
당신이 잡아 주어
내 기쁨 모두
당신에게 드리리오.

우린 하나이어요.
당신은 다리 되고
나는 손이 되어
당신이 걷는 대로
따라 걸으며
당신이 좋아하는
음식을 만들며
당신이 원하는
글을 쓰면서
당신이 바라는 모든 것들을
나 당신 되어 모두 하리오.

영원히 하나 되어........

매듭은 만남보다 소중하다

정덕희

산다는 것은 만남의 연속이다
누군가를 만나기 위해서는 이미 그전에
대단한 인연이 준비되어 있어야만 한다

따라서 만남이란 명제에
우연이란 만남은 결코 없다
그 때문에 단 한 번의 만남이라도
큰 의미를 지닌다

그런데 이러한 만남 못지않게 소중한 것은
만남의 끝 매듭을 어떻게 짓느냐는 것이다

처음 만날 때는 신선하고 호기심에 가득 차서
지나치리 만큼 우호적인 관계를 유지하다가
나중에는 서로 얼굴을 붉히며
평생 다시는 보지 않을 것처럼
헤어지는 사람들이 있다

하지만 이것은 경솔한 짓이다
우리가 언제 어디서 어떤 모습으로
다시 만나게 될지 아무도 모른다
삶이란 예측 불가능한 시나리오기 때문이다

그러기에 우리는 사람과 사람 사이에
상처받고 소외되는 사람 사이의
섬을 만들지 말아야겠다는 소망이
부디 나만의 것이 아니기를 바라는 마음이다

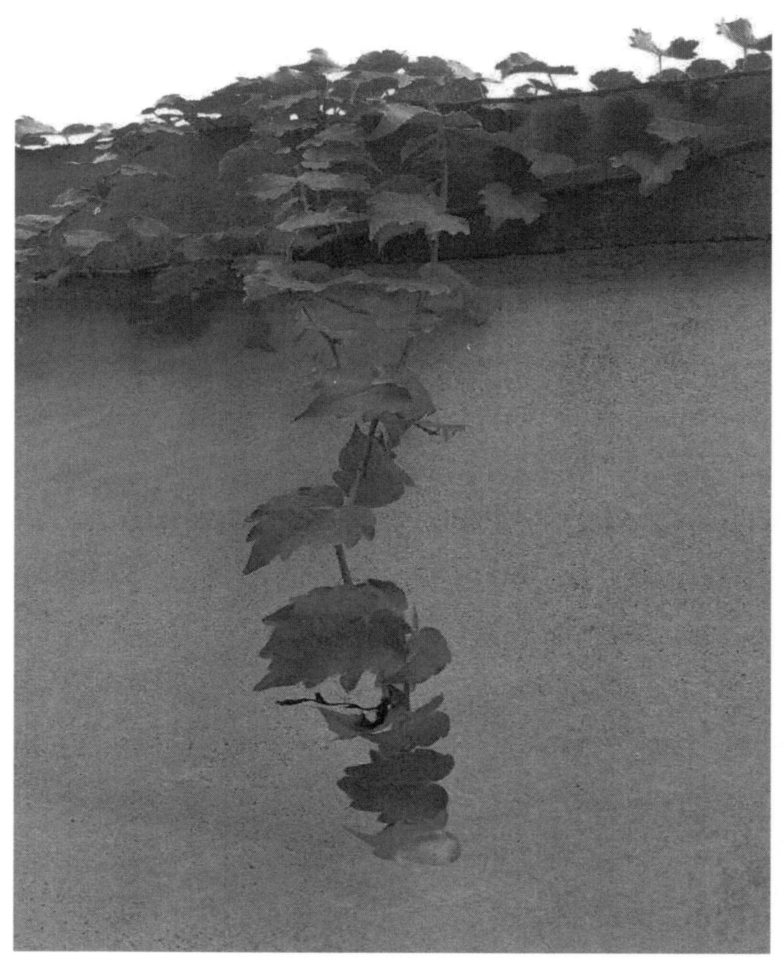

살포시 감싸주며 다가온 사랑

김성수

싱글벙글 말할 때 입꼬리가 올라가네
그저 호감정도 일 줄 알았는데 한결같이
생기가 넘치는 그의 말소리에서 알았네
자랑하고 싶고 보여주고 싶은 그 이름

어색해지고 어쩔 줄 몰라 하며
엉거주춤해 알리가 없지
싫어해서 그런 줄 알았는데
언제나 알아차릴까 어떻게 전해 줄까
좀 멀리서 있어야겠다 감당이 되지 않아

누군가 징검다리가 되어주면 좋을텐데
들켜버린 맘을 추수릴 틈도 없이 다가오니
엉겹결에 물러서고 숨죽이고 망설일 때
살포시 감싸주며 먼저 다가온 그 사랑

오래전 아주 오래전 같은데 생생하다
지금도 그때 그 생각하면 불그스레지네
이제는 그 사랑앞에서 숨쉴수 있어좋다

버드나무 솜털이 달리는 오월엔 희자매(김인순, 김재희, 이영숙)의 노래 '실버들', 오월의 햇살과 바람을 닮아서 부드러우면서도 처연하다.

실버들을 천만사 늘어놓고 도
가는 봄을 잡자도 못한단 말인가
이 내 몸이 아무리 아쉽다기로
돌아서는 님이야 어이 잡으랴
한갓되어 실버들 바람에 늙고
이 내몸은 시름에 혼자 여위네

김소월의 시로 알려져 있다.

가슴이 저린다.

오늘 따라 더 마음이 아프게 흐른다. 먼 대관령을 바라볼 뿐이다.

"향기 있는 사람은 세월이 지나도 늘 그리움으로 남아 있습니다. 행복하세요."

하지만 복잡한 세상살이 겪다 보니 그저 옆자리 쉬이 내어주는
마음 편한 사람이 좋더라.

자기 잘난 맛에 사는 사람, 자기 돈 자랑하는 사람, 자기 배운 것 많다 으스대는 사람 제쳐두고 내 마음 가는 편한 사람이 좋더라.

사람이 사람에게 마음을 주는 데 있어 겸손하고 계산하지 않으며 조건 없이 나를 대하고 한결같이 늘 그 자리에 있는 그런 사람 하나 있으면 내 삶 흔들리지 않더라.

더불어 산다는 것은 사람의 마음을 소중히 하고 서로에게 친절할 줄 알며 삶의 위로가 된다는 것.

빠르게 흘러가는 세상에서 숨 한 번 고를 수 있게 그늘이 되어 주는 그런 마음 편한 사람이 좋더라.

나 또한 그런 사람이 되기 위해 스스로 반성하며 사람을 귀하게 여길 줄 아는 참사람이 되어야 겠더라.[113)]

"낭만적 사랑의 해체!"

신자유주의 시대의 연애 실패는 낭만적 사랑의 불가능성을 확인해 준다. 「시라노; 연애조작단」은 로맨스가 지난 허구적 낭만성늘 지적한다. 우리는 영화를 보며 낭만적 사랑이 얼마나 터무니 없이 많은 우연과 환상이 동반되어야 하는지 다시 한번 깨닫는다.

근대의 낭만적 사랑은 가고, 이제 로맨스는 시장의 논리에 따라 움직인다. 우리는 연애의 역사가 축적되고 다양한 로맨스 콘텐츠가 생성되는 것을 목격했다. 그러면서 로맨스의 기승전결을 넘어 그것이 제공하는 환상성까지 인식하게 되었다. 고무공처럼 어디로 튈지 모르는 상대의 마음을 뒤로한 채 영원한 운명적 사랑을 노래하는 것은 순진하기 짝이 없는 행위다. 그럼에도 불구하고 연애는 많은 이들의 일상 속 화두다. 수많은 연인들은 여전히 자신들의 로맨스를 이어 나가고 있다. 이들의 연애를 지속케 만드는 동력은 대체 무엇일까.

낭만적 사랑의 신화가 해체된 자리에 새로운 연애의 이상향이 정립된다. 현대 로맨틱 코미디 영화는 우리에게 새로운 이상향의 단서를 제공한다. 아이러니하게도 영화는 운명과 환상이라는 전통적 사랑의 가치를 플롯의 주요 장치로 삼는다. 물론 운명과 환상의 레토릭은 과거의 그것과는 다른 형태를 띤다. 어느 지점에선가 변형되어 새로운 관습과 서사를 만들어 낸다. 바로 여기서 오늘날 연인들의 사랑을 지속시키는 새로운 가치를 찾을 수 있다.[114)]

행복한 날에

용혜원

푸른 하늘만 바라보아도
행복한 날이 있습니다.

그 하늘 아래서
당신 함께 있으면
마냥 기뻐서
당신에게 고맙다고는 말을 하고 싶어집니다.

당신이 나에게 와주지 않았다면
내 마음은 아직도
빈 들판을 떠돌고 있었을 것입니다.
늘 나를 챙겨주고
늘 나를 걱정해 주는
당신 마음이 너무나 따뜻합니다.

당신에 대한 사랑을
내 마음에 담을 수 있어서
참으로 행복합니다.

이 행복한 날에
당신도 내 마음을 알아주었으면 좋겠습니다.

내가 얼마나 그대를 사랑하는지...

당신과 함께하는 날은
마음이 한결 더 가벼워지고
꿈만 같아 행복합니다.

이루어질 수 없는 사랑

내 마음에는 그대만이 가득차서
내 맘속에 그대만이 살아 숨쉬네
그러나 그제야 나는 깨달았다
우리 사이에는 결코 이루어질 수 없는 사랑이라는 것을,
끝나지 않는 아픔과 후회

그대가 내게 준 선물은
가장 아름다운 꽃다발이 되었지만
그리움만이 남았다, 우리 사이엔
끝이 아닐 순 없었는데

누군가 한때 내게 말해줬다
사랑은 우리의 마음을 깊게 침범하는 카페인 같은 것이라.
그리고 슬픔도 사랑의 일부분이라고 말한다고.

우리의 사랑이 어느 곳에서 결국 끝나던가
내 맘속의 그대는 영원히 남아서

한숨도 쉴 수 없는 아픔속에 서성이겠지만,
내 손길은 유난히 뜨거워져선 그리우리.

결국 우리 사랑은 우리의 기억일 뿐이었다
그 시절은 오로지 내겐 꿈일 뿐이었고
이젠 나 혼자 그리움속에서 잠 못 이루며
우리의 사랑속의 추억을 추억한다.

사랑은 결코 우리가 예상했던 대로가 되지 않습니다. 이루어질 수 없는 사랑도 있고, 자신의 마음을 감추어야 하는 사랑도 있습니다. 그러나 우리는 이러한 사랑에 대한 꿈을 꾸기 마련입니다. 혹시 모를 우리의 가능성, 우리가 얼마나 애정이 깊게 된다면 어떤 일이 일어날까에 대한 상상이 들어있기 때문입니다.

하지만 우리는 일상적인 것들에서 일어나는 생각에 집중하며, 부딪히는 것에서 순간적인 삶을 바라보는 것이 더욱 중요합니다. 하지만 우리는 언제나 희망과 꿈을 가지고 있습니다. 우리는 스스로가 어떤 상황에서든 꿈을 이룰 수 있다고 생각합니다.

그러나 이루어질 수 없는 사랑은 또한 어떻게 움직여도 우리가 바라는 대로 진행되지 않습니다. 이러한 종류의 사랑은 예상치도 못한 곳에서 찾습니다. 그리고 때로는 그러한 영역이 다루기 어려울수록 그리움이 더욱 강해집니다.

이루어질 수 없는 사랑은 마음의 상처를 남기기 마련입니다. 그것은 자신의 무능력을 뒤따르는 것입니다. 그러나 그것은 또한 우리가 능력을 갖기 위해 더 높은 곳으로 나아가야 한다고 강제하기도 합니다. 그렇게 강제된 경험은 결국 우리의 마음과 삶을 이루어갈 수 있는 무대를 구성하게 됩니다.

우리는 이루어질 수 있는 삶을 바라보며 함께 걸어갈 수 있습니다. 그러나 삶은 불확실하고, 그것은 우리가 몇 일 또는 몇 년 후에 만날 수 있는 무언가일지도 모릅니다. 그리고 이러한 삶에서 얻어진 경험은 우리 자신을 더욱 성장시키는 것입니다. 이루어질 수 없는 사랑은 결코 쉽지 않습니다. 하지만 그것은 우리가 더 나은 사람이 되기 위해 가능성의 문제를 다룰 때의 기본원칙이 되며, 삶에서 소중한 경험으로 남겨지는 것입니다.

'너는 내 운명!'

'운명의 붉은 실' 이야기를 아는가. 사람은 누구나 태어날 때 새끼손가락에 보이지 않는 붉은 실을 묶고 태어나 실의 반대쪽에 운명의 상대와 만나게 된다는 일본의 오래된 민담 말이다. 운명적 상대라는 소재는 오랫동안 낭만적 사랑의 강력한 기제로 이용되어 왔다. 낭만적 사랑을 지나 합류적 사랑의 단계에 접어든 현대 사회와 모순되게 최근 로맨틱 코미디 영화에서는 '단 하나 뿐' 인 운명적 상대를 찾아 나서는 이야기가 자주 발견된다.

사주와 운명이라는 다소 전근대적인 요소가 현대 로맨스에 끼어들게 된 이유는 무엇일까. 구시대적 사랑의 화법을 우리는 아직 벗어나지 못한 것일까.[115]

마음에 담으며

누군가
나를 기억해 주는 이가 있다는 건
기쁨이고 행복입니다

당신이었나요
바람결에 고운 미소 보낸 사람이

당신이었나요
바람결에 꽃향기 날린 사람이

당신이었나요
바람결에 안부 전한 사람이

아! 당신이었군요
바람결에 걱정해 준 사람이

역시 당신이었군요
바람결에 힘내라고 했던 사람이.

늘 소중한 당신이 있어
내 삶이 향기롭고 행복합니다

오늘 하루도 기쁨과 사랑으로
쉼 하는 행복한 하루 되세요!

나태주 시 '풀꽃'

풀꽃 · 1

자세히 보아야
예쁘다

오래 보아야
사랑스럽다

풀꽃 · 2

이름을 알고 나면 이웃이 되고
색깔을 알고 나면 친구가 되고
모양까지 알고 나면 연인이 된다
아, 이것은 비밀

풀꽃 · 3

기죽지 말고 살아봐
꽃 피워봐
참 좋아.

- 나태주 시집 「꽃을 보듯 너를 본다」(지혜) 중에서

수선화에게

정호승

울지 마라
외로우니까 사람이다
살아간다는 것은 외로움을 견디는 일이다
공연히 오지 않는 전화를 기다리지 마라

눈이 오면 눈길을 걸어가고
비가 오면 빗길을 걸어가라
갈대숲에서 가슴 검은 도요새도 너를 보고 있다
가끔은 하느님도 외로워서 눈물을 흘리신다

새들이 나뭇가지에 앉아 있는 것도 외로움 때문이고
네가 물가에 앉아 있는 것도 외로움 때문이다
산 그림자도 외로워서 하루에 한 번씩 마을로 내려온다
종소리도 외로워서 울려 퍼진다

이루어질 수 없는 사랑 I

너를 향한 나의 사랑은
이 세상 그 어떤 것보다도
아름답고 깊습니다.

하지만
우리의 사랑은
이루어질 수 없습니다.

그대는 이미
다른 사람을 사랑하고
나는 그대에게
어울리지 않는 존재입니다.

그래서 나는
그저 그대의 곁에서
그대의 사랑을 지켜볼 뿐입니다.

그대의 행복을 위해
나는 언제나
곁에 있을 것입니다.

그래도
그대의 사랑을 받을 수 없기에

나의 마음은 늘 슬픕니다.

슬픈 사랑의 끝에 서서
두려움과 아픔이 가득한 마음을 품고
나는 걸어갑니다.

이루어질 수 없는 사랑Ⅱ

서로의 길은 점점 멀어져만 가고
마주 보던 미소는 사라져만 갑니다.

너와 나, 우리의 사랑은 헤어짐으로 향하고
서로를 잡을 수 없게 되었습니다.

내 맘속에는 아직도 그대의 온기가 남아있지만
그 온기조차도 추억으로 바뀌어 버렸습니다.

슬픔이 내 안을 가득 채우며 무거운 상처가 되어
나를 괴롭힙니다.

이룩할 수 없는 슬픈 사랑 네게 나아갈 수 없다는 것을 알면서도
내 맘이 그리움으로 가득 차 있습니다.

사랑한다는 말 한마디조차 할 수 없게 되었습니다
그저 서로를 지켜주지 못한 채 헤어지게 될까봐 두렵습니다.

엇갈린 인연

서로를 떠나보내고 만날 수 없는
각기 다른 세상에서 살아가는 우리를
우리의 마음 속에서만 만나고 싶었어

서로를 잡을 수 없다는 것이
어떤 아픔인지 우리는 잘 알아
그래도 끝나지 않는 기록으로 남긴
서로의 추억은 우리를 다시 만날 수 있게 해

엇갈린 운명이란 말 좀 무섭게 들리지만
내 가슴에 살아 숨쉬는 그대는 나의 운명이야
나는 그대에게 기도하며 살아가
그 언젠가 만날 수 있다면, 그때 우리는 서로의 마음을 다시 꼭 잡을 수 있게

서로를 울리며 이별해야 하지만
언제까지나 서로를 지켜볼게 우리의 꿈을,
그리고 절대로 포기하지 않을 거야
우리가 만나는 두 번째 기회를 놓치지 않기 위해서

그 언젠가 두 눈을 감고서도
내 가슴속에는 그대의 모습이 떠올라
우리의 추억은 기억될 것이고,

그런 위로 하나로 영원히 기억될 거야.

엇갈린 운명에도 서로 빠져들어간 마음은
아직도 서로를 밀어내지 못하고 있는 것 같아
그래도 끝나버린 만남의 아픔은
우리를 서로 이해하게 해, 서로의 마음을 이해하게 해

매일 밤, 나는 그대를 찾아 순간들을 돌아보지
사랑, 그리움, 행복, 아픔 모두 담겨 있는 순간들
언제나 곁에 있는 것 마저도 힘들어 할 때면
네게로 뛰어나가는 그 순간, 우리 다시 만나는 순간.

끝나지 않는 우리의 추억들은
서로를 찾아가는 동안의
그리움과 아픔과 이별들 속에서 조금씩 변화하고,
다시 만날 날을 준비하며 끝나지 않는 추억으로 기억될 거야.

그래서 언제나 그대를 찾아서
쓸쓸한 밤마다 그대가 있는 어딘가를 찾을게
엇갈린 운명의 너와 나지만
서로의 마음이 언제나 깊이 닿아 있을 수 있도록

사랑스런 우리의 추억들은 서서히
꿈속으로 가며 끝나지 않는 아름다움을
서로에게 펼쳐 줄 거야, 그 자체로써.

"로맨스로 공포 견디기!"

서로 다른 장르가 만나 기존의 이데올로기를 전복하며 탄생한 로맨틱 코미디 장르가 또 다른 장르와 융합하기 시작했다. 그것도 로맨스와는 영 어울리지 않는 판타지, 공포, 스릴러 등과 말이다. 등장인물이 인간이 아니거나, 로맨스 진행 과정에 공포나 스릴러가 가미되는 현상은 최근 영화・드라마의 트렌드(trend)로 자리 잡기 시작했다.

이들의 연애가 무탈할 리 만무하다. 그래서 가혹한 사랑의 장애물을 함께 견뎌 내는 두 남녀의 끈기 있는 사랑은 관객의 관전 포인트가 된다. 사랑에 장애물이 있어야 더 단단한 사랑이 된다고들 하지만 영화가 설정한 장애물은 무려 귀신이다.

영화가 두 세기 전에 나왔다면 직업이 마술사인 남자주인공이 마법을 발휘해 귀신을 물리치고 사랑을 이루어냈을지 모른다. 낭만적 사랑이 흐르던 시기에는 왕자의 입맞춤으로 백설 공주가 깨어나고 미녀의 진정한 사랑으로 야수가 왕자로 변하기도 했듯 말이다. 그러나 영화는 장애물을 타파하는 방법으로 '마법과도 같은 사랑'을 제시하지 않는다. 여자주인공은 영화의 스크롤이 올라갈 때까지 귀신을 보지만, 남자주인공은 연인이 지닌 결함을 감내하고 함께 공포를 견뎌 내며 사랑을 이룩한다.

영화에서 장애물은 공포나 판타지로 표현되었지만, 신자유주의 시대 연애하는 청년들에게 공포는 귀신과 같은 실체 없는 막연한 두려움이 아닌 피부와 와 닿는 경제적, 물리적 고통이다. 이들의 실체적 공포는 마법 같은 사랑의 서사로 극복되지 않는다. 그러나 극복하지 못한다고 해서 사랑의 서사가 끝나는 것은 아니다. 서로가 가진 장애를 안고 함께 사랑을 향해 나아갈 때 새로운 사랑의 이상향이 탄생한다.116)

마음의 그릇

윌리엄 폴 영

비가 억수같이 쏟아져도
잘못 놓인 그릇에는
물이 담길 수 없고,

가랑비가 내려도
제대로 놓인 그릇에는
물이 고입니다.

살아가면서 가끔씩,
자신의 마음그릇이
제대로 놓여 있는지
"확인" 해 볼 일입니다.

사람이 쓰는 말 중에서
'감사' 라는 말처럼

아름답고 귀한 말은 없습니다.

감사가 있는 곳에는
늘 '인정' 이 있고,
늘 '웃음' 이 있고,
늘 '기쁨' 이 있고,

늘 '넉넉함' 이 있습니다.

힘들어도 참고 했던
일들이 쌓이면
'실력' 이 됩니다.

습관처럼 했던
일들이 쌓이면
'고수' 가 됩니다.

버릇처럼 하는 일에
젖어들면
'최고' 가 될수 있습니다.

노력하고 인내하는 삶은 언젠가는
'꽃' 을 피워내게 됩니다.

오늘도 노력하고 인내하는 당신은 아름다운 '꽃' 입니다. 내 주위의 모든 사람을 소중히 여기는 당신은 사랑의 천사입니다.

"최후의 보루, 연애!"

신자유주의 시대에 연애하는 우리를 보며 누군가는 낭만의 종언을 외칠지도 모른다. 로맨스 관계를 강제하던 힘이 사라지자 연애를 부유한다. 신자유주의 한국 사회의 경제 구조는 상충하는 가치 사이에 연애를 올려놓고 연애 주체들에게 끊임없는 조율과 타협을 요구한다.

인격적 관계에서 요구되는 덕목과 비인격적인 관계에서 요구되는 덕목을 하나의 정체성 안에서 적절히 발휘하길 바란다. 마음의 진정성과 시장주의적 사고방식 사이에서 현명한 선택을 내려야 한다.

젠더 분업이나 헤게모니적 남성성을 완전히 떼어 내지 못한 근대적 이데올로기와 동등한 남녀 관계를 지향하며 쿨한 사이를 말하는 현대적 관계 양식 사이를 오간다. 이 과정에서 포착되는 어려움은 결혼의 유예, 자기중심적 연애, 썸과 같은 유동적 관계의 반복 등의 문제로 구체화된다. 그리고 이는 연애 불가능성 담론으로 귀결한다.

연애 불가능성 담론은 연애 욕구의 폐기를 의미하지는 않는다. 여전히 많은 사람들이 사랑에 빠지고 연애를 한다. 담론은 사회 구조가 낳은 결과이지 개인의 욕구에서 발현된 것은 결코 아니다. 연애가 불가능하다고 말하는 사회를 향해 연애인들은 보란 듯이 새로운 연애의 규칙과 이상향을 만들어내며 연애 불가능성 담론에 균열은 개인의 노력과 의지에서 비롯된다.

연애는 최후의 보루다. 현실의 어려움을 극복하는 것이 불가능해진 가운데 노력에 대한 응답을 받을 수 있는 유일한 존재가 사랑이다. 그리고 노력과 응답은 개인이 일말의 능동적 주체성을 발휘할 수 있는 기회를 제공한다.[117]

마음의 그릇

법륜스님

하늘에서 비가 내리면 제 그릇만큼
물을 얻어간다는 말이 있어요.
큰 그릇은 많이, 작은 그릇은 적게 얻고
그릇이 없어서 못 받아가는 사람도 있어요.

간혹 큰 그릇을 들고 서 있는데도
물 한 방울 못 받아가는 사람이 있는데
어떤 사람이 그럴까요?
그릇을 거꾸로 들고 있는 사람이에요.

가진 것이 고맙고 좋은 줄 모르고
싫다 힘들다 불평불만이 많은 사람은
하늘에서 장대비가 내려도 물이 안 담겨요.

방긋 웃으며 제 그릇에 감사하는 그 마음에
복이 저절로 가득 담기는 거예요.

은밀하지 않은 사랑은 위험하다. 당당한 애정 표현과 과한 배려는 지켜보는 싱글들의 원한을 살 수 있기 때문이다. 밀회나 불륜이 해피엔딩이 뒤기 힘든 이유가 바로 처음부터 끝까지 은밀하기 때문이다. 사랑이 어디 장소 따위 가려가면서 샘솟는단 말인가. 언제 어디서나 재채기처럼 터지는 것이 사랑인데, 체면이나 자존심은 생각할 겨를도 없이 사랑이 터져 넘치겠는데, 시기와 비난이 온몸에 박힌다 한들 무엇이 겁날까.

머리를 맞대고 얼굴을 비비는가 싶더니 이윽고 남자가 여자의 볼에 뽀뽀하는 장면이 틈새로 목격됐다. 나는 있는 힘껏 눈을 감았다. 귀도 감을 수 있다면 얼마나 좋을까 생각하면서.

착륙한다는 안내 방송이 나오자 여자가 깨어나 패딩을 정리했다. 남자는 패딩을 건네받으며 헝클어진 여자의 머리카락을 정리해 주었다. 뭐 저렇게 까지 하나. 손발이 오그라들었다.

온 우주의 기운이 한 사람을 향한 듯한 그런 마음으로 당당하게 표현하던 그들 덕분에 잠을 한숨도 자지 못했고 잠깐 속이 부글부글하기도 했지만, 그날은 내내 기분이 좋았다. 은밀하지 않은 사랑은 주위까지 환하게 만드는 힘이 있다. 사랑은 가장 무서운 바이러스다. 비행기에서 내리면서 노희경 작가의 책 제목이 또올랐다.

'지금 사랑하지 않는자, 모두 유죄'

당신은 유죄인가 무죄인가?[118)]

행복이 따로 있나요

최유진

누군가
나를 기억해 주는
이가 있다는 건
참으로 고마운 일입니다.

누군가
나를 걱정해 주는
이가 있다는 건
참으로 행복한 일입니다.

"괜찮은 거지?"
"별일 없지 ?"
"아프지마!"

나도
누군가에게
고맙고
행복을 주는
사람이 되고 싶습니다.

"행복은
멀리 있는 게 아닙니다"

행복이 따로 있나요 2

사랑하는 사람과
함께 밥을 먹고
따뜻한 차 한 잔을 마시고
좋아하는 음악을 들으며

내가 쓴 한 줄의 시에
공감하는 사람이 있고
읽어 주는 사람이 있다는
것만으로도 행복인 것을요

행복이 따로 있나요

별일 아닌 일에
함께 웃고 즐기고
작은 것에서 오는 행복도
놓치지 않고

자신 스스로
크게 만들어가는 게
바로 행복이지요

울리히 벡(Ulrich Beck)이 현대 사회의 사랑을 유대의 방식이자 안식처이며 신흥 종교라고 말한 것처럼 연애는 그만큼의 위안을 제공하는 듯 보인다.

연인들은 그 위안의 영역을, 최후의 보루를 지키기 위해 고군분투한다. 고군분투의 흔적인 많은 현재 진행형의 연애 관계와 개인의 주체성을 'N포' 로 표현되는 신자유주의 시대의 비관적 담론에 대한 반증이다.

자본주의의 탈을 쓴 악마의 소굴로부터 개인의 노력과 의지라는 희망적인 동력을 발견했으니, 우리는 이제 안심하고 로맨틱 코미디의 해피엔딩 같은 현실을 기다리면 되는 것일까.

"노오력 해도 흙수저" 청년 취업난과 계급 불평등을 반영하는 신조어가 쏟아져 나오는 오늘이다. '수저 계급론' 은 '금수저 물고 태어났다' 는 관용구에서 파생된 표현으로, 분류 기준은 부모의 경제 수준에 따라 금수저, 은수저, 흙수저 등으로 비유해 분류한다.

개인의 노력으로 간신히 연애를 지속해 나가는 청년들을 박수나 치며 흐뭇하게 바라볼 일이 아니다. 영화 속 연인들이 손을 맞잡았다 해서 마냥 무지갯빛 미래가 보장되지는 않는다. 「티끌모아 로맨스」의 가난한 두 남녀는 힘들게 벌었던 돈을 다 잃고 다시 극빈의 상태로 돌아간다.

5년 동안 하늘이 노래지도록 노력해 모은 돈을 몽땅 잃은 홍실에서 지웅이 할 수 있는 사랑 고백은 "부담을 나누어 갖자" 정도다. 감동적으로 보이지만 불편한 감정이 남는 건 어쩔 수 없다. 턱끝까지 차오르는 절망을 뒤로한 채 젖 먹던 일을 다해 살고 사랑한 지웅과 홍실에서 주어진 해피엔딩이 고작 부채에 대한 연대 책임이라니. 입꼬리는 올라갔지만 한없이 쳐진 눈에 눈물이 맺힌 피에로(pierrot)가 생각나는 건 왜일까.[119]

사랑할 시간

용혜원

우리에게 사랑할 시간이 주어졌을 때
사랑합시다

세월은 머물지 않고 흘러가는 것
관심도 기억도 추억도
시간이 지나고 나면
언제 그랬냐는 듯이 사라지고 말 것입니다

지금 이 순간이
얼마나 중요합니까
당신과의 만남이
얼마나 기쁜 시간입니까

어제는 어제로 흘러가고
내일은 내일에게 맡기고

우리에게 사랑할 시간이 주어졌을 때
사랑합시다
지금 이 순간이 얼마나 아름답습니까
당신을 사랑함이 축복입니다

너를 만나러 가는 길

용혜원

“나의 삶에서 너를 만남이 행복하다/내 가슴에 새겨진 너의 흔적들은/이 세상에서 내가 가질 수 있는/가장 아름다운 것이다//나의 삶의 길은 언제나/너를 만나러 가는 길이다/그리움으로 수놓는 길/이 길은 내 마지막 숨을 몰아쉴 때도/내가 사랑해야 할 길이다//이 지상에서/내가 만난 가장 행복한 길/늘 가고 싶은 길은/너를 만나러 가는 길이다.“

내 마음을 읽어 주는 사람

용혜원

오래전부터 나를 아는 듯이
내 마음을 활짝 열어본 듯이
내 마음을 읽어 주는 사람.

눈빛으로 마음으로
상처 깊은 고통으로 다
알아 주기에 마음 놓고 기대고 싶다.

어느 순간에 나보다 날
더 잘 알고 있다고 여겨져

내 마음을 다 풀어 놓고 만다.

내 마음을 다 쏟고 쏟아
놓아도 하나도 남김 없이
다 들어주기에 나의 피곤한
삶을 기대고 싶다.

삶의 고통이 가득한 날에도
항상 사랑으로 덮어주기에
내 마음이 참 편하다.

소중한 것은 당신입니다

이 넓은 세상에서
당신을 알게 된 건
너무 큰 소중한 선물입니다.

힘내세요!
인생의 주인공
세상의 주인공은 당신이니까요.

당신이 있어 우리가 사는 세상이
아름다우니까요.

세상이 필요로 하는
사람이 당신이니까요.

하여,
행복을 찾을 수 있는 건
눈이 아닌 마음이란 걸
알게 되었습니다.

가슴이 따뜻하고 마음이 깊고
따뜻한 배려가 묻어나는 당신을
알게 된 것은 참 큰 행운입니다

베품과 감사를..
이해와 용서 욕심보다는
배려와 양보의 눈을..

마음으로 보는
당신을 존경합니다.

어제보다는 오늘
더 행복하시길 소망합니다.

매일 맑은 날만 있으면 이 세상은 사막이 될지도 모를 일입니다. 인생살이도 이와 마찬가지 아닐까 합니다. 사람들은 흔히 좋은 날만 있기를 바라지만, 그렇게 되면 인생은 무미건조한 황량한 사막처럼 느껴질 수도 있을 겁니다.

맑은 날도 있고, 흐린 날도 있으며, 때로는 비도 쏟아지고 해야 아름다운 자연을 연출해 낼 수 있는 것처럼 우리 인생도 맑은 날과 흐린 날이 함께 있어야 아름다운 장관을 연출해 낼 수 있는 것입니다.

흔히 날씨가 좋다 나쁘다 분별하지만, 좋은 날씨와 나쁜 날씨는 본래 없습니다. 단지 맑은 날과 흐린 날, 비 오는 날과 바람 부는 날만이 있을 뿐입니다.

소풍 가는 이에게는 맑은 날이 좋은 날이지만, 말라가는 작물을 지켜보는 농부에게는 비 오는 날이 좋은 날이기 때문입니다.

-'언젠가 이 세상에 없을 당신을 사랑합니다' 중-

"사람만이 희망이라고 여기면!"

한때는 공부만이 희망이었고 한 때는 사랑만이 희망이었다. 누군가는 돈이 희망일 것이고 도 누군가는 꿈이 희망일 것이다. 언젠가 나는 희망을 품지 않은 것만이 희망이라고 생각한 적이 있었다. 희망은 간절하면 할수록 사라지거나 순식간에 절망으로 바뀌기도 하는 요망한 것으로 생각했다. 그래서 희망을 품지 않으려고, 외면하려고 애쓴 것 같다.

삶에 필요한 마음을 결국 사람이 가져다준다는 걸 깨달았을 때, 반성과 후회의 시간이 왔다. 오랫동안 사람을 불신하고 외면하며 살았기 때문이다. 그 시간은 거만한 고독으로 가득했고 늘 절망 속에 머물렀다.

외로움과 사랑에 그리워 허덕이는 나를 도와주고 싶어 하는 사람이 늘어나면서 사람이 희망처럼 보이기 시작했다. 그때부터 삶이 절망스럽지만은 않았다. 절망 속에서 희망의 싹이 트는 것을 보았다. 좋은 관계가 가져다 준 선물이었다.

사람이 온다. 얼굴에는 미소를 머금고 양손에는 관심과 사랑을 들고, 사람이 온다. 사람 모습을 한 희망이 온다. 내겐 당신일 수도 있고 당신에겐 나일 수도 있다. 우리는 서로 희망이다. 아니라면 도대체 사람은 무엇이란 말인가.

다정한 안부, 걱정을 묻는 진심, 그런 것들이 희망의 모습을 한 사람이라고 믿는다. 사람만이 희망이라고 여기면 사람을 대하는 태도는 바뀌게 된다. 그렇게 바뀐 태도는 또 다른 희망이 된다. 당신도 나도 눈부신 희망일 수 있다.[120]

인생은 흘러가는 것

저 시냇물처럼 흘러가는 것
나도 저 물처럼 흘러가리

흐르다가 바위에
부딪히면 비켜서 흐르고
조약돌 만나면 밀려도 가고
언덕을 만나면 쉬었다 가리

마른 땅 만나면 적셔주고 가고
목마른 자 만나면 먹여\주고 가리

갈 길이 급하다고 서둘지 않으리
놀기가 좋다고
머물지도 않으리

흐르는 저 물처럼 앞섰다고
교만하지 않고
처졌다고 절망하지 않으리

저 건너 나무들이 유혹하더라도
나에게 주어진 길 따라서
노래 부르며 내 길을 가리라

아름다운 노년생활

크림과 달걀은
오래되면
상하게 마련이고

20년이 넘은
자동차는 더 이상
세인의 관심을
끌기 어렵다.

그러나
치즈나 포도주는
오래 삭히면
그 맛이 더욱
깊어진다.
사람도
젊은 시절 보다는
노년에서 더
행복에
가까울 수 있다.

"아름다운 노년생활, 적극적으로 참여하라"

나이가 들면 활동이 줄어들 수밖에 없다. 육체적으로나 정신적으로 활동영역이 좁아진다.

외출이 번거롭게 느껴지고, 집안에서만 머물게 된다. 텔레비전을 보고가 소파에 앉는 시간이 많아진다. 이런 생활이 노년의 참모습일 수는 없다.

사교모임, 문화 활동, 봉사활동, 어느 쪽이거나 적극적으로 참여하라. 그것이 노년의 삶에 활력을 갖게 한다. 먼 곳의 여행이 아닐지라도 외출은 노년의 정신과 육체에 좋은 효과를 가져 온다.

우선생활의 변화를 느끼게 한다. 다른 사람과 교유와 타인의 삶을 보고듣음으로써 정신적인 자극을 받게 된다. 또한 삶에 대한 긴장과 의욕을 북돋운다.

집안에 틀어박혀서 고독하게 지내며 오래된 마음의 상처를 키우거나 육체적 고통에 골몰하며 하루를 보낼 게 아니라 세상일에 적극적으로 참여해야 한다. 그럴싸한 행사나 모임에 초대받거나, 집회에 주도적 역할을 하는 일만이 참여하는 게 아니다.

친구를 만나 차 한 잔을 나누며 이야기를 나누고, 결혼식이나 축하연, 명절이나 제사 참여도 노인에게는 사람과의 교류라는 의미를 갖는다. 문화예술 행사에 적극 참여하는 건 더욱 멋진 일이다.

예술이다, 문화다, 알아듣기는 했지만, 사실 직접 누리며 살아온 사람은 그리 많지 않다. 돈벌이 하며 살아가야 하는 현대사회가 그리 여유자작 할 수 없기 때문이다. 그것도 은퇴한 노년이 되면 즐기 혜택이다.

은퇴 하고 노후를 보내는 이들에게 가장 중요한 건 돈을 비롯한 삶의 여건이 아니라, 삶을 살아가는 적극적인 생활 자세이다. 모아 놓은 몇 푼의 돈보다도 이러한 적극적인 생활태도가 건강을 유지시켜 주며, 삶의 질을 높이는데 더 중요한 요소이다.

한 연구 보고에 의하면 빙고 게임이나 카드놀이처럼 비활동적인 사교활동일지라도 환자의 병을 호전시키고, 수명을 연장하는 효과를 보인다 밝혔다. 활기찬 노년을 원한다면 집안에만 틀어박혀 지내지 말고, 밖으로 나가 적극적으로 참여해야 한다.[121][122]

사랑의 미로

윤광식

꽃피는 4월은 아름다운 초록빛
예쁘게 꽃길을 수놓으며
사랑을 노래한다

사랑이란 몸짓 감성은
세대별 생각 선입견이 다른
귀엽고 사랑스러운 모습
4 춘기로 접어들면 동경과 그리움
젊음은 열정의 애로스에서
내일을 알 수 없는 노년의 사랑

대다수 노년층 고독하고 외로운 삶
사랑으로 다가온 그대라는 사람
곁에 있다는 것은
신의 축복으로 알고
마음에 깃든 사랑 혀가 닳도록
더하는 애틋한 마음

머리가 하얗게 소갈머리 없어도
사랑한다는 말이 낯설지 않다
떨림은 없어도 바라보는 눈빛사랑
눈물을 닦아주며 무언의 측은지심
잔잔한 숨결 어머니의 바다 같이
그립고 보고 싶을 때 언제나 친구처럼
두 손 꼭 잡아주는 정겨운 인생

서스름 없이 입술에 묻은 밥알을
닦아주며 팔다리 허리 어깨를 주물러
불편한 온몸 보드랍게 씻겨주는
그대로 사랑의 미로
살아온 연륜에서 흐르는 이야기
내일은 그날의 문제라며
사랑으로 즐거운 인생길 걸어간다

모든 바다에서 똑같은 냄새가 나는 것은 아니다. 비린내가 진동하는 바닷가가 있는가 하면 사람 냄새로 오염된 바닷가도 있고, 인적이 드물어 맑은 물 냄새가 나는 바닷가도 있다. 나무도 흙도 돌멩이도 마찬가지다. 하물며 사람은 어떨까. 좋은 화장품이나 명품 향수를 쓴다고 해서 숨길 수 없는 사람 냄새가 있다. 그 냄새에는 미소가 나오고 겸손에서 품고 인품으로 누적된다. 좋은 사람에게서 나는 좋은 냄새를 동경한다.

혼자 바닷가를 걸었다. 평소 나지 않았던 낯선 냄새가 콧등을 휘감는다. 사나운 독성의 인내가 풀풀 퍼졌다. 맞서 싸우지 않고 인내했더라면 맑은 냄새가 났을까? 살면서 겪는 수많은 억울함 앞에서 무조건 참는 게 현명한 방법일까? 한바탕 웃고 나서 결론을 지었다. 나에게서 나쁜 냄새가 나더라도 나를 보호할 수밖에 없다는 변명 같은 결론이었다. 악취에서 벗어나기 위해서 수많은 덕을 쌓아야 할 것이다. 덕을 쌓는 건 힘들지만, 무너지는 건 한순간이다. 그걸 알면서도 무너지게 두어야 하는 날들이 있다. 살다보면 가끔 남나게 되는 지독한 하루. 나는 지금 무너지는 것들을 주섬주섬 챙기는 중이다.

바다가 그립다. 파도에 휩쓸리는 모래알과 가슴이 쩍 벌어지도록 후련한 수평선을 보고 싶다. 그러나 현실을 직시하면 정신이 번뜩 든다. 먹고 살아야 하는 게 우선인 서민에게는 그리움도 두려움도 황망하게 꼬리를 감춘다.

어디라 없이 깊고 푸른 바다들아, 잘 있는가. 그 바다에 엮인 정준 사람들아, 잘 지내는가. 고향에 두고 온 마음이 너무 많은 사람은 숨을 쉴 때마다 향수(鄕愁)가 쏟아진다. 금의환향 못해도 그만일 텐데, 가지 못하는 변명이 어쩜 이리 구차할까.[123)]

삶의 간이역

정덕희

생이란
잠시 머무르는 간이역
언제 떠날지 모르는
기간 없는 간이역

어느 날
준비없이 떠나는
허무의 간이역
인연의 끈들도
미련없이 버리는….

가는 인연 연기 같고
밤은 인연 미련의 늪
산다는 건
떠날 준비를 위한
여정 없는 기간
깊은 정이랑 심지를 말고
아픈 정이랑 주지 말자

생이란,
잠시 머무르는 간이역
홀연히 떠날 수 있는 빈. 시간

과거의 성공 경험이 현재의 문제를 해결하는 데 오히려 걸림돌이 되는 경우가 많다.

사랑이 선택의 문제가 될 때 비로소 친밀성의 문제가 도드라진다. 둘 사이의 사랑을 확증하는 것은 친밀한 감정 밖에 없다. 이를 상대방으로부터 확인하기 위해 게임이 들어간다. 사랑이 게임이 되려면 연인들이 자신을 '완전히' 드러내거나 감추면 안 된다.

사랑은 상대방에 대한 앎이다. 서로 드러냄과 감춤의 게임이 치열하게 펼쳐진다. 이 게임을 하려면 규칙이 필요하다. 게임의 규칙은 복잡한 세계를 어떤 유의미한 방식으로 코딩함으로써 선택을 돕는다. 옛 게임 규칙은 성적 사랑을 남편 집 안의 대를 이어줄 자식을 낳는 것으로 의미화 했지만, 사회가 복잡해짐에 따라 그 힘을 잃고 있다.

하지만 이를 대체할 보다 일반화된 게임의 규칙이 발전되어 나오지 않았다. 그렇다고 낡아빠진 게임의 규칙에 의지하도록 여성을 무지의 세계에 다시 가두려고 해서는 안 된다. 오히려 사랑하는 사람과 마음껏 드러냄과 감춤의 놀이를 할 수 있도록 에로틱한 공간을 많이 만들고, 그로부터 솟아나올 새로운 사랑의 의미론에 주목해야 한다.

젊은 사람이나 나이 많은 사람이나 사랑은 어렵다. 서로 합의한 사랑도, 일방적인 사랑도 어렵긴 마찬가지다. 혼자 애태우다 끝내 고백조차 못해 본 사랑은 평생 마음 한쪽이 쓰라리다. 냉가슴 앓다 어렵게 용기를 냈다가 거절의 쓰라림을 맛보기도 한다.

본인(내가) 고백하여 상대가 고백을 받아들여 시작한 연애도 달콤하지만은 않다. 헤어지면 금방 보기 싫다가도 어느 순간 시들해진다.

사랑은 무엇으로 유지되고 결정될까. 사랑도, "새를 기르는 일"

도 쉽지만은 않다. 사랑은 꿈이 아닌 현실이다. 미완성인 사랑이 가장 행복하게 한다.

'진실(眞實)' 은 나의 입술로, '관심(關心)' 은 나의 눈으로, '봉사(奉仕)' 는 나의 손으로, '정직(正直)' 은 나의 얼굴로, '친절(親切)' 은 나의 목소리로, 사랑은 나의 가슴으로…….

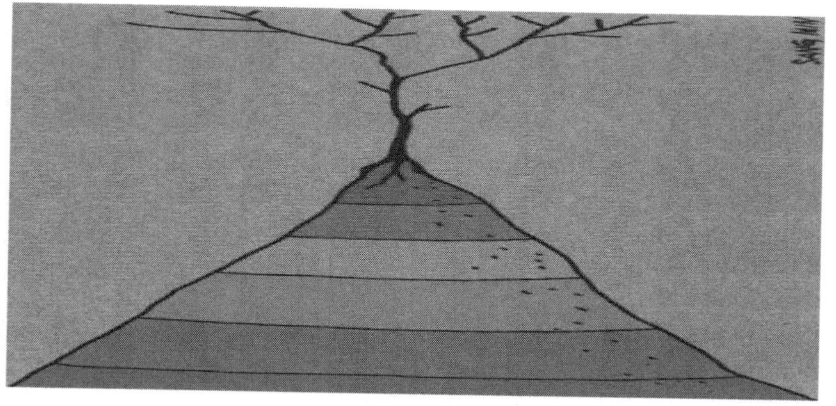

수목한계

최백규(1992~)

우리에게 사랑은 새를 기르는 일보다 어려웠다
꿈 바깥에서도 너는 늘 나무라 적고 발음한 후 정말 그것으로 자라는 듯했다 그런 너를 보고 있으니 어쩐지 나도 온전히 숲을 이루거나 그 아래 수목장 된 것 같았다 매일 꿈마다 너와 누워 있는 장례였다 시들지 않은 손들이 묵묵히 얼굴을 쓸어가고 있었다
부수다 만 유리온실처럼 여전히 살갗이 눈부시고 따사로웠다
돌아누운 등을 끌어안고서
아직은 아무 일도 피어나지 않을 거라 말해주었다

젊은 사람이나 나이 많은 사람이나 사랑은 어렵다. 서로 합의한 사랑도, 일방적인 사랑도 어렵긴 마찬가지다. 혼자 애태우다 끝내 고백조차 못해본 사랑은 평생 마음 한쪽이 쓰라리다. 냉가슴 앓다 어렵게 용기를 냈다가 거절의 쓰라림을 맛보기도 한다. 상대가 고백을 받아들여 시작한 연애도 달콤하지만은 않다. 헤어지면 금방 보고 싶다가도 어느 순간 시들해진다. 수목한계선을 오르락내리락 하는 것처럼 감정이 변한다. "온전한 숲"과 "수목장" 사이를 오간다.

지역의 환경변화에 따라 교목이 자라는 게 불가능하게 되는 수목한계선. 주로 온도와 수분에 의해 결정되는데, 사랑은 무엇으로 유지되고 결정될까. 사랑도, "새를 기르는 일"도 쉽지만은 않다. 사랑은 꿈이 아닌 현실이다. 수목한계를 극복하는 것이 유리온실이지만, 그것마저도 "부수다" 말았다. "눈부시고 따사"롭다는 건 착각이다. 한사람은 벌써 돌아누웠다. 위태로운 사랑은 파국을 향해 가고 있다. "아무 일도" 없을 것이라 말하지만 이미 한계선을 넘었다.[124]

"반성하는 남성!"

캐슬린 로우(Kathleen Rowe)는 '사랑이란 여성이 주인공이 될 수 있도록 할리우드가 허락한 몇 안 되는 영역' 이라고 했다. 그의 말마따나 실제로 로맨스 장르 서사는 여주인공에게 무게가 실려 있다.

로맨틱 코미디 영화는 주로 여주인공의 시점에서 진행되며 여주인공 내면의 변화를 따라간다. 여성은 남성과 만나 자기 안에 있던 새로운 자아를 발견한다. 그래서 로맨틱 코미디 영화의 엔딩은 여주인공이 사랑과 일을 모두 거머쥐는 '명랑소녀 성공기' 이거나, 남성에게 사랑받을 수 있는 온순한 여성상을 습득하는 '말괄량이 길들이기' 로 마무리 된다.

서사의 무게가 여주인공에게 기울어 있지만 여성이 온전한 주체성을 지닌 캐릭터로 표현되지는 않는다.[125]

마음 속의 사람을 보내며

마음속에 누군가를 담고 살아가는 것이 사랑인 줄 알았지 사랑하기에 젊은 날엔 그대로 하여 마음 아픈 것도 사랑의 아픔으로 알았지 이제 그대를 내 마음속에서 떠나보낸다.

멀리 흘러가는 강물에 아득히 부는 바람에 잘가라 사랑아, 내 마음속 그대를 놓아 보낸다. 불혹, 마음에 빈자리 하나 만들어 놓고 서야 나는 사랑이 무엇인지 아는 나이가 되었나 보다.

사랑이란 누군가를 가두는 것이 아니라 마음을 비워놓고 기다리는 일이어서 사랑을 기다리는 일이 사랑이라는 것을 이제야 나도 알게 되었나 보다.

사랑은 세상을 아름답고도 풍요롭게 바라보도록 해 준다. 상대방을 고귀하게 여기도록 해 준다. 사물의 긍정적인 면을 부각시켜 준다. 반 잔 남아 있는 우유컵을 보고 "반 잔밖에 안 남았다." 고 표현하지 않고, "반 잔이나 남아 있다." 고 표현하는 긍정적인 시선을 가지게 한다. 그래서 사물을 해석하는 자세가 밝고 희망적이다. 우리 모두 사랑이라는 신비의 안경을 쓰도록 하자. 그리하면 여러 가지 불행이라고 여겨왔던 것들이 행복으로 여겨지게 되리라(세르반테스, 박덕은, 74).

지금껏 거쳐온 길에 놓여 있던 돌부리를 떠올릴 필요가 있다. 순탄한 길 위를 걷는 사람은 험한 비탈길에 있는 사람의 심정을 헤아리지 못하니까. 해석되기 전의 신호는 늘 외롭다.

사랑이라는 마음과 같이 훨훨 날아다니는 그런 마음으로...내 마음이 네 마음이 이니고 네 마음이 내 마음이 아닌 것이 애써 동일한 선생 위에서 고뇌와 번뇌를 간직하지 않으면 되는 것을......

"사랑하면 알게 되고, 알면 보이나니, 그 때 보이는 것은 전과 같으리라."

아리스토텔레스(Aristoteles)는 유용성을 위한 우정, 즐거움을 위한 우정, 덕을 위한 우정이란 세 가지 유형으로 나눈다.

유용성을 위한 우정은 서로에게 얻을 것이 없다면 끝나는 관계이고, 즐거움을 위한 우정은 즐겁지 않으면 끝나는 관계다. 하지만 덕으로 맺어진 우정은 다르다. 서로가 잘되기 바라는 마음으로 맺어진 우정은 신뢰할 만한 것이기에 오래간다. 이런 우정은 친구가 때로 이성적이지 않더라도 내치지 않고 서슴없이 충고할 수 있게 해 준다. 덕을 위한 우정이 의견을 독점하지 않기에 가능한 일이다. 남녀관계 흔히 사랑이라는 허울도 이 우정과 유사한 형태인 듯 싶다.

이성으로 이해할 수 있는 사랑, 사랑도 수긍할 수 있는 이성 그 접합점이 조성되어야 한다. 의견을 독점하지 않는 우정이나 사랑을 오래 함께 하는 이유는 아리스토텔레스의 말처럼 "그들이 결합해

주는 것이 공공의 선이기 때문" 일 것이다.

바닥을 치는 행위에는 힘이 작용한다. 힘에서 힘을 얻는, 작용과 반작용의 법칙이 존재한다. 이에 반해 물이 흐르는 것은 지극히 자연스러운 일이다. 높은 곳에서 낮은 곳으로 움직여 가장 낮은 곳에 다다른다. 먼 길을 흘러온 물이 바다에 도착하는 순간 반기듯 해가 뜬다. "사랑과 눈물" 로 점철된 인간사도 별반 다르지 않아 젖은 눈빛 꺽이던 골목에도 강물이 흐른다. 좌절하지 않고 살아간다면 반드시 좋은 날 찾아온다. 행동하지 않으면 아침도 없다.

사랑은 누구에게나 소중하지만 모든 사람들이 다 똑같은 정도로 사랑에 집착하고 빠져드는 것이 아니다. 어떤 사람들은 사랑을 심드렁하게 스쳐 보내기도 하고 어떤 사람은 사회적 성취나 야망에 자신의 모든 것을 걸기도 한다.

그러나 유독 사랑에만 깊게 빠지고 오랫동안 집착하는 성격이 있다. 바로 구강수용성 성격(oral-receptive personality)이 그러하다.

구강수용성 성격이란 사랑을 너무 많이 받아 사랑에 대한 갈구가 그치지 않는다. 마치 배가 나오고 살찐 사람은 몇 끼 굶어도 잘 지낼 것 같지만 오히려 조금만 굶어도 더 보채는 것과 같다. 그에게는 성공도 이데올로기도 사랑에 비하면 아무것도 아니다. 오직 엄마 젖과 같은 여자의 사랑만이 필요할 뿐이다. 그래서 이 성격을 가진 사람들은 모성애를 자주 자극하는데 대개 동안(童顔)의 남자들 중에 이런 성격이 많다. 이 성격은 사랑하는 여자와 잘 풀리면 행복한 가정을 이루나 이렇지 않을 경우에는 사랑 싸움이 잦고 바람이 날 우려가 많다. 워낙 사랑을 많이 받고 자라 한 여자의 사랑으로는 만족하지 못하는 것이다. 그러나 이 성격의 사람들은 모질지도 못하다. 바람이 나도 가정을 버릴 만큼 용단을 내리지 못하고 몰래몰래 바람만 피운다. 기껏해야 두 집 살림이 최선이다. 이 성격이 사랑에서 좌절이 되면 그야말로 하늘이 무너진다. 그래서 다른 것은 모두 제쳐두고 오직 그 사랑에만 매달린다. 그러다가 정녕 그 사랑이 회복되지 않으면 오랜 시간 사랑의 상처에 방황한다. 그러나 그렇다고 그들이 토대에 사랑과 인간에 대한 믿임이 굳건히 뭉쳐져 있기 때문이다. 그들은 좌절의 끝에서 인간에 대한 신뢰를 바탕으로 다시 재기를 한다. 그를 사랑하는 어머니는 한번도 그를 배신하지 않았기에 그는 기본적으로 인간에 대한 신뢰와 애정이 있는 것이다. 그래서 이 성격을 가진 사람들은 사랑의 상처를 딛고 크게 성공하기도 한다. 그들은 아픔을 잊기 위해 부지런히 일하고 인간을 신뢰하는 그들을 주위 사람들은 예쁘게 봐주기 때문이다.

이 세상에서 가장 괴로운 것은 사랑하는 사람이 내 곁을 떠날 때야. 이 사랑하는 사람을 떠나보내 다시 고아가 되느니 차라리 죽어서라도 곁에 붙들어 놓고 싶은 것이 우리 같은 탕자(蕩子)들의 심리지, 난 처음 그녀의 천사 같은 표정을 보았을 때 고아의 한을 느낄 수 있었어.

사랑하는 자는 그 마음이 순결하고 상대방의 인격을 존중하는 것은 물론 대담성과 용기를 지녀야 한다. 그래야만 참된 애정을 지녔다고 할 수 있을 것이고, 그런 애정끼리 만나야 진실된 연애를 했다고 할 수 있을 테니까. 그래야만 행복의 향기도 솔솔 풍겨날 테니까.

사랑의 노래는 대개 애조를 띠고 있어 열정적인 사랑과는 거리가 멀다. 내 기억으로는 대개 열정적인 사랑은 봄에 이루어지고 가을에는 낭만적인 사랑이나 이별이 더 많은 것 같다.

가을에 이별이 많은 이유로는 아무래도 기후 탓을 들 수 있다. 인간은 태양의 자속이라 태양이 많이 비칠 때는 힘을 많이 얻어 사랑에 열렬히 빠지지만 태양빛이 줄어드는 가을에는 괜히 생각이 많아지면서 신중해지는 것이다.

여름이나 겨울이 아니고 봄과 가을에 사랑과 이별이 특히 많은 것은, 여름엔 태양이 모든 것을 다 해 주니 게으르게 늘어져서 사랑과는 멀고 겨울에는 너무 움츠러들어 마음앓이를 하느라고 이별 같은 현실적인 결단까지는 잘못 내리는 게 아닐까 한다.

아무튼 가을이 되면 광활한 푸른 하늘과 함께 괜히 몸과 마음이 새로워지면서 진지하게 사랑을 생각하게 된다.

"남을 행복하게 해 줄 수 있는 자만이 행복을 얻는다."

"행복은 애타심(愛他心)에서 태어나고 불행은 자기 본위에서 태어난다."

행복은 작은 새와 같이 붙들어 두는 것이 좋다. 될 수 있는 한 살짝 그리고 부드럽게, 그 작은 새는 자기가 자유롭다고 느끼기만 하면 기꺼이 그대의 손안에 머물러 있을 것이다.

작은 새! 작은 새는 부드럽게 다루어야 한다. 거칠게 다루었다가는 그만 놀라서 달아나 버리고 만다. 또한 작은 새는 자유롭게 놔주어야 한다. 그래야 안심하고 달아나지 않는다. 경계심을 풀고 가까이 까지 다가와 모이도 쪼아 먹으며 논다. 행복을 원하거든 그것을 작은 새 다루듯 하라.[126]

사랑이나 연인을 택하는 기준이 있는가.

"본능적 충동이나 인연만으로 사랑을 선택해서는 곤란하다. 상대와 함께 사랑으로 어우러지면서 현실을 함께 헤쳐 나가는 지혜와 노력이 필요하다. 그렇기에 오래도록 함께 함께 할 수 있는 사람, 정신적으로 건강하고 사랑을 소중히 하며 항상 함께 나아가려는 상대를 선택하는 것이 바람직할 것이다."

일생을 살면서 세상사에 남녀 간의 사랑을 빼놓을 수 없다. 변하지 않는 진실한 사랑에서부터 외도, 병적인 집착과 스토킹, 배신

그리고 끊없는 절망과 분노에 이르기까지 사랑이 빚어내는 갖은 스펙트럼은 다양하고 가득하다.

결론부터 말하자면 '시작보다 끝이 아름다운 사랑'을 꿈꾸어야 한다. 기쁨과 설렘으로 시작된 사랑이라 할지라도 헤어져야 할 때 헤어질 수 없게 되면 서로의 마음에 상처만 남기고 그 삶 또한 앞으로 나아갈 수 없기 때문이다.

프로포즈에서 용기 다음으로 중요한 것은 여자의 본능에 맞추는 것이다. 여자의 본능은 남자와 달라서 남성 중심적으로 접근했다가는 낭패를 보기 십상이다. 남자의 본능은 시각적 자극에 민감하지만 여자의 본능은 촉각적·청각적 자극에 민감하다. 남자는 여자가 예쁘면 일단 동하지만 여자는 남자가 아무리 멋있어도 충분한 사랑의 말, 단계적인 촉각적 자극이 있어야 반응을 한다.

또 남자는 아무하고 나 섹스를 할 수 있지만 여자는 마음이 열려야 섹스를 할 수 있다. 즉, 여자의 본능은 남자와의 시간차가 있는 것이다. 여자들의 본능에 대한 이런 이해가 부족한 남자는 포로포즈를 조급하게 시도한다. 그러나 접근은 실패하기 쉽다. 남자가 달아오른 만큼 여자는 달아오르지 않기 때문이다.

여자들은 왜 그렇게 선택이 더딘 걸까요?

정자를 갖고 있는 남자와 남자를 갖고 있는 여자의 차이이다. 이런 생물학적 차이가 나중에 배우자를 선택하는 데에도 남녀의 차이를 만든다. 남자는 이미 결정했는데, 여자는 주저하고 그녀의 선택을 빨리 하게 하려면, 아버지 같은 남자가 되어야 한다.…….

딸에게 무한히 사랑을 베풀고 이해하고 기다리고 져 주는 남자이다. 서두르지 말고 여유를 갖고 아버지 같이 기다려 보라. 아니면 어떤 요망을 부리든 바라보지 않고 듣지 않는 것이다.

하지만 대개 여자들은 마음껏 가지치고 꽃을 피워도 뿌리 같이 듬직하게 기다리는 남자를 원하니 진득하게 기다리고 있으면 언젠가는 귀하의 품으로 달려오지 않을까요?

(김동규의 책 <철학자의 사랑법> 중에서) 한구절이 떠오른다.

사랑을 준 만큼 기대가 커진다. '내가 이만큼 사랑을 베풀었으니 최소 이 정도는 사랑받을 수 있을 거야' 라는 기대를 하기 마련이다. 그렇지만 상대는 번번이 기대에 못 미치는 사랑을 준다. 불공정한 거래다. 괘씸하고 불의한 일이다. 그래서 관계 파탄의 모든 책임을 상대에게 지운다."

저자는 선물은 되받을 것을 기대하지 않고 주는 것인데, 현실에서는 이런 선물이 갈수록 희귀해지고 있다고 지적한다. 그러면서 그는 이를 사랑이 증발하고 있는 징표로 해석한다. 사랑은 정의가 아니기에 공평한 거래를 이룰 수 없고, 보통 누군가에 대한 사랑의 정도는 준 만큼 받으려는 기대치와 반비례한다는 게 저자의 주장이다. 사랑의 저울이 한쪽으로 기울 수밖에 없는 이유라 하겠다. 내리사랑은 있어도 치사랑은 없다는 옛말 그대로다. 여기서 세균 세포분열의 질적 비대칭성이 내리사랑의 시원(始原)을 보여주고, 그래서 내리사랑은 자연의 섭리라고 생각한다면 억지스러운 비약일까?127)

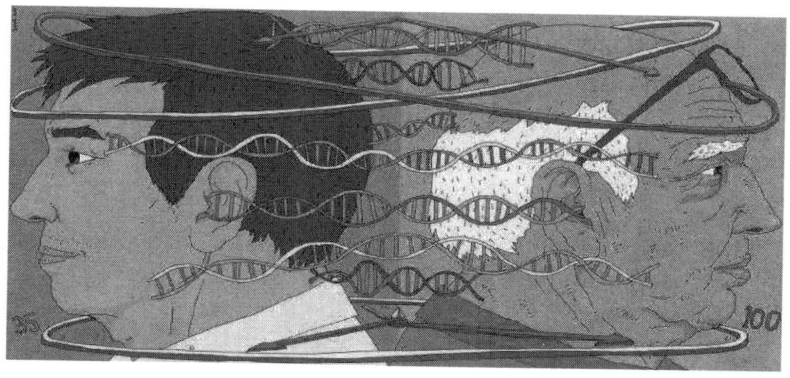

"비너스(Venus)의 사랑에 대한 예언!"

"앞으로 사랑에는 슬픔이 뒤따르리라, 질투도 동반하리라. 사랑은 처음에는 달콤하나 나중에는 쓰디쓰리라. 변덕스럽고 거짓되고 속임수로 가득하리라. 사랑은 가장 정직하게 보이면서도 가장 위선적이요, 가장 순종적이면서도 사실 가장 고집불통이 되리라. 사랑은 전쟁과 끔찍한 사건들의 원인이 되리라."

성(gender)의 출현은 페미니즘과 밀접하게 관계되어 있으며, 전통적 개념인 성(sex)에 대한 문제의식을 반영하고 있다. 대개 sex가 생물적 토대에 기반을 둔 것이라면, gender는 사회적 토대에 기반을 둔 것이라 할 수 있다. 전통적 관점에 따르면 여성과 남성은 육체적 구조, 강도, 기능 등에서 차이가 있으며 이는 근본적인 것으로 변화할 수 없다. 따라서 성차(性差)는 넘을 수 없는 경계와 다름 없다.

페미니즘은 이런 관점에 문제를 느끼고 여성과 남성은 사회화 과정 등에 의해서 만들어지는 것이지 원래부터 정해져 있는 것이 아니라는 주장을 펼친다. 따라서 성차는 사회적 환경을 변화시킴으로써 얼마든지 변화가 가능한 것이다.

"행복으로 가는, 도구로서의 사랑!"

과거에는 경제력이 없는 여성이 경제력 있는 남성을 유혹하기 위해 '애교' 를 부렸다. 코맹맹이 소리로 남성을 유혹하려 했고 어떻게든 그의 아이를 임신해 경제적인 문제를 해결하려고 했다. 하지만 산업혁명 이후 교육의 기회가 동등해지면서 여성의 경제력이 높아지고 남성에게 애교를 부리는 여성이 줄어들고 있다. 결혼도 하지 않고 섹스도 하지 않겠다는 여성이 늘어나면서 인구 감소는 큰 문제가 되고 있다.

여성은 나이가 들면 성욕이 급격히 감퇴되고 장년이나 노년기 여성은 섹스에 무관심하다는 편견이 있었다. 하지만 과학자들은 여성 또한 부신에서 나오는 생식호르몬(DHEA)에 의해 죽을 때까지 성욕을 갖는다는 사실을 입증했다. 여성이 성욕이 없다는 말은 사실이 아니다. 다만 문화적으로 혹은 재미가 없어서 여성은 성욕이 없는 것처럼 느껴지는 것이다. 그럼 어떻게 해야 여성에게 섹스가 재미있을까?

특히 100세 시대에 갱년기 이후의 성은 남성과 여성, 다른 방식으로 접근해야 한다. 50대 이후 남녀가 섹스리스로 가는 가장 많은 이유는 남성의 발기부전과 여성의 질건조증으로 인한 성교통이다. 이 두 가지가 해결되지 않으면 남녀 간의 성관계는 거의 불가능하다. 어떻게 해결할까?

21세기 대한민국에서는 법적으로, 도덕적으로 성희농, 성폭력을 단속하는 법이 강화되어 성차별적 행동을 할 수 없다. 여성이 성을 부끄러워하는 시대는 지나고 자기의 성을 자연스럽게 당연하게 받아들이는 시대가 되고 있다. 오히려 여성이 무서워서 여성을 못 만나는 남성도 늘어나고 있다.

어린 시절 기억이나 사유로 여성을 혐오하는 남성은 섹스로봇(AI)이나 섹스인형(Sexy Doll)을 사서 여성을 대신하려 한다. 2018년 Sexy Doll이라는 단어를 인터넷에서 가장 많이 검색한 곳이 대한민국 서울이라고 한다. 만약 여성과 남성이 더 이상 성관계를 하지 않을 경우 우리의 미래 세계는 어떻게 될까? 사랑을 추구하는 여성과 섹스를 추구하는 남성이 서로를 이해하고 조화롭게 밸런스를 이뤄야 바람직한 가족이 구성되지 않을까?

세상이 바뀌고 있다. 백화점의 VIP, 쇼핑몰의 VIP, 즉 소비를 이끄는 주체가 모두 여성이다. 이런 여성을 어떻게 무시할 수 있겠는가? 여성을 알아야 돈을 벌 수 있고, 여성을 알아야 사랑받을 수 있고, 여성을 알아야 행복할 수 있다. 이제는 남성 위주의 권위적인 성적 행동을 벗고 여성을 배려하는 달콤한 성적 행동으로 바뀌어야 한다.

특히 남성들은 배출 위주의 섹스에서 벗어나 소통 위주의 섹스로의 전환이 요구되고 있다. 이것은 섹스뿐이 아니고 모든 분야에 해당된다. 남녀관계, 노사관계 그리고 부부와 자식 사이에도 이런 소통 방식이 요구된다.

남성들이여! 열린 마음으로 여성을 이해하고 배려하는 마음으로 방법을 찾기 위해 노력하자!

여성들이여! 성은 삶의 도구이다. 성을 잘 활용하면 얻을 수 있는 것이 너무 많다.

파이팅! You can do it![128]

정신의학과 상담을 할 때 술을 끊어야 할지에 관한 조언을 구한 적이 있었다. 항우울제를 복용하려면 술을 먹으면 안 되고 술 마신 날에는 약을 건너뛰어야 하는데, 차라리 술을 끊을 수 있으면 끊을까 싶었다. 의사의 반응은 의외였다. 끊으라고 권하지는 않겠다는 것. 술을 좋아하는 사람이 술을 끊으면 인간관계에 영향이 크다고, 적당히만 드시라고 했다. 역시 배운 사람다웠다.

술을 마신다고 해서 힘든 일이 사라지는 건 아니다. 그러나 적당한 음주는 지치고 괴로운 심신을 완화해 준다. 물론 일시적이다. 애주가의 변명하는 말이지만, 일시적이라도 그게 어딘가. 어느 노래 가사처럼 누가 나를 위로해 줄 것인가.[129]

영국 출신으로 미국에서 활동한 희극배우 찰리 채플린(Charlie Chaplin, 1889~1977)은 "Life is a tragedy when seen in close－up, but a comedy in long－shot(인생은 가까이서 보면 비극이지만 멀리서 보면 코미디)" 이라고 말했다.

9. 사랑을 이루기 위해 필요한 것들

이제껏 살아오면서 사랑 때문에 우여곡절을 겪고 또 우여곡절을 겪은 사람들 얘기를 듣다 보니 사랑에 대해 나름대로 정리되는 게 있다. 사랑에 성공하려면 어떻게 해야 하는지가 떠오르는 것이다. 그러나 유감스럽게도 젊은 날에는 이런 얘기를 들어도 잘 받아들이지 못했을 것이다. 그리고 이글을 읽는 젊은이들도 그냥 남의 얘기려니, 하고 넘겨버리기 쉬울 것이다. 그러나 사랑은 인생에서 너무도 소중한 것이기에, 그리고 한 번 삐끗하면 평생 후회가 되는 것이기에 내가 경험한 것들에 바탕을 두어 한번 요약해볼까 한다. 다음은 내 나름대로 정리한 사랑에 성공을 위한 원칙들이다.

가. 독립된 성인이 된다

사랑은 성인이 하는 것이다. 아이들은 사랑을 할 수가 없다. 그들의 에너지를 생존과 성장에만 집중돼 있다. 아이들이 엄마를 부둥켜안고 뽀뽀하고 젖까지는 만지지만 그들 손이 그 아래로 내려가지는 않는다. 아이들이 아직 사랑할 때가 아닌 것이다. 그러나 성인이 되면 사랑을 해야 한다. 몸은 성인이지만 마음은 아이인 경우가 너무나 많다. 그러면 사랑을 효과적으로 할 수가 없다. 사랑은 상호적인 것이라 자기 중심적인 요구만으로는 성공할 수 없기 때문이다.

어떤 남자는 큰아들로 곱게 자라 세상에 잘 적응할 수 없었다.

그래서 집에서 여자 선생을 불러서 과외만 했는데, 여선생을 보는 족족 사랑에 빠졌다. 그러나 100퍼센트 다 거절당했다. 그 남자의 자기 중심적인 요구를 감당할 수 없었기 때문이다. 엄마는 자식의 요구를 희생적으로 감당한다고 하지만 다른 여성에게 그것을 요구할 수는 없다. 그는 자기 요구가 받아들여지지 않는다고 여선생을 폭행까지 했다. 그러면서 여선생은 계속 바뀌었고, 그는 마음이 어린이인 채로 계속 머물렀다. 결국 그는 나이 들어서까지 결혼은 못하고 계속 짝사랑만 하면서 나날을 보내고 있다. 그의 가장 큰 문제는 엄마에 대한 의존심이었다. 엄마가 모든 걸 해결해주기를 바라는 것이다. 심지어 사랑까지고. 그러나 사랑만은 엄마가 해결해줄 수가 없다. 부모가 대신 섹스해줄 수는 없는 것이다.

사랑을 할 때 무엇보다 중요한 것은 자기 힘으로 현실을 헤쳐갈 수 있는 독립된 성인됨이다.

나. 사람을 믿는다

사람을 믿지 않고서는 사랑을 할 수가 없다. 사랑은 상대방에게 의지하는 것이기에 무조건 상대를 믿어야 한다. 사람을 믿지 않으면 사랑은 금세 증발해버리고 만다. 사람을 믿지 못하면서 사랑을 하는 사람은 평생 사랑이 옮겨 다닌다. 믿음이 없으니 사랑이 정착할 수가 없는 것이다. 사랑이 없으면 너무 외롭기에 사람을 찾으나 그 사람 역시 믿을 수 없으니 스스로 떠나고 또 새로운 사람을 찾곤 하는 것이다. 사람을 믿지 못하는 사람들의 사랑은 처음부터 종착역을 갖고 시작하웅 것이다. 그들은 끝없는 사랑의 여행을 할 수가 없다.

사람을 믿지 못하고 자기 이익만 생각하는 한 여자가 있었다. 그녀의 사랑은 제대로 오래간 적이 없었다. 의심·경계를 하다 보니 상대의 사소한 반응에서도 웅크리고 달아날 궁리만 했다. 또 사람이 살다 보면 잘살 때도 있고 못살 때도 있는데 그녀는 상대가 못살 때면 어김없이 차버렸다. 그러다 보니 그녀는 항상 외로워 계속 남자를 구했다. 그러나 그녀를 만족시켜 주는 남자를 찾을 수 없었다. 그녀의 의심을 넘어 항상 사랑하고, 그녀의 욕심을 넘어 항상 충족시켜줄 수 있는 남자는 세상에 없기 때문이다. 그러다 보니 긴 인생 속에서 그녀의 삶은 자꾸 피폐해져갔다. 사람을 잘 믿지 못하고 이익만 따지는 여자는 몸을 막 굴린다. 몸도 계산기를 두들겨보면 아무 것도 아니기 때문이다. 몸뚱아리에 영혼이 깃들어 있다고 상상조차 하지 않는 것이다.

사람을 못 믿는다는 것은 자기를 믿는다는 것이다. 자기 판단이나 느낌에는 무조건 확신을 갖고 상대를 못 믿으면서 그에 합당한 증거만 찾으려고 한다. 그렇게 뒤디고 찾다보면 사소한 실마리 정도는 찾을 수 있는데, 그것을 갖고서 자기의 불신을 더 굳히기 것이다.

그러나 사람을 못 믿는 것이 모두 그 사람의 책임만은 아니다. 인생에서 회복할 수 없는 상처— 부모의 이혼, 부모의 죽음, 대학입시 실패, 큰 사기 등—를 받은 사람들은 자기도 모르게 사람을 불신하고 경계하기 때문이다.

『다우트(Doubt)』[130]란 연극이 있다. 거기서 엘리이셔스 원장 수녀(김혜자)는는 플린 신부를 끝까지 의심해 학교에서 몰아내고 만다. 그러면서 스스로도 벌을 받았다고 술회한다. 아무도 믿을 수 없는 벌을. 사람은 본능 깊숙이 파고들어가면 누구도 믿을만한 존재가 못 된다. 그건 자기 자신도 마찬가지다. 그러기에 사람을 믿지 못하는 자는 끝없이 증거를 발견하며 자기 불신에 더욱 확신을 갖게 된다. 그러나 그렇게 본능적이면서 불완전한 인간들이 모여 사는 게 사회다. 그래서 관대함도 필요하고 종정도 필요하고 연민, 해 용서도 필요한 것이다. 믿을 수 없는 사람들을 믿어오면서 더 믿을 수 있도록 시스템(system; 어떤 목적을 위하여 체계적으로 짜서 이룬 조직이나 제도)을 구축해온 것이 사회질서다. 사람을 믿지 못하는 사람은 사회생활을 할 수가 없다. 그렇게 되면 혼자만의 고독과 추위 속에 벌벌 떨며 살아야 한다.

남을 믿지 못하고 경계하는 사람들은 자기 상처를 치료할 필요가 있다. 가장 좋은 치료는 아마도 사랑일 것이다. 사랑은 이혼한 부모를, 돌아가신 부모를, 인생의 실패를, 큰 사기를 되돌려줄 수 있기 때문이다. 마음의 상처가 큰 사람은, 그래서 사람을 믿지 못하는 사람들은 사랑에 좀더 신경 써 구원받아야 할 것이다.

다. 사랑의 기회를 소중히 한다

사랑의 기회는 많지가 않다. 젊었을 때는 선택의 폭이 넓으니 사랑을 소홀히 하는 경향이 있는데 세월이 흐르다 보면 그런 기회가 얼마나 소중한 것인지 깨닫게 된다. 특히 정말 서로 사랑하는 상대, 진정한 사랑을 주고 받은 상대를 소홀히 하는 것만큼 어리석은 것은 없다. 나이 들어 그런 상대를 만나기란 하늘의 별따기이기 때문이다. 사랑을 할 때 최선으로 그 사랑을 소중히 하고 잘 키워가야 한다. 양다리 걸치기가 둘 다 잃고 평생 후회하며 사는 여자는 이렇게 말한다. 그때는 기회가 또 있을 줄 알았어. 하지만 인간의 마음이란, 감정이란 그렇게 쉽게 맺고 끊을 수 있는 게 아니다. 삶을 넘어 이어지는 게 인연이 아니던가.

과거 중국 상류사회의 여성들은 결혼식 첫날밤까지 발을 꽉 조이는 전족(纏足) 관습이 있었다. 그리하여 새신랑은 신부의 드러난 발만 쳐다보아도 흥분했다고 한다. 하지만 에로틱한 그 발이 결혼생활 5년이 지나도 여전히 남편에게 오르가슴적 반응을 불어일으킬 같지는 않다고 케이스웨스턴 대학의 심리학자 로이 바우마이스터(Roy F. Baumeister)는 지적한다. 특히 남성들에게는 새로움의 매력과 파트너 교체를 통해서만 성욕이 자극된다는 것이다. 그러나 이처럼 흥분을 일으키는 대상물도 머지않아 성충동 감퇴 현상인 쿨리지 효과(Coolidge effect)131)로 인하여 효력을 잃게 되므로 남성들은 비극적 유혹에 끌리게 된다.

더욱 강한 욕망을 느낀다는 것은 그 욕망을 충시키지 않으면 더 많은 고통과 좌절감이 찾아온다는 것을 의미한다. 남성들은 섹스를 자주 생각하고 성적 흥분도 자주 느끼며, 더 많은 섹스 파트너와 더 많은 성경험을 갈망한다. 그들은 자주 성적 환상에 빠져들고, 매우 빈번하게 수음을 즐긴다. 바우 마이스터(Baumeiste)의 말을 들어보자.

"남자들은 지속적 관계를 필요로 하지 않는 여성을 포함하여 무조건 여성을 침실로 끌어들여 즐기려는 생각에 골몰한다. 이러한 남성들의 입장에서 볼 때 섹스는즐거움을 주는 행위이고, 새로운 파트너를 만나면 더욱 즐겁다. 그러므로 당장 지속적 관계를 맺지 않으면서 즐기고 싶다는 생각이 왜 없겠는가? 남성에게는 유감스러운 일이지만 여성들은 이런 입장을 이해하지 못한다."

남성이 성충동은 만족을 모른다. "평균적인 남성이라면 여러 여성과 섹스하기를 좋아하지만, 여성들 대부분이 그런 남성과 섹스하기를 원하지 않는다는 점이 문제이다." 일부일처라는 성생활의 속박에 매인 남성도 아마 자신보다 섹스의 필요성이 적은 여성을 만나게 될 것이다. "스캔들이나 하룻반의 풋사랑으로 끝나버릴 잠재적 가능성이 많은 홀아비의 생활방식을 포기하고 한 여성에게만 매달린다 해도 그 남성은 성충동을 충족시키지 못할 것이다." 그 결과 결핍과 성적 좌절에 맞서 끊임없이 투쟁해야 한다.

여성을 만날 기회가 훨씬 많은 부자나 유명인사들도 그와 같은 실망스러운 운명에서 벗어날 수 없다. 그런 '행운아' 들도 적응효과 때문에 어느 정도 시간이 흐르면 현상태의 성욕이 더 이상 자극되지 않는다는 사실을 알게 된다.[132]

라. 서로의 바람병에 주의한다

우리는 사회생활을 하지만 우리 본능은 자기만 살아남으려고 한다. 그래서 틈만 나면 바람을 피우려고 기웃거린다. 그러나 이 바람은 잘 감시하고 관리하면 잡을 수 있다. 상대를 너무 인간이려니, 하고 방심하지 말고 주의를 게을리하지 말아야 한다. 바람의 인연에 엮이지 않도록 자기도 주의하고 상대도 감시에 소홀히 하지 않는 게 바람병을 막는 방법이다. 어떤 여자는 자기 애인이 핸

드폰 문자도 못 지우게 하고 싸이월드 미니 홈피도 못하게 하며 이 메일 아이디, 비밀번호까지 알아 철저히 감시했다. 남자는 처음에는 짜증스럽고 화가 났으나 시간이 갈수록 바람기가 가라앉으며 편안해지는 게 느껴졌다. 여자는 자기가 없을 때도 유혹을 이길 수 있어야 감시를 풀겠다고 하며 여전히 주의를 소홀히 하지 않는다. 의연증, 의처증, 의부증까지 갈 것은 없지만 감시와 주의에 소홀히 하지 않는 것도 사랑을 잘 지켜나가는 비결이다. 본능의 격발은 사회적 감시로 누를 수 있기 때문이다.

현대 진보생물학에 따르면, 모든 생물은 태어날 때부터 자신의 유전자를 집단 속에 퍼뜨리기 위한 행동을 하도록 만들어졌다고 한다. 다윈주의(영국의 찰스 다윈이 생물의 변화를 설명하기 위하여 세운 진화의 작용 원리나 구조에 대한 학설. 진화를 일으키는 세 가지 요인은 변이(變異), 유전(遺傳), 생존 경쟁(生存競爭)이라는 입장을 취한다)의 현대적 예언자 리처드 도킨스(Richard Dawkins)에 의하면 인간은 자신의 몸속에 들어있는 생식세포가 명령하는 대로 노예처럼 행동하는 꼭두각시에 불과하다. 단 하나의 엄청난 충동, 다시말해서 육체라는 감옥—죽을 수밖에 없는 운명적 존재—을 벗어나 다른 성의 생식 세포와 결합하려는 충동에 사로잡혀 있다. " 남성의 몸속에서 평생 동안 생산되는 수천억 개의 정자세포들이 난자세포가 내미는 손길은 거역할 수 없는 운명의 유혹이다." 미국 의학자 셔윈 널랜드(Sherwin Nuland)의 이 말은 정곡을 찌르는 발언이었다.[133] 바꾸어 말하면 육체는 하나의 생식세포에서 새로운 육체를 만들어내기 위한 최선의 수단에 불과한 것이다. 성적 쾌감이 약속된 상태에서 진화는 화려한 특수효과를 발휘함으로써 그 어느 때보다 위력을 발휘한다. 진화의 궁극적 목표가 새로눙 생명체를 만드느데 있으므로.

몽테뉴는 이렇게 썼다. “세상의 모든 운동 방향은 짝짓기에 초점이 맞추어져 있다. 만물은 그것을 향한 욕망에 사로잡혀 있다. 짝짓기는 만물을 끌어들이는 중심점이다.” 니체는 다른 말로 표현했다. “인간의 성생활의 정도와 유형은 정신의 마지막 정상까지 올라간다.”

염세주의 철학자 쇼펜하우어도 성욕의 위력을 인정하지 않을 수 없었다. “(성욕은) 아무리 위인일지도 순간적으로 혼란에 빠지게 하고, 부끄러움도 없이 정치가들의 토론장에 끼어들며, 소중한 인간관계를 해치고, 탄탄하던 인연을 끊어버리고, 때로는 생명이니 건강을, 때로는 재산과 지위와 행복을 재물로 요구한다.” 134)

마. 항상 함께하려고 한다

사랑은 홀로가는 길을 둘이 가는 것이다. 둘이 하나가 되어 함께 사는 것이 사랑이다. 그래서 사랑하는 상대와는 가급적 함께해야지 홀로 내버려두는 것은 바람지하지 않다. 그러면 그(그녀)는 외로울 수 있고 또 다른 사랑이 붙을 수도 있다. 늘 붙어다니면 얼마나 지겨울까 하고 생각할 수도 있지만 그래야 한눈팔지 않고 내 남자 내 여자로 굳혀진다. 그리고 남녀가 하나로 붙어다니는 삶은 지겹다기보다는 안정이 된다. 그러면서 인생을 헤쳐가면 내 힘은 두 배로 늘어나는 것이다. 그래서 사랑에는 따라다니려는 노력이 필요하다.

기혼 남성과 독신자들은 서로를 시기 어린 눈으로 바라본다. ‘결혼이라는 감옥’ 에서 바라보면 독신자의 성생활은 자유와 모험으로 가득한 것으로 보인다. 반면에 독신자들 입장에서는 규칙적인 듯이 보이는 기혼자들의 성생활이 부러움의 대상이 되고, 때로는 오르가슴 천국에 사는 것처럼 보이기도 한다. 그러나 기혼자든 독신자든 상대방의 목가적(牧歌的; 전원의 분위기처럼 평화롭고 고즈넉한 것)인 삶의 뒷면에 드리워진 어두운 그림자를 보지 못한다. 독신자는 권태롭게 지속적 관계를 영위하는 기혼자들의 성적 욕망이 무미건조해진다는 사실을 알지 못하고, 기혼자들은 독신자들이 섹스 파트너를 구하지 못해 수많은 밤을 외롭게 보내는 현실을 이해하지 못한다.

성욕을 발산할 기회가 없어서 정서적으로 처리해야 할 남성 독신자들은 부족한 부분을 과도한 수음으로 해결한다. 반면에 독신 여성들은 일반적으로 오르가슴 결핍 자체를 그다지 개의치 않는 것으로 보인다.[135]

☞ 섹스 얼마나 자주하나

최근 영국의 콤돔 회사인 듀렉스사가 흥미로운 조사결과를 발표한 적이 있다. 전세계 14개국 성인남녀 1만 명을 대상으로 일주일에 몇 번 성 관계를 가지는지를 조사한 것이다. 프랑스가 단연 1위로 1년에 151회 즉 일주일에 3회 정도 섹스를 하는 것으로 나타났다. 그 다음이 미국으로 1년에 148회 이며 14개국 평균이 112회로 일주일에 2회 이상 성 관계를 자지는 것으로 조사됐다. 물론 나이에 따라 섹스 횟수가 다르기 때문에 이 통계가 큰 의미를 가지는 것은 아니다.

킨제이 보고서에 의하면 일주일에 섹스를 하는 평균 횟수가 20세 이전에는 3.3회, 25세까지는 4.1회, 30세까지는 3.5회, 그리고 35세까지는 2.9회, 40세까지는 2.4회, 40대는 1.95회, 50대는 1.54회인 것으로 통계가 나와 있다.

물론 킨제이 시대보다 요즘이 더 섹스 횟수가 늘고 있다는 통계도 있다. 이런 경향은 경구용 피임용구의 개발과 인터넷이나 미디어를 통해서 성적 자극과 성 지식에 힘입은 바가 크다고 한다.

그렇다면 우리나라 사람들은 어떠한가? 일주일에 한두 번 하는 것이 평균이라고 한다. 게다가 섹스리스 부부들도 늘고 있다고 한다. 물론 섹스는 횟수보다는 질이 중요하다. 그러나 섹스의 질이 나쁘면 그 횟수도 줄어들게 된다.

다시 말하면 섹스의 횟수가 줄고 있다는 것은 바로 섹스의 질이 나빠지고 있다는 말이기도 하다. 그런데 섹스의 횟수가 줄게 되면 나중에는 섹스를 하고 싶어도 하지 못하게 된다는 사실을 알아야 한다.

남자의 성기는 아침뿐 아니라 밤새 4~6회 발기를 한다. 이것이 없다면 성기 해면체 혈관에는 섬유화가 생겨 피가 통하지 못하게 된다. 그래서 한창 젊을 때는 섹스를 하지 않아도 발기가 되지 않을 염려가 없다. 그런데 남자가 섹스를 하면서 성적 열등감에 빠지게 되면 수면 중 발기 횟수도 줄어들게 된다.

또한 나이가 40~50대쯤 되고 나면 이런 수면 중 발기 횟수도 줄어들어 해면체 섬유화를 가속화하게 된다. 그래서 남자들이 아침 발기가 되면 '아직 녹슬지 않았구나' 하며 안도하는 것이다.[136)]

바. 사랑의 조건

에리히 프롬은 그의 저서『사랑의 기술』[137)]에서 사랑의 조건으로 Giving, Concern, Understand, Respect, Responsibility를 들었다. 그것들을 내 나름대로 이해하면 이러하다.

Giving. 대학시절 어떤 여자를 사귄 적이 있었는데 그녀는 음식점 등에서 계산을 할 때면 테이블 밑으로 돈을 주곤했다. 그땐 무척 감사했는데 돈보다도 그녀의 마음 씀씀이가 고마웠기 때문이다.

현대사회가 돈 중심이 되면서 돈에 인식하고 돈을 따지는 경향이 많은데 사랑할 때는 돈을 너무 따지지 않는 게 좋다. 사랑을 돈 주고 살 수는 없기 때문이다. 나이가 들면 아무리 많은 돈을 들여도 사랑 한 번 제대로 하는 게 얼마나 어려운지 깨닫게 될 것이다. 그래서 영화 속의 주인공들은 사랑을 위해 모든 것을 바치고 버리고 하는 것일 게다. 돈에 대해서는 관대하고 솔직한 게 사랑을 키우는 길일 것이다.

Concern. 상대에게 적극적인 관심을 가질 때 상대를 풍요롭고 안정되는 것 같다. 사랑하는 상대는 나의 반쪽이기 때문에 상대의 일이 남의 일일 수가 없다.

Understand. 연인을 이해하는 마음은 믿음에서 나온다. 사랑할 때 상대를 믿으면 이해 못 할 일이 없을 것이다.

Respect. 내가 누구를 사랑할 때는 상대가 영웅이라고 생각할 필요가 있다. 나는 영웅의 여인이고 남자인 것이다.

Responsibility. 진정한 사랑에는 목숨을 대신하는 책임감도 따른다. 사랑을 한다면 상대를 책임질 수 있는 자세가 있어야 할 것이다.

사랑의 성공에는 거창한 철학이 필요한 것이 아니다. 혼자 사는 삶을 둘이 사는 삶으로 바꾸어나가는 게 사랑이다. 이런 기본적인 노력 정도는 기울여야 사랑을 온전한 내 것으로 할 수 있다. 간단한 것 같지만 이런 것들을 귀찮아하면서 또 스스로의 욕망에 빠져 여기저기 기웃거리다 보면 사랑은 저만치 멀어져가고 그로 인해 받은 상처는 평생 갈 수도 있다. 사랑에 성공하려면 노력을 기본적으로 들여야 할 것이다. 현실적으로 힘들면 마음과 영혼이라도.[138)]

과학자들이 얻어낸 자료에 의하면 오르가슴은 신체적으로 일종의 보디빌딩(bodybuilding; 운동 기구를 사용하여 근육을 발달시키는 운동 또는 이런 운동을 하는 사람들의 육체를 심사하고 채점하여 그 우열을 평가하는 경기)과 같은 효과를 발휘한다.

유명한 영국잡지 『브리시티 메디컬 저널(BMJ)』이 "흔히 '순간의 죽음' 이라고 일컬어지는 오르가슴이 '실제 죽음' 을 연기시킨다." 고 밝힌 바 있다.[139]

주기적인 충동 분출은 죽음을 앞당길 정도로 부담스러운 현상이 아니라 지상의 체류시간을 연장해주는 역할을 한다. 일주일에 최소한 두 번씩 오르가슴을 경험하는 남성은 계속해서 금욕생활을 하는 남자에 비해 기대수명이 현저하게 길어진다. 나아가 '다다익선(多多益善; 많으면 많을수록 더욱더 좋다는 뜻의 고사)' 이라는 의미에서 분량과 효과의 관계가 나타나기도 한다.

미국 듀크 대학에서 섹스가 건강에 미치는 효과에 대하여 270명의 남녀를 대상으로 25년 동안 장기간의 연구를 진행한 바 있다. 그 결과 남성의 오르가슴 경험 횟수가 많을수록 수명도 길어진 것으로 나타났다. 반면에 여성들은 농도 짙은 오르가슴을 경험할수록 수면이 길어졌다. 말하자면 남성에게는 오르가슴 빈도수가 중요하고, 여성에게는 오르가슴의 질적 측면이 우선시되었다.

스웨덴에서 실시한 5년간의 연구에 의하면, 일찍이 성활동을 중단한 남성의 경우는 사망 위험성도 그만큼 큰 것으로 나타났다. 예를 들면 카톨릭(Catholic, Catholicism) 성직자와 수녀들의 경우가 그러하다. 미국 의학자들이 사제 1만 926명을 대상으로 기대수명을 조사한 바에 의하면, 독신생활이 그들의 건강을 지켜주지 않는 것으로 나타났다. 다시 말해서 그들의 사망시기가 평균치를 밑돌았는데, 그 원인은 주로 동맥경화에 있었다. 특이한 것은 간경변으로 사망한 경우가 많았다는 점이다. 수녀들의 수명은 평균치보다 약간 길었다. 연구자들은 그 이유를 니코틴 흡수량이 적었기 때문인 것으로 분석했다.

시카고 대학의 노화연구자인 마이클 로이젠(Michael F. Roizen)은 "섹스가 인간을 젊게 만들거나 젊음을 유지하는 데 도움이 된다는 강력한 증거"라고 주장한다.[140] 그의 계산에 의하면, 일주일에 두 번 이상 사랑을 나누는 사람은 2년 정도 수명이 연장된다. 그리고 하에 한 번으로 성교 횟수를 늘리면 8년을 더 살 수 있다. 이 연구 결과를 바탕으로 노화 예방 조치를 취할 수 있을 것이라는 기대를 표명하였다. 과일과 야채를 많이 먹거나, 운동을 자주 하라는 권고를 떠올리게 하는 대목이다.

세월의 흐름을 견디며 젊음을 유지한 '슈퍼 청년'[141] 사람들의 특징 중 하나는 성생활을 활발하게 유지해왔다는 점이다. 뿐만 아니라 그들은 성행위에 대해 긍정적인 태도를 가졌다는 점에서 일반인들과 크게 차이를 보였다.

활발한 성활동은 유방암 발병률을 줄이는 효과도 있다. 이미 유방암으로 발전된 여성을 조사한 프랑스의 연구결과에서 드러났는데, 암은 한 달에 1회 미만 수준의 성교 횟수가 적은 여성에게서 자주 발생하였다. 오르가슴에 도달했을 때나 성적 흥분상태에 이르면 악성 종양에 대항하는 호르몬이 분비되는 것으로 짐작된다.

뮌헨 공과대학의 남성의학 및 피부과 전문의인 프랑크 미카엘 퀸이 『슈피겔』에 기고한 글에 의하면, 노년의 성생활에 대해서도 잘못된 생각을 갖고 있는 사람들이 많았다. "어떤 이들은 '65세 노인이 발기를 일으킨들 무슨 소용이냐, 일을 하는 데 방해가 될 뿐이지' 라고 냉소하면서 혼자 좌절감을 삭이는가 하면, '일주일에 적너도 세 번은 거뜬히 할 수 있어' 라고 자랑하면서 젊음을 과시하는 사람도 있다."

베를린에서 실시한 사망원인에 관한 연구에 의하면 성교와 관련되어 사망하는 '복상사' 가 교통사고, 근무 중의 사고, 타툼, 유혈 안투극으로 인한 사망에 뒤이어 5위에 해당하는 것으로 나타났다. 말하자면 성교로 인한 사망이 차지하는 비율은 1퍼센트에 불과한 것으로 나타났다.

그러나 금지된 섹스 또는 '추잡한' 섹스는 사망 위험성을 증가시킨다. 오르가슴 도중에 사망하는 복상사는 흔히 바람을 피우거나 사창가에 드나드는 남자들에게만 해당된다고 알려져 왔다.

부부침대에서 성교 도중에 죽는다는 것은 보는 사람에 따라 생의 무대에서 내려오는 아름다운 방법일 수 있다.[142)]

일루즈는 자기 내면의 감정이 가장 중요한 고려 사항이 되며 개인의 감정적 자율이 중시된다고 말한다.

자. 침실 금기어?...애인과 침대에서 절대 하면 안 되는 '짓' 14

배우자 또는 파트너와 함께 쓰는 침실에서 조심해야 할 사항이 적지 않다. 터무니없는 실수로 함정에 빠지면 안 된다. 배우자나 파트너의 이름을 잘못 부르는 건 씻기 힘든 결과를 낳을 수 있다. '인간에 대한 예의' 도 지켜야 한다. 즐거운 성관계는 정직한 파트너가 되는 것에서 비롯된다. 미국 건강포털 '더헬시(Thehealthy)' 가 '침실에서 삼가야 할 행동 14가지' 를 짚었다.

'성스러운' 공간인 침실을 전쟁터로 만들어선 안 된다. 성관계를 중단하고 휴대전화를 오래 받거나, 옛 애인을 언급하거나, 속임수를 쓰는 건 결코 바람직하지 않다(사진= 게티이미지뱅크).

하나. 자신의 방법이 모두 올바르다고 과신하지 마라

파트너의 욕구를 처음부터 바로 알기란 거의 불가능하다. 성관계 전문가인 글로리아 브램 박사는 "누구나 개인적인 취향이 있다. 이를 존중해야 한다" 고 말했다. 의사소통은 관계의 모든 측면에서 중요하다. 파트너가 좋아하는 걸 제대로 알기 위해 애써야 한다. 만족도가 높아지고 굳은 신체적, 정서적 관계를 만들 수 있다.

둘. 침실을 부정적인 공간으로 만들지 마라

잠자리에 들기 전에 어떤 불만을 털어놓는 커플이 많다고 한다.

둘만의 대화를 나눌 수 있는 첫 번째 기회이기 때문일 게다. 하지만 분노와 원한을 침실로 가져오는 것은 금물이다. 쾌락의 공간을 전쟁터로 만드는 행위다. 싸움이 격화되면 한쪽 파트너가 징벌로 성관계를 보류할 수도 있다. 화난 일이 있다면 침실 외 공간에서 갈등을 해결해야 한다. 문제 해결을 내일로 미루는 것도 한 방법이다.

셋. 성적 환상의 공유를 부끄러워하지 마라

미국의 심리치료사이자 성 상담가로 유명한 이안 커너 박사는 "많은 남녀가 자신이 원하는 걸 이야기하는 대신, 자신이 얻지 못하는 성관계나 전희에 집중하고 있다" 고 말했다. 커너 박사는 '그녀가 먼저다(She comes first)' 등 저서로도 널리 알려져 있다. 그녀는 건설적인 방식으로 자신의 욕구를 표현하라고 조언한다. 예컨대 "여기 날 흥분시킬 만한 것이 있는데..." 와 같은 식으로 표현해 보라는 것이다. 언어도 행위만큼 충분히 자극적일 수 있다. 새로운 것을 시도하는 게 좋다. 하지만 그게 불편하거나 안전하지 않으면 안 된다. 항상 흥미로워야 한다.

넷. 상대방을 속이지 마라

입에 발린 소리 대신 정직한 표현이 더 낫다. 관계가 썩 즐겁지 않다면, 끝내는 수단으로 이를 활용할 수도 있다. 클라이맥스의 반전을 기회로 삼아, 상대방이 나를 더 만족시킬 수 있는 방법을 발견할 수 있다. 어떤 행위가 서로에게 효과가 있고 없는지 대화를 나눠야 한다. 파트너가 나를 위해 쇼를 하고 있는 것은 아닌지 걱정된다면, 당황하지 말고 솔직하게 이야기하자. 성관계 전문가이자 '뜨거운 성관계(Hot Sex)' 저자인 트레이시 콕스는 "상대방이 어떤 이유로든 날 속였다고 생각하면, 매번 오르가슴을 기대하지 않게 된다. 그래도 괜찮다는 점을 분명히 이야기해야 한다" 고 말했다.

다섯. 반드시 성관계를 가져야 한다는 압박감을 느끼지 마라.

일주일에 두 번 이상 성관계를 맺는 부부는 성적인 활동이 떨어지는 부부에 비해 더 행복하다는 속설이 있다. 하지만 일주일에 한 차례 성관계를 하면 유대감이 강화될 수 있지만, 그 이상 자주 한다고 해서 행복감이 높아지지는 않을 확률이 높다. 성관계에 대한 압박감을 느끼면서도 성관계 자체에 흥미를 느끼지 못한다면, 다른 방법으로 육체적 활동을 하는 게 좋다. 15분 정도 시간을 내어 스킨십을 하고, 마사지를 해주고, 함께 샤워를 할 수 있다. 성관계에 대한 부담감 없이 육체적 관계를 갖는 데 대해 감사의 마음을 갖는 것도 좋다.

여섯. 오르가슴에 너무 매달리지 마라

오르가슴을 성관계의 목표로 삼는 게 항상 좋지는 않다. 특히 새로운 파트너와의 성관계때 그렇다. 집착하다 보면 다양한 경험을 하지 못할 수 있다. 가벼운 성관계를 하거나 성관계에 서툰 여성은 오르가슴을 느끼지 못할 확률이 높다. 잘못된 게 아니다. 상대방에게 오르가슴을 느낀 적이 있는지 계속 묻는 것은 좋지 않다. 그 자체가 오르가슴을 지연시킬 수 있다. 오르가슴에 집착하면 정반대의 결과를 낳을 수 있다.

일곱. 일 스트레스를 침대에 가져가지 마라

직장에서 어려운 프로젝트를 진행 중이거나 친구와 다투고 있을 수 있다. 그런 경우 모든 스트레스 요인은 침실 밖에서 풀어야 한다. 종전 연구 결과를 보면 특히 여성은 각성을 경험하기 위해 뇌를 차단할 수 있어야 한다. 물론 일에 몰두한다고 해서 성관계를 완전히 배제할 수 있는 건 아니다. 각성은 불안감보다 더 큰 경향이 있다. 흥분할 기회를 주면 도움이 될 수 있다. 성적 환상(판타지)는 하루의 일과에서 벗어나 파트너와의 시간에 집중하는 데 도움이 될 수 있다.

여덟. 비평가가 되지 마라

침대에서 알몸으로 있을 땐 취약해지는 게 일반적이다. 자신감은 남녀 모두에게 영향을 미친다. 낮은 자존감은 여성 성기능 장애의 원인이 된다. 남성의 90% 이상은 자신의 성기 크기를 나름대로 걱정한다는 조사 결과도 있다. 자신의 몸을 매력이 있고 편안하게 느낀다면 침대에서 더 좋은 시간을 보낼 수 있다.

아홉. 옛 애인 얘기를 절대 꺼내지 마라

상대방의 옛날 성관계에 대해 듣고 싶은 사람은 거의 없다. 데이트하는 동안, 특히 뜨거운 분위기에서는 옛 애인과의 관계를 고주알미주알 떠들어대선 안 된다. 성관계 테크닉을 드러내놓고 자랑할 수 있더라도 그렇다. 성적 취향은 사람마다 다르다. 옛 파트너에게 효과가 있었던 것이 새 파트너에게도 효과가 있다는 보장도 없다. 설령 효과가 있다고 해도 다른 사람과의 성관계를 상상하는 걸 좋아할 사람은 거의 없다. 성 전문가 콕스는 "우리는 모두 파트너가 다른 사람의 손길이 닿지 않은 지퍼 비닐봉지에 담겨 우리에게 배달됐다고 생각하고 싶어 한다"고 말했다. 옛 애인과의 성관계를 언급하면 모든 게 파괴된다.

열. 상처를 주지 마라

커너 박사는 "어떤 사람은 성관계를 조금 또는 많이 고통스럽다고 생각한다. 하지만 그건 사실이 아니다"고 말했다. 성관계 중 통증(성교통)은 각성, 윤활, 폐경기 전후나 갱년기 호르몬 변화, 부적절한 체위, 의사소통 부족 등 각종 문제가 있음을 나타낸다. 이 사실을 파트너에게 알리고, 함께 보내는 시간에 윤활유나 전희를 추가하는 걸 두려워하지 않아야 한다. 성교통이 지속되면 감염의 증상일 수 있으니 진료를 받는 게 좋다.

열하나. 침대에서 다른 사람을 상상하는 데 죄책감을 느끼지 마라

콕스는 "머릿속에서 성적 상상을 하는 것은 성관계를 맺은 경험이 많은 사람과의 성행위만족도를 높여주는 매우 정상적이고 효과적인 방법이다" 고 말했다. 성적 환상은 흥분을 높이거나 분위기를 돋우는 데 유용한 도구가 될 수 있다. 유명인이나 밖에서 만난 매력적인 사람, 버스에서 본 낯선 사람을 마음 속으로 상상하는 걸 부끄러워할 필요는 없다. 종교적 이유 등으로 죄책감을 느끼지 않는 한, 성적 환상을 정상적이고 완벽하게 받아들일 수 있다. 하지만 성적 환상이 어떤 경우 관계에 문제를 일으키고 전반적인 성적 만족도를 떨어뜨릴 수도 있다는 연구 결과도 있다.

열둘. 상대방의 이름을 잘못 부르지 마라

환상이 현실에 나쁜 영향을 미치지 않도록 조심해야 한다. 콕스는 "순간의 열기에 휩쓸려 잘못된 이름을 부르면 낭패를 볼 수 있다" 고 말했다. 이는 혀의 실수일 수도 있고, 더 깊은 욕망을 드러내는 것일 수도 있다. 어쨌든 파트너는 불편하게 느낀다.

열셋. 남성의 '기계적인 문제' 때문에 걱정하지 마라

모든 성인 남성은 언젠가는 일시적인 발기부전을 겪게 마련이다. 발기부전은 혈액순환 문제, 과음, 피로, 과로 때문에 발생할 수 있다. 파트너에 대한 감정과는 무관하다. 이 문제를 지나치게 확대해석하면 상황은 더욱 악화될 뿐이다. 남성을 모욕하기 시작하면, 일회성으로 끝날 수 있는 문제가 만성적인 문제로 악화할 수 있다. 남성이 가장 취약할 때 비난을 받기 때문이다.

열넷. 휴대폰 소리에 귀를 기울이지 마라

명백히 분위기를 깨는 행동이다. 그런데도 성관계 중 휴대전화를

잡는 사람이 적지 않다고 한다. 전화를 받거나 메시지를 보기 위해 성관계를 멈춰선 안 된다. 이는 리듬과 분위기를 방해하고, 성관계 중인데도 자신이 최우선 순위가 아니라는 느낌을 상대방에게 줄 수 있다. 생각보다 훨씬 더 큰 낭패를 볼 수 있다.

일반적으로 남성과 여성의 오르가슴의 차이는 여성의 오르가슴은 남성에 비해서 생리적으로 중단되기 쉬우며 남성은 대부분 사정하면서 오르가슴을 느낀다는 것이다. 남성과 여성 모두 절정기에 순간적인 근육수축을 경험하게 되는데 수축시간은 보통 여성이 더 길다. 남성에 있어서 사정은 수정이 되기 위하여 꼭 필요하며 남성의 반응이 보통 더 빨리 유도되기 때문에 성교중에 여성보다 더 일관되게 오르가슴에 도달하는 듯하다.

그러나 여성은 일단 오르가슴에 도달하면 성적 흥분상태가 더 오랫동안 유지되며 연속해서 몇 번이라도 오르가슴을 경험할 수 있는 반면, 남성은 보통 일정한 시간이 지나지 않으면 2번째 오르가슴을 경험할 수 없다.[143]

"감정적 개인주의!"

감정적 개인주의가 작용하면 개인은 진정성에 의거해 자율적으로 연애 상대를 선택한다. 이러한 과정에서 사랑이 지닌 순수성과 고귀성은 강화된 것처럼 보인다. 그러나 '마음의 소리' 는 한편으로 많은 윤리와 규범을 포기하게 만드는 강력한 레토릭(rhetoric)이 되기도 한다. 마음의 소리에 집중하는 현상은 최근 한국 사회에서 하나의 미덕으로 여겨지는 '개취존중' 과도 일맥상통한다. '개인 취향 존중' 을 의미하는 개취존중은 자유와 개인주의를 갈망하는 현시대에 걸맞는 구호다. 이들에게 자유와 개인의 영역은 어더한 경우와도 침해되어서는 안 되며, 이러한 가치관은 개인의 사소한 취향과 선택으로 확장된다.[144]

아. 떡 줄 사람은 생각도 않는데 김칫국부터 마신다

해 줄 상대는 생각지도 않거나 아직 침착하게 고려 중이거나 다 뜻과 계획이 있어서 지금은 일부러 수행하지 않고 그냥 두는 것인데, 당사자 본인은 미리부터 다 되거나 별 것도 아닌 간단한 일로나 대충 짐작해버리고 곧바로 행동해버리거나 당장 해치우라고 재촉하거나 나서거나 나대거나 우기거나 초를 치는 상황을 가리키는 말로, 쉽게 풀이하자면 상대는 생각도 않거나 아직 생각 중이거나 다 뜻이 있어서 일부러 그냥 가만히 있는 것인데 본인은 가능성도 없거나 도와주지도 않을 일에 혼자 잔뜩 기대감을 품는 것을 비꼬는 뜻의 속담. 여기에서 파생돼서 김칫국은 간섭, 망상, 생색, 설레발, 오지랖, 참견, 탁상공론 등과 비슷한 숙어로도 쓰인다.

"여자가 관심 있는 남자에게 보내는 호감 신호!"

책『몸짓의 심리학』은 인간이 관심 있는 상대의 행동을 무의식적으로 따라 하는 미러링 효과에 관해 이야기한다. 호감을 느낀 상대라면 먼저 당신을 자주 쳐다본다. 이때 상대의 뇌는 당신의 행동을 자기 것으로 착각해 비슷하게 움직이게 된다. 사소한 버릇이나 말투를 자꾸 따라 한다면 충분한 호감 신호다. 이 외에도 책에서는 포유류의 공통 습성으로 동맥과 정맥이 있는 목, 손목 등 연약한 부위를 노출하는 것을 호감의 표현이라고 말한다.

내가 스치듯 내뱉었던 얘기까지 상대가 기억한다. 정신건강의학과 양재웅 원장은 여자가 보내는 가장 기본적인 호감 신호로 '경청'을 꼽았다. 남자는 마음에 드는 사람 앞에서 자기 이야기를 많이 하고, 여자는 반대로 귀를 기울이고 공감한다. 인간의 뇌는 관심 있는 것을 중요하다고 여겨 기억한다. 여자가 당신에게 호감이 있다면 시시콜콜한 이야기까지 기억한다. 혹시 그저 남에게 관심이 많고 기억력이 좋은 여자라면? 더욱 확실한 방법으로는 기억을 기반으로 어떤 행동을 하는지 살펴보는 것이다. “추운 날 캠핑하는 거 좋아한다고 했지? 다음 주에 캠핑 갈래?” 내가 했던 얘기로 다음 만남을 이어가려고 노력한다면 의심의 여지가 없다.

단둘이 만나는 일은 호감의 표현이지만, 이성적인 신호로 볼 수는 없다. 식사 약속 후 다음 일정을 위해 후다닥 자리를 비운다면 호감의 신호로 착각해선 안 된다. 그냥 밥만 같이 먹은 거다. 밥을 먹고, 커피를 마시고, 영화를 본 다음에 산책을 하고 저녁에 술까지 마시러 간다면? 당신은 기꺼이 시간과 비용을 투자할 가치가 있다는 뜻이다. 카톡이 끊어지지 않고 계속된다거나, 만날 때마다 작은 선물을 주는 것으로도 여자가 당신에게 투자하고 있음을 알 수 있다.

‘배꼽의 법칙’ 이란 게 있다. 1930년대 W.T 제임스 박사가 다양한 포즈를 보고 의미를 구분하는 실험으로 알아낸 사실로, 배꼽이 향하는 방향이 곧 관심의 방향이라는 것이다. 사람은 호감이 있는 상대 쪽으로 몸을 향하고 있으며 주변을 맴돌고 가까워질 방법을 찾는다. 당신의 주변에 머무르기 위해 운동이나 취미생활을 함께 하려 하거나, 도와줄 것이 없는지 묻는다면 이는 명백한 신호다.

당신이 이성으로서 매력적이라는 사실을 돌려 얘기하는 것이다. 더불어 연애 중인지 떠보는 말이기도 하다. 과거의 연애 얘기는 교생 선생님과도 할 수 있는 가벼운 이야기지만, 현재의 연애 상태를 궁금해 한다면 이는 호감 신호라고 봐도 좋다. 당신에게 호감이 없다면 남에게 인기가 많든 말든 알 바가 아닐 거니까. “너 여자친구 많지?” 또는 “여자친구한테 되게 잘해줄 것 같아.” 라고 바꾸어 말하는 수도 있다.[145)]

"남자들이 여자랑 사귀고 싶을 때 하는 행동!"

잘 듣고 잘 기억하는 행위는 많은 사람들이 당연하게 생각해서 무시하고 지나치곤 하지만 이게 가장 큰 연애 시그널 태도라는 것을 잊어서는 안 된다. 지금 당신이 썸을 타는 남자가 당신이 전에 말했던 것들이나 좋아하는 것과 싫어하는 것들, 혹은 당신이 키우는 애완동물이나 다가오는 휴가 계획 등에 대한 것을 기억하고 있는지 생각해보자. "너 저번에 그건 못 먹는다고 했지 않았어?" 같이 은연 중에 당신이 한 이야기를 기억하고 있는 듯한 태도가 보인 적이 있다면 그 사람은 당신에게 분명이 호감을 갖고 있다는 뜻이다. 물론 당신이 말한 모든 것들을 남자가 기억하는 것은 어려운 일이지만, 당신에 대한 사소한 정보를 조금이라도 저장하고 있다는 것은 관심이 없으면 절대 하지 않는 행동이다.

당신이 친구에게도 이야기하지 못한 전 연애의 아픔이라던가 현재 힘든 일이 있다면 지금 썸을 타고 있는 그 남자에게 슬쩍 던져보자. 대부분의 여자들은 고민을 들어줘야 하는 상황이라면 공감을 해주며 아픔을 위로하려고 하지만 사실 남자들은 그렇지 않다. 공감보다는 문제 해결을 하는 것이 합리적이라고 판단한다. 하지만 남자가 당신의 고민에 공감을 해주면서 위로를 해준다면? 힘들 때 가까운 친구처럼 옆에 있어 주는 것은 당연한 호감의 표시라는 것은 아마 모두가 알 것이다. 고민을 꺼낸다는 게 쉬운 일은 아니지만 연애를 시작하게 된다면 서로 더 많은 문제들과 고민들을 풀어내고 맞춰가야 하는 일이 벌어질텐데 지금 미리 한 번 해보는 것도 나쁘지 않다. 공유를 한다는 것은 아주 좋은 행위이다.

미래에 대한 약속을 한다는 건 연애로 발전할 수 있다는 가장 큰 시그널이다. 굳이 먼 미래의 결혼같은 것을 약속하는 것이 아니라, 지금 썸을 타고 있는 관계에서 가까운 미래에 하면 좋을 것들을 이야기하는 것이다. 예를 들면 당신이 좋아한다던 햄버거 맛집을 가자던가 곧 개봉하는 영화를 같이 보러 가자는 것들도 이에 해당된다. 만약 남자가 여자에게 이러한 태도를 취한다면 그들은 당신과 의미 있는 관계를 원하고 있다는 좋은 신호다. 매일 연락도 하고 주말에도 매번 만나는데 왜 남자가 연애를 하자고는 안 하는 건지 미리 걱정하지 않아도 된다. 그저 당신은 이 관계에서 솔직하게 임하기만 한다면 아마 다음 주에 보기로 한 영화관에서 그 남자가 대뜸 손을 잡으면서 고백을 하는 것은 시간 문제일 뿐이다.

배려는 진심으로 그 사람을 아끼는 마음에서 나올 수밖에 없는 행동이다. 어떤 목적을 가지고서 하는 것이 아니라 정말 순수한 의도에서 나오는 친절하고 낭만적인 태도들이 배려의 형태로 보일 것이다. 예를 들어 퇴근을 하고 지친 당신을 위해 차를 타고 데리러 간다거나 꽃을 좋아하는 당신을 위해 꽃다발 선물을 깜짝으로 한다는 것들도 해당된다. 혹은 데이트 약속을 잡을 때도 당신을 위해 일부러 당신의 동네 근처로 약속을 잡는다거나 하는 사소한 센스들도 마찬가지다. '어쩔 수 없이' 하는 행동이 아니라 '마음에서 그냥 우러나는' 행동들 말이다. 그저 당신이 좋아하고 기뻐할 거라는 마음 하나에서 나오는 예쁜 것들이 바로 배려다. 이러한 작은 배려를 할 줄 아는 남자는 단연 결코 놓쳐서는 안 될 최고의 남자다.

"당연히 고백은 남자가 해야지"

여자들은 남자들도 본인들과 똑같은 사람이라는 점은 고려하지 않고 그저 단편적으로 남자라면 어떻게 행동해야 하는지에 대한 기대가 너무 크다. 남자가 먼저 손을 잡아야 하고, 남자가 먼저 리드를 할 줄 알아야 하고, 남자가 먼저 고백을 할 줄 알아야 하고 하는 것들 말이다. 하지만 남자도 부끄러움을 탈 줄 알고 고백을 할 때는 엄청난 용기가 필요한 사람이다. 그만큼 마음을 공개한다는 것은 누구에게나 힘든 일이다. 그런데 이렇게 떨리고 불안한 마음을 가지고서 당신에게 고백을 했다고? 아마 당신에게 고백을 하는 모습을 머릿 속에서 이미 수 백 번은 시뮬레이션을 돌렸을 것이 분명하다. 그러니 만약 고백을 했다면 일부러 튕기려고 들지 말고 활짝 웃으며 받아주기만 하면 된다.[146)]

"여자친구의 본모습이 드러나는 순간!"

천사 같은 애인의 진짜 모습을 알고 싶다면, 이런 상황에서 때 촉을 세워보자. 포장이 벗겨지고 실체가 드러난다.

많은 연인이 결혼을 앞두고 준비하는 시기에 다툼이 잦다고 한다. 보통은 다투는 동안 본모습을 볼 수 있지만, 그걸 보겠다고 결혼 준비를 할 수는 없다. 그 대신 여행을 준비할 수는 있다. 한정적인 시간과 돈을 어떻게 쓰는지, 일정을 짤 때 우선시하는 것은 무엇인지, 상대와 의견이 다를 땐 설득하는지 포기하는지, 데이트에 적극적인지 수동적인지 등 많은 것을 알 수 있다. 애인의 본모습을 살피기에 해외나 장기 여행이 아닌 당일치기와 주말 데이트로도 충분하다.

여자 친구에게 서운한 점을 얘기하거나, 부탁을 거절했을 때 상대의 반응을 본다. "데이트 비용 좀 같이 내자." 또는 "이번 주 주말은 선약이 있어서 같이 전시 보러 못 갈 것 같아." 누구나 이런 얘기를 들으면 당황스럽고 불편하다. 이런 상황에 대처하는 과정을 보면 상대의 가치관, 성격, 둘의 관계 등을 알 수 있다. 상대가 감정 조절 능력을 갖추고 있고 건강한 연인 관계를 맺고 있다면 충분히 대화로 풀어나갈 수 있다. 반면 합리적인 내용을 정중하게 표현했음에도 상대가 의견을 수렴하지 못하고 화를 낸다면? 상대가 당신을 존중하고 있지 않거나, 자존감이 낮거나, 공격적 성향이 있다는 증거다.

한 번은 실수일 수 있지만, 같은 실수가 반복되면 그저 나쁜 습관이다. 실수를 굳이 고치지 않는 이유는 두 가지다. 더 중요하게 생각하는 우선순위가 있어서, 이미 익숙해져서. 여자 친구가 시간 약속을 계속 어긴다면 이는 본모습을 알 수 있는 중요한 힌트가 된다. 당신과의 신뢰를 쌓는 것보다 더 중요한 다른 가치가 있거나, 지각하는 게 그저 습관인 사람인 것이다.

운전할 때는 긴박한 상황이 벌어지기도 하고, 도로가 막히는 경우도 있다. 게다가 차는 좁고 개인적인 공간이기 때문에 본모습이 튀어나오기 쉽다. 종종 놀라고, 지루해하고, 짜증을 내는 정도는 평범한 인간의 모습이다. 그 밖의 경우도 있다. 신호를 아무렇지도 않게 어기거나, 당황할 때마다 심한 욕을 한다거나, 경차를 위협하는 모습 등. 운전석에 앉은 당신의 여자 친구는 위기 상황에서 어떻게 대처하고 분노를 어떻게 처리하는가.

애인이 지금 부모님과 통화하는 모습은 곧 당신을 대하는 모습이 된다. 잘 보일 필요가 없고 가장 편안한 상대를 대하는 태도는 어떤가? 장난스럽고 애정과 관심이 담겨 있는가 아니면 귀찮고 성가신 감정을 가득 실은 단답형인가? 오랜 친구를 대하는 태도를 살펴봐도 효과적이다. 가장 필터가 없고 자연스러운 상대의 본모습을 볼 수 있을 것이다.

물론 성향에 따라 계획을 어기는 걸 더욱 못 참는 경우가 있다. 이를 차치하고 봐도 본모습을 볼 수 있다. 가기로 했던 맛집이 휴무인 상황을 가정해 보자. 배가 몹시 고프고 이미 오래 걸어 피곤한 상태다. 비까지 억수같이 내린다. 극한의 상황에서 사람은 본성이 드러난다. 아쉬운 마음을 뒤로하고 빠르게 대안을 찾아 제시할 것인가, 좌절할 것인가, 혹은 화살을 상대에게 돌려 화풀이할 것인

가. "나 여기까지 오기 싫었는데 자기가 이거 먹고 싶다고 했잖아."

땀이 쏟아지고 숨이 턱까지 찼다. 등에 멘 배낭은 무겁고 발은 아프다. 체력적으로 무리가 될 때 사람은 자기 모습이 드러난다. 가면을 쓰고 연기를 할 힘도 없기 때문이다. 산꼭대기까지 올라갈 필요는 없다. 반복되는 야근에 지쳤거나, 잠을 제대로 못 자 피곤한 상황에서도 충분히 느낄 수 있다.147)

사랑은 왜 아픈가

배신의 고통에 몸부림치던 시절이 있었다. 닥치는 대로 사랑에 대한 책을 찾아보았지만 만족스럽지 못했다. 그나마 도움이 된 것은 페미니즘이었다. 적어도 시몬 보부아르는 사랑이 젠더를 둘러싼 권력관계임을 보여주었기 때문이다. 그러나 물음은 계속되었다. 왜 우리는 그걸 알면서도 사랑을 욕망하는가?

이때 에바 일루즈를 만났다. 일루즈는 오늘날 우리가 사랑에 목매는 이유를 자존감 고취와 연관시켜 설명한다. 사랑은 나를 괴롭히는 열등감이나 불안감을 떨쳐버릴 수 있게 할 만큼 자존감을 높여준다는 것이다. 사랑은 나를 유일무이의 가치를 갖는 존재로 느끼는 일이다. 그렇다면 불안이 만연할수록 자존감을 고취시키는 사랑을 갈망하게 되는 것이 아닐까? 여기서 사랑은 강렬한 인정욕망이 된다.

그러나 소비사회에서 사랑에 대한 기대와 현실 간에는 커다란 심연이 존재한다. 이것이 바로 사랑이 고통스러운 이유이다. 모든 것을 재빨리 갈아치우라고 종용하는 소비사회는 파트너 또한 자동

차처럼 갈아치우라고 종용한다. 안정을 원했지만 사랑은 불안을 가져온다. 모든 사람들이 차별적일 것을 강조하는 사회는 정작 나에게 맞는 파트너를 만나는 일을 어렵게 만든다. 선택지의 확장은 가능성의 확장이 아니다. 낭만적 욕구를 자본과 연결시키는 사회는 사랑을 위해 좋은 상품이 될 것을 촉구한다. 자존감 고취를 원했지만 정작 우리는 자신을 좋은 상품으로 만드는 일에 매진하게 된다.

모두가 사랑을 갈망하나 아무도 사랑하지 못하는 사회. 모두가 출산율을 강조하지만 아무도 사랑할 수 없는 사회. 결국 우리의 청년들은 사랑하기를 거부하기에 이르렀다.[148]

영화 「당신이 섹스에 대해 알고 싶었던 모든 것(Everything You Always Wanted to Know About Sex(But Were Afraid to Ask)」에서 오프닝 크레딧과 엔딩 크레딧은 콜 포터의 Let's Misbehave의 음악으로 많은 하얀 토끼를 소개한다.

성적 증진약은 효과가 있는가? (Do Aphrodisiacs Work?)

소도미는 무엇인가? (What is Sodomy?)

왜 어떤 여성은 오르가슴에 못 도달하는가? (Why Do Some Women Have Trouble Reaching an Orgasm?)

여장/남장하는 사람은 동성애자((同性愛)인가? (Are Transvestites Homosexuals?)

변태성욕(變態性慾)은 무엇인가? (What Are Sex Perverts?)

의사와 병원이 실행한 성과 관련된 연구와 실험의 결과는 정확한가? (Are the Findings of Doctors and Clinics Who Do Sexual Research and Experiments Accurate?)

사정은 어떻게 하는가? (What Happens During Ejaculation?)

V. 나가는 글

사랑하기 위해서는 상대에게 호감을 주는 것이 필요하다. 생물학적으로는 상대 이성에게 내가 좋은 씨를 줄 수 있고 현실적으로 책임져줄 수 있다는 믿음을 심어 줄 필요가 있다. 그걸 표면적으로 입증하는 게 바로 아름다움이다. 아름다움은 건강함과 잠재된 강한 에너지를 상징한다. 그래서 인류 역사에서 미소년과 미소녀, 아름다운 청년 처녀들은 열렬한 사랑의 대상이 되어왔다. 젊은 시절의 아름다움은 젊은이들이 노력하지 않아도 저절로 얻어진다. 그러니까 젊은이들의 아름다움은 신이 일시적으로 빌려준 축복이다. 나이가 들면 그 아름다움은 신이 다시 걷어간다. 저절로 아름답고 빛이 나는 축복은 두 번 다시 기대할 수 없다.

그러나 아름다움이 없으면 사랑을 할 수가 없기에, 평균수면이 늘어난 인간은 먹고사는 것보다는 사랑에 더 관심이 더 쏠리기 시작해 그 아름다움을 인위적으로 찾으려는 노력을 하기 시작했다. 노력을 하면 신이 준 아름다움까지는 아니더라도 나름대로 젊음과 아름다움을 다시 찾을 수 있다. 중년 남성에서 아름다움이 미중년(美中年; 스스로 자신을 잘 꾸미는 멋진 중년 남성을 이르는 말)이 가능해진 것이다.[149)]

미중년은 나이가 들어서도 꿈과 희망을, 사랑과 꿈을, 멋지게 살려는 희망을 포기하지 않는 사람들이다. 나이에 비해 폭삭 늙어 보이는 사람들은 그저 현실에 안주하고 미래에 대한 꿈을 접는 사람들이다. 젊은이들은 꿈이 있기에 미래가 있기에 내부 에너지가 솟구치면서 아름다운 것이고 미중년 또한 꿈을 포기하지 않았기에

아름다우려고 노력하는 것이다.[150)]

우리는 한평생 돈을 벌고 사랑하면서 살아왔다. 돈을 벌고 사랑하는 것은 우리 인간의 기본 본능인 공격성과 성욕을 충족하는 것이다. 이것이 나이가 든다고 바뀔 수는 없다. 그동안 평균수명이 짧기에, 기력도 그만큼 빨리 소진했기에 중년을 다소 밋밋하게 보냈다면, 평균수명이 늘어나고 기력도 빨리 쇠하지 않는 현대의 중년은 더욱 효율적으로 살려고 노력하고 있다. 그러면서 구태의연한 시든 삶보다는 새로운 인생을 꿈꾸기도 한다. 무조건 집을 나가겠다고 마누라를 조르기도 하고, 한평생 이렇게 살아논 게 억울하다며 새 인생을 꿈꾸기도 하고, 아예 이혼해 새출발을 하기도 하는 중년이 늘고 있다. 그들은 젊은이 이상으로 젊어 보인다.

이제 중년은 시들어가는 시기가 아니다. 또 한 번의 기회의 시기다. 중년 이후의 인생에서도 사랑하고 성공할 수 있는 기회는 가능해진 것이다. 심지어 '남자는 중년부터야!' 라는 말도 있지 않은가. 그러나 아무리 미중년이라고 해도 호응하는 세력이 없으면 혼자 멋 부리다가 끝나고 말 것이다. 하지만 미중년을 좋아하고 선호하는 세력들은 아이들부터 젊은 처녀 총각들에 이르기까지 다양하다. 미중년은 쿨(cool)하고 지긋하고 여유롭고 세련되고 풍요로워 보이기 때문이다. 특히 여자들은 제조 과정에 있는 남자보다는 완성품을 선호한다. 그래서 나이가 들어 감성, 문화 등 여러 면에서 깊이 있는 성숙을 이룬 미중년은 폭넓게 환영받고 있다. 앞으로 좀더 삶이 여유로워지고 수명이 늘어나면 미중년을 넘어 미노년 또한 현실로 다가올 것이다.[151)]

7080 문화가 기성세대만의 추억 되씹기 문화라면 미중년 문화는 중년들이 직접 새로운 문화 코드를 창출해 유행시키고 신세대들이 이를 소비하는 세대 통합 문화다.

참고문헌

곽금주. 도대체, 사랑, 서울: 쌤앤파커스, 2012.

김영번. 사랑에 빠지면 왜 아프고 외로울까, 문화일보, 2012. 2. 10.

김용수. 사랑의 발견 1, 2, 서울: 부크크, 2024.

김용수. 나의 삶을 말하다, 서울: 부크크, 2024.

김정일. 가장 사랑하는 사람이 가장 아프게 한다, 서울: 웅진출판주식회사, 1996.

김정일. 가장 사랑하는 사람이 가장 아프게 한다 2, 서울: 도서출판 두리미디어, 2007.

나민애. 나민애의 시가 깃든 삶-다정도 병인 양-, 동아일보, 2023. 12. 08.

나민애. 나민애의 시가 깃든 삶-약속의 후예들-, 동아일보, 2024. 2. 2.

나민애. 나민애의 시가 깃든 삶-임께서 부르시면-, 동아일보, 2024. 2. 16.

나민애. 나민애의 시가 깃든 삶-봄, 여름, 가을, 겨울-, 동아일보, 2024. 2. 23.

나민애. 나민애의 시가 깃든 삶, 어떤 주례사, 동아일보, 2024년 3월 15일.

나민애. 나민애의 시가 깃든 삶-낮 동안의 일-, 동아일보, 2024. 3. 22.

박소정. 연애 정경, 서울: ㈜ 스리체어스, 2021.

박혜성. 사랑의 기술, 서울: ㈜경향신문사, 2022.

박혜성. 사랑의 기술 2, 서울: ㈜경향신문사, 2022.
박혜성. 사랑의 기술 3, 서울: ㈜경향신문사, 2022.
신형철 외. 너의 아름다움이 온통 글이 될까봐, 서울: 문학동네,
이용대. 그곳에 산이 있었다. 서울: 해냄, 2012.
이은정. 사랑하는 것이 외로운 것보다 낫다, 서울: 이정서재, 2024.
전승환. 행복해지는 연습을 해요, 서울: ㈜ 백도씨, 2018.
전승환. 나에게 고맙다, 서울: 북로망스, 2022.
정덕희. 밤은 낮보다 짧다, 중앙 M&B, 1999.
정현주. 다시, 사랑, 서울: 스윙밴드, 2015.
정현주. 그래도, 사랑, 서울: ㈜중앙일보에스, 2023.
정현주. 거기, 우리가 있었다, ㈜중앙북스, 2015.
한무경. 또 다른 '젊은 나' 꿈꾸며, 매일경제, 2017년 6월 26일.
함성중. 인생 이모작, 제주일보, 2022. 12. 15.
헤밍웨이. 노인과 바다/김욱동 옮김, 서울: 민음사, 2012.
사라베이크렐. 어떻게 살 것인가/김유신 옮김, 서울: 책읽는 수요일, 2012.
헤르만 헤세. 싯다르타/박병덕 옮김, 서울: 민음사, 1997.
아리에스. 죽음에 선 인간/유선자 옮김, 서울: 동문선, 1997.
로먼 크르즈나릭/강혜정 옮김, 서울: 원더박스, 1013.
알베르 카뮈. 이방인/김화영 옮김, 서울: 민음사, 2011.
헤밍웨이. 오후의 죽음/장왕록 옮김, 서울: 책미래, 2013.
Eva Illouz(에바 일루즈). 사랑은 왜 아픈가/김희상 옮김. 서울: 돌베개, 2023.
Mark Johnson(존슨), 마음 속의 몸/노양진 옮김, 서울: 철학과 현실사, 2000.
Rolf Degen(롤프 데겐). 오르가슴/최상안 옮김, 경기: ㈜도서출판 한

길사, 2007.

Blechner, M. J. 'Sex Changes: Transformations in Society and Psychoanalysis.' New York and London: Taylor & Francis, 2009.

Fritsch, Sibylle/Wolf, Axel: Der schwierige Umgang. mit der Lust. Psychologie beute, August, 2000.

Hartmann, Uwe: Gegenwart und Zukunft der Lust. Ein Beirtag zu biopsychologischen und klinischen Aspekten sexueller Motivation. Sexuologie Nr. 3/4 2001, S.191-204.

Lawrence, D. H. 'Lady Chatterley's Lover.' New York: Signet, 1928/2003.

Levine, Roy J.: Human male sexulity: Appetite and arousal, desire and drive. In: Legg, Charles R./Booth, David(Hg.): Appetite. Oxford University Press, Oxford, 1994.

Masters & Johnson Human Sexual Response, Bantam, 1981 ISBN 978-0553204292; 1st ed. 1966.

Nuland, Sherwin B.: Wie wir leben. Das Wunder des menscblicben Organismus Kindler Verlag, Munchen, 1977.

Potts, Malcolm/Short, Roger,: Ever since Adam and Eve. The evolution of human sexuality. Cambridag Huiversity Press, Cambridge, 1999.

Roberts William A.: Are animals stuck in time? Psychological Bulletin, Bd. 128(2002), S. 473-489.

Wallen, Kim: The Evolution of Female Sexual Desire. In: Abramson, Paul R./Pinkerton, Steven D.(Hg.): Sexual nature, sexual culture. University of Chicago Press, Chicago, 1995.

(주석)

1) 김정일. 가장 사랑하는 사람이 가장 아프게 한다 2, 서울: 도서출판 두리미디어, 2007: 194-195.
2) 한무경. 또 다른 '젊은 나' 꿈꾸며, 매일경제, 2017. 06. 26
3) 함성중.「인생 이모작」,『제주일보』, 2022. 12. 15.
4) 정재찬. 우리가 인생이라고 부르는 것들, 서울: ㈜인플루엔셜, 2023: 232-233.
5) 여기서 기생충에는 세균이나 바이러스도 포함된다.
6) 해당 내용은 실제로 진화생물학자인 조켈라 교수가 2009년에 진흙 달팽이로 했던 실험으로 실제 실험결과도 이와 똑같이 나왔다.
7) 옥시토신(Oxytocin)은 "그리스어 어미 OXT, 혹은 OT : 빠르게 태어남"에서 유래된 명칭으로, 척추 동물과 무척추 동물을 아우르는 다양한 동물군의 뇌하수체 후엽에서 분비되는 신경전달물질이다.
8) 어원에서와 일맥상통하게 흔히 자궁수축 호르몬으로서 잘 알려져 있다. 다른 호르몬들과는 구별되는 특징으로 옥시토신은 음성 피드백(negative feedback)에 조절 받지 않고, 출산 과정에서 양성 피드백의 형태로 분비량이 증가하여 자궁을 더 강하게 수축시킨다. 이러한 양성 피드백은 출산이 끝나면 종료된다. 출산 시를 제외하면 가족과 포옹을 하거나 연인과 성행위를 할 때, 또는 자녀에게 모유 수유를 할 시에 젖샘의 자극을 받아 분비된다.
9) 여기서 음식을 불에 익혀서 소화흡수율을 높였다는 설명은 하버드대학교의 인류학자 리처드 랭엄의 '요리가설'에서 참고했으며, 남녀 간의 사랑에 대한 설명은 전중환 교수의 "사랑은 왜 진화했는가?"를 참고함.
10) 곽금주. 도대체 사랑, 서울: 쌤앤파커스, 2012. 02. 14.
11) 박금주. '도대체 사랑', 서울: 쌤앤파커스, 2013. 2. 7.
12) 이고은. 곽금주 서울대 심리학과 교수 '도대체 사랑 - 사랑의 심리학', 경향신문, 2012. 7. 4.
13) Eva Illouz(에바 일루즈). 사랑은 왜 아픈가/김희상 옮김. 서울: 돌베개, 2023: 43.
14) 박소정. 연애 정경, 서울: ㈜ 스리체어스, 2021: 43-44.
15) 김성호의 씨네만세 354, 사랑이 대체 뭐길래, 2021. 11. 10
16) 이성기. 사랑의 표현, kakao story, 2023. 6. 6.
17) 이성기. 사랑의 감정, kakao story, 2023. 3. 24.
18) 이성기. 베르테르의 죽음, kakao story, 2023. 4. 4.
19) Eva Illouz(에바 일루즈). 사랑은 왜 아픈가/김희상 옮김. 서울: 돌베개, 2023: 43.
20) Eva Illouz(에바 일루즈). 사랑은 왜 아픈가/김희상 옮김. 서울: 돌베개, 2023:

43-45.
21) 나민애. 나민애의 시가 깃든 삶-다정도 병인 양-, 동아일보, 2023. 12. 08.
22) 박혜성. 사랑의 기술 3, 서울: ㈜경향신문사, 2022: 9.
23) 기획 · 김명희, 글 · 김순희, 사진 · 홍중식 “ ‘5분 안에 오르가슴에 이르는 실전 테크닉’ ” - ‘성 상담 10년’ 산부인과 전문의 박혜성 조언!-, 여성동아, 2007. 04. 19.
24) 박혜성. 사랑의 기술 3, 서울: ㈜경향신문사, 2022: 12-17.
25) 정동운. ‘책 읽어주는 여자(The Reader, La Lectrice, 1988)’ 와 스토리텔링 마케팅, 쿠키뉴스, 2022. 01. 20.
26) 정덕희. 밤은 낮보다 짧다, 서울: 중앙 M&B, 1999: 33-34.
27) 김정일. 가장 사랑하는 사람이 가장 아프게 한다, 서울: 웅진출판주식회사, 1996: 85-87.
28) 김정일. 가장 사랑하는 사람이 가장 아프게 한다, 서울: 웅진출판주식회사, 1996: 87-91.
29) 노경아. 바람피우는 사람들, 한국일보. 2024. 3. 14.
30) 정덕희. 밤은 낮보다 짧다, 서울: 중앙 M&B, 1999: 35-36.
31) 김정일. 가장 사랑하는 사람이 가장 아프게 한다, 서울: 웅진출판주식회사, 1996: 92-95.
32) 김정일. 가장 사랑하는 사람이 가장 아프게 한다, 서울: 웅진출판주식회사, 1996: 96-100.
33) 박소정. 연애 정경, 서울: ㈜ 스리체어스, 2021: 19.
34) THE POETICS , Aristotle , (trans) S. H. Butcher 1922 -First Edition 1895. Second Edition 1898,Third Edition 1902. Fourth Edition 1907, Reprinted 1911, 1917, 1920, 1922 [참고](Project Gutenberg-Poetics by Aristotle, translated by S. H. Butcher) https://www.gutenberg.org/files/1974/1974-h/1974-h.htm.
35) 오정은.「슬픔」, 경향신문, 2023. 06. 17
36) DeWall, C. N., MacDonald, G., Webster, G. D., Masten, C. L., Baumeister, R. F., Powell, C., ... & Eisenberger, N. I. (2010). Acetaminophen reduces social pain: Behavioral and neural evidence. Psychological science, 21(7), 931-937.
37) Williams, K. D., & Nida, S. A. (2011). Ostracism: Consequences and coping. Current Directions in Psychological Science, 20(2), 71-75.
38) Pickett, C. L., Gardner, W. L., & Knowles, M. (2004). Getting a cue: The need to belong and enhanced sensitivity to social cues. Personality and Social Psychology Bulletin, 30(9), 1095-1107.
39) Downs, A. The Half-Empty Heart: A supportive guide to breaking free from chronic discontent(2004).
40) “emptiness (mysticism) - Britannica Online Encyclopedia”. Britannica.com. 2012년 6월 23일.
41) 김정일.「가장 사랑하는 사람이 가장 아프게 한다」, 서울: 웅진출판주식회사, 1996: 101-103.
42) 정덕희. 밤은 낮보다 짧다, 서울: 중앙 M&B, 1999: 179-180.
43) 김정일.「가장 사랑하는 사람이 가장 아프게 한다」, 서울: 웅진출판주식회사, 1996: 104-107.
44) 김정일.「가장 사랑하는 사람이 가장 아프게 한다」, 서울: 웅진출판주식회사,

1996: 108-111.
45) 양형석. '맞바람' 이야기가 이렇게 아름다워도 되나-그 시절, 우리가 좋아했던 영화, 왕가위 감독의 정통멜로 <화양연화>- , 오마이뉴스, 2024. 1. 27.
46) 김정일.「가장 사랑하는 사람이 가장 아프게 한다」, 서울: 웅진출판주식회사, 1996: 121-122.
47) 워게임(Wargame)이란 말 그대로 전쟁(war)을 컴퓨터로 게임하듯 시뮬레이션한 것으로 여러 군사연습방법 중 현대에 실행되는 대표적인 방법이다. 우리가 아는 스타크래프트 같은 추상적, 캐주얼한 게임이 아닌 절차와 현존하는 병력, 시설, 장비등을 반영하여 시행되는 모의시뮬레이션이다. 주 목적은 의사결정권자들인 지휘관들의 지휘능력 향상, 지휘관을 보조하는 참모들의 조언능력 향상, 그리고 전쟁절차의 숙달이다. 이는 개인이나 단위제대별의 임무숙달을 위한 훈련과는 구분된다.
48) 김정일. 가장 사랑하는 사람이 가장 아프게 한다, 서울: 웅진출판주식회사, 1996: 123-127.
49) 박혜성. 사랑의 기술 2, 서울: ㈜경향신문사, 2022: 60-62.
50) 박혜성. 사랑의 기술, 서울: ㈜경향신문사, 2022: 29-30.
51) 김정일. 가장 사랑하는 사람이 가장 아프게 한다 2, 서울: 도서출판 두리미디어, 2007: 167-170.
52) 김정일. 가장 사랑하는 사람이 가장 아프게 한다 2, 서울: 도서출판 두리미디어, 2007: 171-174.
53) 『크레이머 대 크레이머(Kramer vs. Kramer)』는 미국의 1979년작 법정 드라마 영화이다. 로버트 벤턴 감독이 연출하고, 더스틴 호프먼, 메릴 스트립, 제인 알렉산더, 저스틴 헨리가 출연한다. 에이버리 코먼이 쓴 동명의 소설이 원작으로, 아들을 두고 갑작스레 집을 나간 엄마와 남겨진 아빠, 그리고 부부의 양육권 분쟁을 다루고 있다. 이혼을 주 소재로 70년대 말 미국의 전통적 가정상이 붕괴되는 흐름과 성 역할, 모성애, 부성애의 문제, 양육권 문제 등 다양한 사회적 이슈를 아우르는 작품이다.
54) 김정일. 가장 사랑하는 사람이 가장 아프게 한다 2, 서울: 도서출판 두리미디어, 2007: 175-177.
55) 박혜성. 사랑의 기술 2, 서울: ㈜경향신문사, 2022: 158-160.
56) 김정일. 가장 사랑하는 사람이 가장 아프게 한다 2, 서울: 도서출판 두리미디어, 2007: 183-187.
57) 박혜성. 사랑의 기술 2, 서울: ㈜경향신문사, 2022: 36-37.
58) 나민애. 나민애의 시가 깃든 삶-낮 동안의 일-, 동아일보, 2024. 3. 22.
59) 박혜성. 사랑의 기술 2, 서울: ㈜경향신문사, 2022: 63.
60) 박혜성. 사랑의 기술 2, 서울: ㈜경향신문사, 2022: 178-179.
61) 영화 외도 줄거리. 제작, ㈜리필름. 감독, 최우성. 출연, 이은미, 아리, 안민상, 최채일, 2016. 07. 19.
62) 박태훈. 외도 용서했는데 또 함께 '스위스 여행' …남편 죽이고 내연녀에게 칼부림, 서울=뉴스1, 2024. 01. 19.
63) 김정일. 가장 사랑하는 사람이 가장 아프게 한다 2, 서울: 도서출판 두리미디어, 2007: 201-202.
64) 정소(精巢)에서 만들어지는 남성 호르몬으로, 정낭(精囊), 전립선(前立腺) 등의

발육을 촉진하고, 제이차 성징(性徵)이 나타나게 한다.
65) 박혜성. 사랑의 기술, 서울: ㈜경향신문사, 2022: 33-34.
66) 박혜성. 사랑의 기술, 서울: ㈜경향신문사, 2022: 30-32.
67) 김정일. 가장 사랑하는 사람이 가장 아프게 한다 2, 서울: 도서출판 두리미디어, 2007: 203-208.
68) 박혜성. 사랑의 기술 2, 서울: ㈜경향신문사, 2022: 73-75.
69) 이 앨범의 타이틀곡인 어느 소녀의 사랑이야기는 원래 박건호가 가사를 쓸땐 정미조를 위하여 "사랑에 빠진 여인" 이란 제목으로 정미조 귀국앨범으로 기획하여 만들었지만 정미조가 다시 유학을 가는 바람에 부르지는 못했다. 1981년 급히 제목을 민해경 나이에 맞게 '어느 소녀의 사랑이야기' 로 제목이 고쳐졌다.
70) 박혜성. 사랑의 기술 3, 서울: ㈜경향신문사, 2022: 202-203.
71) Eva Illouz(에바 일루즈). 사랑은 왜 아픈가/김희상 옮김. 서울: 돌베개, 2023: 64-65.
72) 김정일.「가장 사랑하는 사람이 가장 아프게 한다」, 서울: 웅진출판주식회사, 1996: 50-52.
73) 박은봉. 마음 아플 때 읽는 역사책, 서울: 서유재, 2022.: 34-133.
74) 유형준. 숨결이 바람 될 때 - 신경외과 의사 폴 칼라니티, 의학신문・일간보사, 2021. 4. 6
75) 최범. 서울에서-사랑은 지독한. 혼란, 경향신문, 2008. 11. 4.
76) 울리히 벡, 엘리자베트 벡 게른샤임. 사랑은 지독한. 혼란, 서울: 새물결, 2008. 11. 4.
77) 성지연. 결혼 이후의 사랑이 더 중요하지 않을까, 주간경향, 2020. 4. 29.
78) 성지연. 어른의 인생 수업, 서울: 인물과사상사.
79) 이혜미. 어른의 인생 수업, 한국일보, 2023. 1. 10.
80) 울리히 벡 등. 장거리 사랑/이재원, 홍찬숙 옮김, 서울: 새물결
81) 이성원. 장거리 사랑, 한국일보, 2012. 11. 16,
82) 정인수. 지금 이 순간을 살아라, 경향신문, 2009. 8. 31.
83) 에크하르트 톨레. 지금 이순간을 살아라/유영일, 서울: 양문, 2008. 9. 2.
84) 채윤희. '오만과 편견' ,경향신문, 2007. 10. 16.
85) 제인 오스틴. '오만과 편견'/윤지관, 전승희 옮김, 민음사. 2003. 9. 20.
86) 은현희. 토니오 크뢰거—'베네치아에서의 죽음' 中, 세계일보, 2010. 9. 13.
87) 옮긴이 홍성광은 1959년 삼척에서 태어나 서울대학교 독문과를 졸업하고 동대학원에서 문학박사 학위를 받았다. 논문으로는 '토마스 만의 소설 '마의 산' 의 형이상학적 성격', '하이네 시의 이로니 연구', '토마스 만과 하이네 비교 연구', '토마스 만의 괴테 수용', '토마스 만과 김승옥 비교 연구' 등이 있고, 옮긴 책으로는 토마스 만의 '부덴브로크 가의 사람들', 헤르만 헤세의 '싯다르타', 미카엘 엔데의 '마법의 술', 하이네의 '독일. 겨울 동화', 프리더 라욱스만의 '철학의 정원', 에리히 레마르크의 '서부 전선 이상 없다' 등이 있다. 현재 전문번역가로 활동 중이다.
88) 안용찬. 내안의 기적을 만나라, 경향신문, 2009. 4. 7.
89) 안젤름 그륀. 내안의 기적을 만나라/전옥례 옮김, 서울: 마음의 숲, 2007.
90) 박소정. 연애 정경, 서울: ㈜ 스리체어스, 2021: 57-61.
91) 성인기 후반부터 유병율과 사망률을 높게 만드는 여러 가지의 질병으로, 암

종 · 당뇨병 · 심장병 · 신장병 · 고혈압 등은 대개 나이가 든 어른들에게 많이 발생한다고 하여 성인병이라 하지만, 경우에 따라서는 노인병 · 문명병이라 하기도 한다.
92) 박혜성. 사랑의 기술 2, 서울: ㈜경향신문사, 2022: 242-243.
93) 정서린. 알랭 드 보통 '낭만적 연애와 그 후의 일상', 서울신문, 2016. 9. 1.

94) 한기호. 낭만적 연애와 그 후의 일상, 경향신문. 2016. 9. 12.
95) 장동석. 일 · 돈 · 섹스가 궁금한가요? '인생학교' 로 오세요, 한겨레, 2013. 1. 18.
96) 김도연. 섹스 · 사랑 · 돈 · 직업.. 삶에 대한 조언, 문화일보, 2013. 1. 11.
97) 인생학교-섹스 · 돈 · 정신 · 시간 · 세상 · 일(전 6권) / 알랭 드 보통 외 지음, 정미나 외 옮김 / 쌤앤파커스, 2013.
98) 박한신. 새봄, 나를 깨우자-밥벌이 지겨워도..일 없어지면 불안한데-, 한국경제, 2013. 2. 20.
99) Eva Illouz(에바 일루즈). 사랑은 왜 아픈가/김희상 옮김. 서울: 돌베개, 2023: 77-79.
100) 다이어트(diet)는 본래 식단(食單)이라는 뜻의 어휘로, 특정 목적을 위해 정해 놓은 식사 계획을 이르는 단어다. 그러나 현대인들에게는 체중 조절을 위한 식단이라는 의미가 가장 친숙하기 때문에 여기서 체중을 조절하기 위한 식단(식이요법)이라는 뜻으로 의미가 축소되었으며, 현대에서는 이 뜻으로 더 널리 쓰인다. 한국에서는 식사 이외에도 다른 수단(예를 들어 운동)을 포함하여 살을 빼는 행위 자체를 총칭하여 다이어트라 부른다.
101) 박혜성. 사랑의 기술 2, 서울: ㈜경향신문사, 2022: 237-241.
102) 박소정. 연애 정경, 서울: ㈜ 스리체어스, 2021: 156-157.
103) 남녀가 육체적으로 관계를 맺을 때에 쾌감이 절정에 이른 상태이다. 일반적으로 남성과 여성의 오르가슴의 차이는 여성의 오르가슴은 남성에 비해서 생리적으로 중단되기 쉬우며 남성은 대부분 사정하면서 오르가슴을 느낀다는 것이다. 남성과 여성 모두 절정기에 순간적인 근육수축을 경험하게 되는데 수축시간은 보통 여성이 더 길다. 남성에 있어서 사정은 수정이 되기 위하여 꼭 필요하며 남성의 반응이 보통 더 빨리 유도되기 때문에 성교중에 여성보다 더 일관되게 오르가슴에 도달하는 듯하다. 그러나 여성은 일단 오르가슴에 도달하면 성적 흥분상태가 더 오랫동안 유지되며 연속해서 몇 번이라도 오르가슴을 경험할 수 있는 반면, 남성은 보통 일정한 시간이 지나지 않으면 2번째 오르가슴을 경험할 수 없다.
104) 박혜성. 사랑의 기술 2, 서울: ㈜경향신문사, 2022: 82-83.
105) 박소정. 연애 정경, 서울: ㈜ 스리체어스, 2021: 157.
106) 한돌. 묵은 잎을 떨궈야 새잎이 싹튼다, 한겨레, 2024. 2. 19.
107) 이 시리즈는 전남 순천사랑어린배움터 촌장 김민해 목사가 발간하는 <월간 풍경소리>와 함께 합니다.
108) 전승환 행복해지는 연습을 해요, 서울: ㈜ 백도씨(허밍버드), 2018: 133-135.
109) 박소정. 연애 정경, 서울: ㈜ 스리체어스, 2021: 158-159.
110) 김상민. 창가에서, 경향신문, 2022. 6. 21,
111) 박소정. 연애 정경, 서울: ㈜ 스리체어스, 2021: 141.

112) 이은정. 사랑하는 것이 외로운 것보다 낫다, 서울: 이정서재, 2024: 248-249.
113)전승환 행복해지는 연습을 해요, 서울: ㈜ 백도씨(허밍버드), 2018: 126-127.
114) 박소정. 연애 정경, 서울: ㈜ 스리체어스, 2021: 140-141.
115) 박소정. 연애 정경, 서울: ㈜ 스리체어스, 2021: 142.
116) 박소정. 연애 정경, 서울: ㈜ 스리체어스, 2021: 146-149.
117) 박소정. 연애 정경, 서울: ㈜ 스리체어스, 2021: 149-150.
118) 이은정. 사랑하는 것이 외로운 것보다 낫다, 서울: 이정서재, 2024: 13-15.
119) 박소정. 연애 정경, 서울: ㈜ 스리체어스, 2021: 150-151.
120) 이은정. 사랑하는 것이 외로운 것보다 낫다, 서울: 이정서재, 2024: 55-56.
121) 박종국,아름다운 노년생활, 티스토리, 2022. 6. 13.
122) https://jongkuk600.tistory.com/13789958
123) 이은정. 사랑하는 것이 외로운 것보다 낫다, 서울: 이정서재, 2024: 118-127.
124) 김정수. 수목한계, 경향신문, 2022. 4. 11.
125) 박소정. 연애 정경, 서울: ㈜ 스리체어스, 2021: 126.
126) 헤벨. 박덕은, 113.
127) 김웅빈. 태어나는 순간 시작되는 노화…노하거나 슬퍼하지 말자, 그게 섭리다, 경향신문, 2023. 5. 11.
128) 박혜성. 사랑의 기술 3, 서울: ㈜경향신문사, 2022: 313-315.
129) 이은정. 사랑하는 것이 외로운 것보다 낫다, 서울: 이정서재, 2024: 178.
130) 『다우트(Doubt)』는 퓰리처상을 수상한 존 패트릭 섄리의 희곡 'Doubt: A Parable'를 각색한 2008년에 개봉한 미국의 드라마 영화이다. 섄리가 감독과 각본을 맡았고 스콧 루딘이 제작을 하였으며, 메릴 스트립, 필립 시모어 호프먼, 에이미 애덤스, 비올라 데이비스 등이 출연하였다.
131) 새로운 자극을 욕망하는 인간의 본능을 이르는 것으로, 수컷이 동일한 암컷과 계속 교미하면 쉽게 지치지만 새로운 암컷을 대하면 곧바로 성적 흥분이 일어나 교미할 수 있게 되는 효과이다.
132) Rolf Degen(롤프 데겐). 오르가슴/최상안 옮김, 경기: ㈜도서출판 한길사, 2007: 264-266.
133) Nuland, Sherwin B.: Wie wir leben. Das Wunder des menscblicben Organismus Kindler Verlag, Munchen, 1977.
134) Rolf Degen(롤프 데겐). 오르가슴/최상안 옮김, 경기: ㈜도서출판 한길사, 2007: 29-32.
135) Rolf Degen(롤프 데겐). 오르가슴/최상안 옮김, 경기: ㈜도서출판 한길사, 2007: 268.
136) 박혜성. 사랑의 기술, 서울: ㈜경향신문사, 2022: 210-211.
137) 철학자 에리히 프롬이 1956년에 출간한 책. 프롬이 자신의 철학적 작업을 더 많은 사람들에게 알리기 위해 쉽게 쓴 대중철학서적으로서, 34개의 언어로 번역되어 수백만 부 이상이 팔려나간 베스트셀러가 되었다.
138) 김정일. 가장 사랑하는 사람이 가장 아프게 한다 2, 서울: 도서출판 두리미디어, 2007: 253-263.
139) Smith, George Davey et al: Sex and death: are they related? Findings form the Caerphilly cohort study. British Medical Journal, Vol. 315(1977), S. 1641-1644.
140) Roizen, Michael F., zitiert nach Berman, Jennifer/Berman, Laura: For Women Only. A Revolutionary Guide to Overcoming Sexual Dysfunction and

Reclaiming Your Sex Life. Virago Press, London, 2001.
141) 스코트랜드 로얄 에딘버그 대학의 과학자들이 10년동안 3,500명의 피험자들을 한쪽으로만 보이는 매직 유리창을 통해 대상 인물의 나이를 날아맞춰보라는 과제를 주고, 실제 나이보다 7년에서 12년까지 적다고 펀정된 피험자들을 '슈퍼 청년' 범주로 분류하였다. .
142) Rolf Degen(롤프 데겐). 오르가슴/최상안 옮김, 경기: ㈜도서출판 한길사, 2007: 271-278.
143) 김영섭. 침실 금기어?...애인과 침대에서 절대 하면 안 되는 '짓' 14, 코메디닷컴, 2024. 4. 16.
144) 박소정. 연애 정경, 서울: ㈜ 스리체어스, 2021: 105.
145) 조서형. 여자가 관심 있는 남자에게 보내는 호감 신호!, GQKOREA, 2023. 10. 11.
146) 임채원. 남자들이 여자랑 사귀고 싶을 때 하는 행동!, GQKOREA, 2023. 10. 11. WWW.GQ-MAGAZINE.CO.UK,
147) 조서형. 여자친구의 본모습이 드러나는 순간!, GQKOREA, 2023. 09. 20.

149) 미중년(美中年)은 남녀불문 외모가 아름다운 중년을 뜻하는 단어이다. 더 나이가 들면 미노년으로 변한다.
150) 미중년이라 불리기 위해선 멋, 개념, 신념을 갖고 있어야 한다. 플러스로 정장이 잘 어울리며 몸이 쫙 빠지면 인기가 폭발적으로 상승한다. 물론 미중년은 같은 성별이 봐도 멋있다. 주로 수염을 미중년의 가치로 여기는 사람들과 그렇지 않은 사람들로 나눠진다.
151) 김정일. 가장 사랑하는 사람이 가장 아프게 한다 2, 서울: 도서출판 두리미디어, 2007: 162-164.
151) 이현재. 소비사회와 사랑의 고통, 경향신문, 2019. 5. 15.
151) 김용수. 춘매(春梅)는 아직도, 서울: 부크크, 2024: 131.
151) 김정일. 가장 사랑하는 사람이 가장 아프게 한다, 서울: 웅진출판주식회사, 1996: 15-17.